LES LIBERTINS
AU XVIIe SIÈCLE

DU MÊME AUTEUR

Histoire de la Littérature française au XVIIᵉ siècle,
    5 volumes, Editions Mondiales, 1949-1956.

Verlaine, *L'Homme et l'Œuvre,* Hatier, 1953.

En préparation :

Histoire de la Littérature française au XVIIIᵉ siècle.
    4 volumes prévus.

COLLECTION LE VRAI SAVOIR
DIRIGÉE PAR ROBERT MANTERO

Adam, Antoine, comp.

ANTOINE ADAM

Professeur à la Sorbonne

LES LIBERTINS
AU XVIIᵉ SIÈCLE

BUCHET/CHASTEL

PARIS.

PRÉFACE

Entre les jeunes nobles qui, vers l'époque de la Fronde, scandalisèrent Paris par leurs blasphèmes et leurs débauches, et les graves érudits qui se réunissaient entre eux pour discuter librement des traditions religieuses et de la naissance des régimes politiques, quelle ressemblance véritable pourrions-nous découvrir ? Mais au XVIIe siècle déjà on prit l'habitude de mettre la même épithète de libertin sur des hommes qui n'avaient guère en commun que le goût et les habitudes de l'indépendance, mais qui faisaient de leur liberté des usages fort différents. Si bien qu'aujourd'hui, lorsqu'on entreprend une Anthologie des Libertins du XVIIe siècle, le lecteur a le droit d'y vouloir trouver des textes qui éclairent aussi bien le libertinage scandaleux des uns, le libertinage érudit des autres, et le libertinage subtil et secret qui, sans éclat, accomplissait, à travers le siècle, une véritable révolution des valeurs morales.

Dès le XVIe siècle, mémorialistes et publicistes notaient, dans les milieux qui touchaient à la Cour, des cas d'irréligion agressive. Ils restaient pourtant, semble-t-il, exceptionnels. Mais aux environs de 1620, le libertinage devient un entraînement qui gagne une bonne partie de la jeune noblesse à Paris. Elle a maintenant un chef de file, Théophile de Viau. Elle ose, dans les églises, se moquer d'un prédicateur maladroit, elle se réunit dans les « cabarets d'honneur », et y chante des couplets blasphématoires, elle ne distingue pas la révolte contre la

religion, et la licence des mœurs. La classe supérieure
se laisse gagner ; c'est l'époque où la jeune reine
Anne d'Autriche s'amuse, avec quelques folles amies,
à lire l'obscène Parnasse satyrique. Une réaction se
produisit. En 1623, l'arrestation de Théophile, le long
procès qui suivit, les poursuites engagées contre les
auteurs du Parnasse satyrique arrêtèrent le développement de ce premier libertinage.

Sur ce moment de la vie française, on a mis
dans la présente anthologie les témoignages de trois
auteurs. Le P. Garasse avait fait éclater le scandale
en publiant contre les libertins la Doctrine curieuse
des beaux esprits de ce temps. Livre confus, super-
ficiel, encombré d'une science inutile, mais qui permet de se faire des libertins de cette époque une
image probablement exacte. Sans le vouloir, Garasse
laisse deviner, au-delà de leurs négations péremptoires
et de leurs blasphèmes, la philosophie où les plus
intelligents d'entre eux prenaient leur appui. Ils ne
croient pas au Dieu de la Bible, ni à celui de
la grande tradition spiritualiste. Mais ils croient
au Destin, à une loi suprême qui a organisé la
nature et continue à la régler. Ils ne croient pas
à l'immortalité d'une âme spirituelle. Mais ils croient
à des principes vivants qui passent éternellement
d'une forme à une autre forme pour les animer
tour à tour. Du christianisme, ils rejettent tout, les
dogmes aussi bien que la morale. Les religions sont,
à leurs yeux, des formes de l'imposture politique.

L'œuvre de Théophile pourrait décevoir ceux qui
s'attendraient à y trouver, comme on dit, de belles
impiétés. A lire les interrogatoires de son procès,
on constate qu'il ne songeait pas à développer en
vers des thèses irréligieuses. Parfois un mot, une
phrase lui échappent, qui marquent peu de respect
pour les dogmes chrétiens. Il n'a pas de peine à
s'en excuser par la liberté reconnue de tout temps
aux poëtes. Les deux pièces que l'on a reproduites
ne sont nullement dirigées contre les dogmes. Mais
elles sous-entendent la même philosophie qui se

dégage de la Doctrine curieuse : *l'homme, non pas supérieur à la nature, mais radicalement enfoncé dans la matière, soumis aux mêmes lois que les animaux, dominé par ses humeurs, inconstant et divers, sans qu'en lui une volonté libre et ferme réussisse à le diriger.*

Sur ce mouvement d'une certaine jeunesse entre 1620 et 1623, nous possédons un témoignage précieux, l'Histoire comique de Francion. Il convenait d'en reproduire quelques-unes des pages les plus caractéristiques. Que le roman de Sorel rappelle la vie des jeunes libertins dont Théophile était le chef de file, il semble raisonnable de le penser, et l'épisode des « généreux » est, au vrai, l'histoire d'une génération qui méprisait les valeurs établies, et leur opposait son propre idéal. Le lecteur observera avec quelle rigueur Sorel pousse jusqu'au bout sa pensée. Il s'agit pour les hommes d'apprendre à vivre « comme des dieux ». Il n'est de bonheur que pour les âmes libres. Et certaines pages du roman permettent de découvrir ce que ces libertins mettaient sous le nom de générosité.

Le régime autoritaire qui s'établit en France à partir de 1624, les progrès du conformisme, le respect grandissant pour toutes les sortes d'orthodoxies devaient étouffer la tradition libertine. Elle subsista dans d'étroites coteries. Nous la retrouvons dans l'entourage de Gaston d'Orléans. Elle éclate à l'époque de la Fronde. Les Parisiens scandalisés dénonçaient les « impiétés » et les « saletés » de ces jeunes nobles. Un de leurs pamphlets stigmatisa « les blasphémateurs du Marais du Temple ». Ceux qu'on appelait « Messieurs du Marais », Candale, Brissac, Bachaumont, et bien d'autres, faisaient de leur liberté un usage qui inspirait l'horreur.

Nous avons sur l'existence de ce libertinage extravagant quelques preuves sûres. Il convenait de les citer ici, en partie du moins. Le baron de Blot était l'un des familiers de Gaston d'Orléans. Il

amusait de ses chansons le prince et sa cour. Le
lecteur comprendra, à lire certains de ses couplets,
jusqu'où pouvait aller l'audace de Blot et de ses
amis. Nous pouvons imaginer les repas où ces
couplets étaient chantés, puis repris en chœur. Le
libertinage se fait ici, sans aucune retenue, injurieux et blasphématoire.

A ces chansons de Blot, on en a joint quelques
autres, retrouvées dans un manuscrit de l'Arsenal.
Peut-être sont-elles de lui encore. Peut-être ont elles
été composées par l'un ou l'autre de ses amis, ou
par l'un des Messieurs du Marais. Mais, de toute
façon, elles sont toutes pareilles aux siennes par
l'inspiration. L'historien des idées et des mœurs doit
savoir que dans la France de Mazarin et de la pieuse
Régente, à une époque où le parti religieux donnait
le ton, la volonté d'indépendance prenait ces allures
de dérision agressive.

A un autre niveau de la société française, dans
la classe bourgeoise, parmi les professeurs de collège
et les gens d'Eglise, chez ceux qui avaient fait de
bonnes études, un travail s'accomplissait en même
temps, qui aboutissait à une critique sérieuse de
cette orthodoxie intellectuelle, morale, religieuse, que
les libertins du Marais se contentaient de chansonner.
Le mot de libertinage érudit désigne assez exactement cette attitude de pensée.

Il avait ses origines au siècle précédent. Certaines
œuvres circulaient dès lors en manuscrit, et l'on
parlait, sans l'avoir vu, d'un traité Des trois Imposteurs. C'est à cette littérature clandestine que se
relient les Quatrains du Déiste, attestés en 1624.
Malgré leur forme maladroite, malgré la lenteur
accablante du développement, on a cru nécessaire
de les reproduire pour que le lecteur d'aujourd'hui
se fasse une image exacte de la pensée libertine
et des formes qu'elle pouvait revêtir.

L'auteur des Quatrains du Déiste aurait été sans
doute fort étonné s'il eût appris qu'on dût un jour

*le confondre dans la même troupe scandaleuse que
les libertins de la cour. Il était professeur de philosophie, et sa pensée s'était nourrie des grandes
œuvres de l'Antiquité. Il avait appris à se faire de
Dieu l'idée la plus haute. Une idée si haute même
que dès lors les dogmes chrétiens se révélaient
impossibles à croire. Comment l'Etre infini pour-
rait-il se faire chair ? Comment la Bonté suprême
peut-elle se plaire à châtier les hommes d'un supplice éternel ? Comment l'Immuable peut-il changer
ses desseins pour tenir compte des prières qui lui
sont adressées ? L'auteur des* **Quatrains** *n'est pas
irréligieux. C'est précisément parce que son âme
est pénétrée du sentiment de Dieu qu'il s'en prend
si vivement aux « superstitieux » qui déshonorent
la Divinité quand ils pensent l'adorer. Et toutes les
religions positives sont, à ses yeux, et par nature,
des « superstitions ».*

*Le Déiste n'est d'ailleurs pas un révolté. Ou plus
exactement sa révolte est intérieure. Il ne voit aucune
raison de mépriser les cultes, ni les hiérarchies religieuses. Ce sont là des nécessités politiques. Toute
société a besoin d'une religion, et ce n'est pas par
lâcheté ou par hypocrisie que le Déiste se conforme
aux gestes exigés par la religion de son pays ; c'est
qu'il fait la juste différence entre le for interne et
le for externe, entre la pensée, qui est libre, et les
attitudes, qui doivent être soumises aux lois de la
vie publique.*

*Quelle était, à Paris, la diffusion de cette religion
moderne, où l'adoration de l'Etre suprême se substi-
tuait aux confessions chrétiennes ? Des chiffres ont
été prononcés. Mais si l'on songe que cette religion
était, par nature et par nécessité, tout intime et
secrète, on ne saurait espérer qu'aucun document,
aucun témoignage puisse nous apprendre le nombre
des déistes. Nous devinons seulement qu'ils devaient
être nombreux dans une société formée par les
disciplines de l'humanisme, nourrie de Cicéron et
de Sénèque, dans un monde, au surplus, qui venait*

de vivre l'épouvantable expérience des guerres de religion, et qui devait raisonnablement opposer aux confessions de foi qui divisent les hommes, l'adoration de l'Etre suprême, qui les unit.

C'est pour cette raison que l'on a tenu à mettre dans cette anthologie quelques pages des Mémoires de Pierre Beurrier. Ce curé de Saint-Etienne-du-Mont a connu des libertins : un avocat, un médecin, un prêtre. Il a recueilli leurs confidences. Ces hommes n'ont rien de commun avec les libertins de la cour. Bien plutôt que d'étaler leur incrédulité, ils ont eu pour premier souci de la dissimuler. Ils ont vécu d'une vie régulière. Mais dans le secret de leur pensée, ils se sont détachés de toute croyance. Chacun d'eux a cherché la vérité dans des voies différentes. Ce qu'ils ont en commun, c'est qu'ils considèrent les confessions religieuses comme des moyens de l'imposture politique, et qu'ils soumettent à leur raison les traditions et les dogmes que le commun des hommes adoptent sans les discuter.

Cette attitude d'esprit se retrouvait chez plusieurs des savants et des érudits qui se rassemblaient autour des frères Dupuy. Il serait à coup sûr trop simple de voir dans l'Académie putéane, comme on disait, un rassemblement de libertins. Mais les membres de cette docte assemblée étaient d'accord pour se méfier de toutes les formes d'orthodoxie et pour soumettre à une libre critique les idées communément reçues. Deux d'entre eux, La Mothe le Vayer et Gabriel Naudé ont, dans leurs livres, développé cette méthode que l'on pourrait appeler le libertinage critique. On a retenu, de leur œuvre, pour les reproduire dans ce volume, quelques pages qui ont paru faites pour éclairer, non pas seulement leur pensée, mais celle d'un grand nombre de leurs contemporains.

Ils sont, pour employer le mot même dont ils se servent, « déniaisés ». Ils s'appellent aussi « illuminés », ce qui signifie éclairés. C'est-à-dire qu'ils sont guéris des erreurs populaires, et que la lumière

*de leur raison leur a fait découvrir les impostures et
les illusions dont se contente le commun des hommes.
A la métaphysique traditionnelle ils n'opposent pas
une métaphysique différente. Il ne semble pas qu'ils
soient séduits par le matérialisme, encore qu'ils le
connaissent bien. Ils préfèrent, en ce domaine, avouer
l'impossibilité où ils sont de se décider. Tout leur
effort porte sur les idées reçues, sur les fables, les
légendes pieuses, les croyances, que les générations
se transmettent sans les discuter.*

*Ils n'avaient, ni l'un, ni l'autre, le goût du mar-
tyre, ni la soif du scandale. Ils n'estimaient pas assez
les hommes pour prendre des risques et braver
ouvertement les préjugés. Ils préféraient donner les
exemples d'une méthode. Lorsque La Mothe le Vayer
aborde dans un de ses* Dialogues *le problème de
l'existence de Dieu, il ne songe pas à traiter la question de fond. Il confronte seulement les thèses en
présence. Ce n'est pas cette existence même qu'il
discute, c'est l'idée que les hommes s'en sont faite.
Le lecteur découvre, grâce à lui et à son érudition,
que les thèses les plus contraires ont été également
soutenues, et qu'elles peuvent toutes se réclamer de
noms prestigieux. Il apprend surtout que l'argument,
si souvent allégué, du consentement universel des
peuples est chimérique, et que les relations des voyageurs modernes l'ont définitivement ruiné. En Asie,
en Afrique, en Amérique, nous savons par elles qu'il
existe des peuples où toute idée de Dieu est inconnue.*

*De ces observations, La Mothe le Vayer a soin de
ne tirer aucune conséquence. Il ne dit pas que la
même méthode, appliquée au christianisme, n'en
laisserait rien subsister. Il prend même la précaution
de nous dire que la religion chrétienne est étrangère
au débat. Il s'admire au contraire d'avoir ruiné les
philosophies et la foule des sectes religieuses puisqu'ainsi la vérité du christianisme apparaît dans une
plus pure lumière. Mais les contemporains les mieux
informés nous apprennent qu'il était tenu pour secrè-
tement athée. Soyons assurés qu'il savait fort bien*

à quelles conclusions sa méthode devait nécessairement conduire ses lecteurs.

L'œuvre de Gabriel Naudé, elle aussi, vaut surtout comme méthode critique. Indifférent aux métaphysiques, Naudé nous apprend à interpréter les faits de la vie politique et religieuse. Tandis que les orthodoxies prétendent nous imposer des évidences, il nous enseigne à voir partout le jeu de l'imposture et les prestiges de l'illusion. A l'origine, il découvre l'œuvre des grands manieurs d'hommes, qu'ils s'appellent Romulus, Clovis ou Mahomet. Pour fonder d'abord, puis pour assurer leur empire, ils ont eu recours à la religion. Le peuple, naturellement crédule, s'est laissé tromper. Il a cru aux visions, aux prophéties, aux miracles. Il a cru que le Ciel inspirait directement ces hommes. Il a cru à des révélations. De même que La Mothe le Vayer, Naudé se garde bien de mêler le christianisme à sa critique des impostures. Il savait que ses lecteurs avertis l'entendraient à mi-mot.

Au surplus, ces hommes, intérieurement affranchis, sont loin de vouloir répandre leurs idées, troubler les consciences, ébranler l'ordre public. Dans une France où l'opinion publique s'insurge contre les empiètements de la Cour, ils sont au contraire partisans d'un pouvoir autoritaire et fort. La Mothe le Vayer travaille pour Richelieu, Naudé pour Mazarin. Naudé est un des rares Français qui aient pris la défense de la Saint-Barthélemy. Il l'a fait au nom de la Raison d'Etat. Pour mettre un terme à l'absurde et sanglante répression des prétendues sorcières, il attend plus d'un pouvoir royal éclairé que des Parlements enfoncés dans leur ignorance et leurs préjugés. Rien n'est plus faux que l'image habituelle que l'on se fait de ces libertins, comme si leur œuvre était dirigée contre l'ordre établi.

Parmi les habitués de l'Académie putéane, certains poussaient très loin la critique des croyances. D'autes s'appliquaient à distinguer les dogmes essentiels du christianisme, et les superstitions dont la religion du Christ s'était peu à peu encombrée. Au nombre de ces chrétiens sincères, mais qui voulaient être aussi des chrétiens éclairés, il convient de placer Guy Patin. Toute sa correspondance témoigne avec éclat que le doyen de la Faculté de Médecine est très fermement chrétien. Mais il faisait la part des impostures, et avec le temps cette part lui sembla de plus en plus considérable. Il y mettait le purgatoire, inventé, disait-il, pour faire bouillir la marmite des moines. Il y mit aussi l'enfer, et les indulgences, et le culte des saints. Pour reprendre les termes qu'un jour il employa, il approchait de plus en plus du fond du sanctuaire. Il soulevait le voile. L'on finit par se demander quels mystères échappaient encore à sa critique.

Il convenait de reproduire la page si curieuse qu'il écrivit un jour pour son fils. Elle permet de comprendre un état d'esprit qui fut probablement celui de très nombreux Français de l'époque, dans la classe des magistrats, des officiers royaux, dans cette bourgeoisie cultivée qui formait l'assise solide de la nation. En garde contre toutes les extravagances de pensée et de conduite, mais profondément hostile au parti religieux et à sa domination. Persuadés que les Français étaient en train de perdre leur vieille franchise, et que les mœurs de Rome et de Madrid tendaient à s'installer chez nous. Mais persuadés aussi qu'il était inutile de lutter ouvertement, et qu'il fallait plutôt sauver l'essentiel, la liberté intime de l'esprit.

Entre tous ceux qui se rencontraient chez les Dupuy, Gassendi apparaissait comme un maître. Il était pourtant « le moins présomptueux des hommes ». Il ne songeait pas à imposer ses idées. Mais il enseignait à penser. Il formait ses auditeurs du Collège royal à craindre les raisonnements ambitieux, les constructions systématiques, à n'admettre qu'une seule méthode, l'expérience organisée. Il n'était nullement, pour son compte, un libertin, et jusqu'à la fin de sa vie il récita chaque jour son bréviaire. Mais il ne semble pas douteux qu'il ait été un maître de libertins, et que plusieurs de ses disciples aient tiré de ses principes des conclusions qui allaient loin. L'un d'entre eux, le plus audacieux probablement, fut Cyrano de Bergerac.

Nous retrouvons chez celui-ci le libertinage critique dont La Mothe le Vayer et Naudé venaient de donner les modèles. Comme eux, il enseigne à se méfier des idées reçues, des opinions communes. Il raille la sottise des théologiens, il s'amuse à parodier leur manière de raisonner. Pas plus que Naudé il ne croit aux miracles. Il sait fort bien comment les expliquer. Il est, lui aussi, un « déniaisé ».

Mais il est aussi un philosophe, et qui n'a pas oublié les leçons de Gassendi. Il croit que le monde est formé d'atomes, que la matière est homogène, que tout se réduit au mouvement. Et de cet atomisme, il tire la conclusion la plus contraire à l'orthodoxie, la conclusion du matérialisme le plus déterminé. C'est que le hasard suffit à expliquer l'ordre apparent de l'univers, que le nombre des combinaisons possibles étant infini et celui des combinaisons viables étant très restreint, il est inévitable que toute combinaison viable finisse par se produire. Diderot n'en dira pas beaucoup plus lorsqu'il s'efforcera de prouver combien est vaine la preuve de l'existence de Dieu qui se tire de l'ordre de l'univers.

Gassendi avait trouvé, ou croyait avoir trouvé le moyen de concilier l'atomisme et le dogme de la Providence. Mais le matérialisme de Cyrano se nourrissait à d'autres philosophies. En lisant la page qu'il a consacrée à l'immortalité de l'âme et que l'on a eu soin de reproduire dans ce volume, le lecteur a très fortement l'impression que Cyrano s'inspire d'Alexandre d'Aphrodisias et du matérialisme padouan. Peut-être même faut-il avouer que l'auteur des Etats et Empires de la Lune ne réussit pas à fondre complètement les deux traditions de pensée dont il s'inspirait. Lorsqu'il tente d'expliquer sa conception de l'immortalité, il semble oublier l'atomisme dont il se réclamait d'abord, et c'est plutôt le naturalisme

italien qui rend compte de cette philosophie où chaque être tend à une forme plus parfaite, et où les
âmes, par une suite de métamorphoses, passent du
végétal à l'animal, et de l'animal à l'homme.

Ces théories exposées par Cyrano ont, pour l'historien, une importance considérable. A nous en tenir
aux œuvres de La Mothe le Vayer et de Naudé, nous
aurions été tentés de croire que la pensée libertine
était tout absorbée par la critique des traditions religieuses. La philosophie de Gassendi tendait à une
physique atomistique qui laissait intact tout le
domaine de la métaphysique. Cyrano nous apprend
que le matérialisme des Padouans reste connu et n'a
pas cessé de séduire certains esprits.

C'est ce qui permet de comprendre l'existence,
attestée en 1659, d'un ouvrage manuscrit, le Theophrastus redivivus, qui offre, avec les conceptions de
Cyrano, des ressemblances frappantes. Il ne pouvait
être question d'en reproduire des extraits puisqu'il
est écrit en latin. Mais il rassemble les thèses de la
littérature libertine. Le monde est éternel, et les
astres règlent notre destin. L'homme est un animal
comme les autres, et qui ne leur est pas supérieur.
L'immortalité est une chimère. Le sage aborde la
destruction finale sans terreur. Toutes les religions
sont des inventions politiques. Elles sont des impostures qui servent à courber les peuples sous l'autorité des législateurs. Elles sont toutes bonnes, mais
en ce sens seulement qu'elles sont utiles à l'ordre
public. Par une rencontre singulière, l'auteur du Theophrastus redivivus a cité quelques vers de Cyrano.
Mais c'est dans leur ensemble que ces deux pensées,
si parfaitement contemporaines, coïncidaient. Le
matérialisme padouan, étranger à certains des libertins, restait bien vivant dans le secret de quelques
esprits.

S'il est essentiel de ne pas confondre des courants
de pensée et des styles de vie profondément différents, si les libertins de la cour de Gaston ou du
Marais avaient très peu de traits communs avec les

érudits et les philosophes de l'entourage de Gassendi,
il va de soi que des cas particuliers pouvaient et
devaient se produire où les différentes formes de
libertinage se combinaient. Le cas de Des Barreaux
est, sur ce point, particulièrement net. Il avait été
l'ami préféré de Théophile. Il avait gardé des façons
volontiers scandaleuses. Il s'était fait une réputation
de débauché, et l'on se répétait avec indignation ses
blasphèmes. Mais aussi il avait été en Italie. Il avait
suivi à Padoue les cours de Cremonini. A Paris il
était l'ami de Luillier, qui lui-même était de l'intimité
de Gassendi. Un jour il alla en Hollande pour y rencontrer Descartes. Ce débauché était, sans aucun
doute, un philosophe.

Dans l'histoire du libertinage au XVIIᵉ siècle, il
apparaît qu'il apporta une note nouvelle. Ou plus
exactement il a développé avec insistance une idée
qui n'était qu'esquissée dans l'œuvre de Théophile.
Les esprits mal informés sont tentés de dénoncer
chez les libertins une confiance orgueilleuse dans la
raison humaine. Des Barreaux ne cesse au contraire
d'affirmer que notre intelligence est faite pour nous
égarer et nous faire souffrir. Enveloppée de ténèbres,
elle peut seulement nous aider à prendre conscience
des misères de notre condition. La Nature est une
puissance aveugle et cruelle. Le Néant nous cerne,
et la mort est l'aboutissement de toute vie. Ce pessimisme, cette abdication, Des Barreaux les a transmis
à Dehénault, à Mme Deshoulières, et, à travers eux,
à Chaulieu. Les œuvres de nos libertins en ont été
définitivement marquées.

Des différents systèmes philosophiques de l'Antiquité, l'épicurisme devait naturellement attirer les
libertins. Ils y trouvaient l'idée d'un Dieu indifférent
aux choses terrestres et qui se distinguait mal de la
Nature. L'épicurisme leur fournissait des arguments
contre l'immortalité de l'âme. Il leur apprenait à
voir dans les religions la source de mille maux. Dans
la vie morale, il enseignait comme eux à mépriser
l'ambition et la cupidité, il ramenait la vertu à une

sorte de culture personnelle, il plaçait très haut l'amitié et en faisait le lien social par excellence. C'est l'épicurisme des Anciens qui rend le mieux compte des idées de Théophile et de sa génération.

Il appartint pourtant à Vauquelin des Yveteaux de donner à ses contemporains l'image parfaite d'une vie tout inspirée par l'épicurisme. Dans sa belle propriété du faubourg Saint-Germain, il partageait son temps entre les plaisirs d'une chère exquise, de la musique, des œuvres d'art, et, sans doute aussi, de l'amour. Les visiteurs étaient nombreux. Il leur donnait l'exemple de sa vie, et nul doute qu'il leur en fît le commentaire. Il fut, comme Chaulieu l'écrivait plus tard, l'Epicure de son temps.

Il n'accordait peut-être aux problèmes de la philosophie et de la religion qu'un assez faible intérêt. Il était déiste plutôt qu'athée. Les esprits religieux ne l'en détestaient pas moins. Mais rien ne prouve qu'il ait jamais « dogmatisé ». Rien n'autorise non plus à penser qu'il ait poussé la recherche des plaisirs jusqu'à la débauche. Les raffinements, plutôt, le tentaient. Il n'en fallait pas davantage alors pour dresser contre soi l'opinion publique.

Vers 1645, on eut connaissance d'un sonnet où il avait résumé son sens de la vie. Ces vers firent grand bruit. Ils blessaient trop vivement le stoïcisme chrétien qui était, si l'on peut dire, la morale commune de l'époque. On lira plus loin le sonnet de Vauquelin, la réponse de François Ogier. On lira aussi un sonnet que Des Barreaux composa à l'imitation de Vauquelin, et qui permet d'intéressantes comparaisons entre deux conceptions du libertinage.

Vauquelin donnait l'exemple d'une vie conforme aux principes d'Epicure. Gassendi et ses amis entreprirent de justifier ces principes au nom d'une saine philosophie. Le point de départ se situe en 1634. Cette année-là, Gassendi écrivit une Apologie d'Epicure. Il ne la publia pas immédiatement. Mais il en discutait avec ses amis, et l'on s'explique ainsi que Sarasin ait écrit en 1645-1646 son Discours de morale

sur Epicure. *Aussitôt après, en 1647, Gassendi publiait
son* De vita et moribus Epicuri. *En 1652, Sorbière
faisait paraître* De la Vie, des Mœurs et de la Réputation d'Epicure. *On a tenu à mettre dans le présent
volume un long extrait du* Discours de Sarasin.

*Il décevra sans doute le lecteur. Mais cette décep-
tion même est utile. Lorsque les philosophes abor-
dent cette question de l'épicurisme, ils le font avec
une étrange timidité. Ils savent les critiques qu'ils
vont s'attirer. Ils ne peuvent ignorer que les écrivains orthodoxes vont dénoncer cette apologie de la
volupté et ne feront pas grand effort pour comprendre leur vraie pensée. Ils accumulent donc les
précautions. C'est ainsi que sous la plume de Sarasin
la morale épicurienne en vient à rebuter par son
austérité. Son Epicure est un homme qui se nourrit
de pain, qui ne boit que de l'eau et qui abhorre
naturellement tous les vices.*

*Cet épicurisme n'était pourtant pas insignifiant. Il
osait s'opposer au stoïcisme qui régnait alors. Il
proposait une attitude nouvelle en face de la vie,
une attitude moins tendue, l'art de détourner son
attention de la tristesse et de la douleur pour se
distraire par des images heureuses. Il appartint aux
générations suivantes de pousser plus loin, de demander à la doctrine épicurienne, non plus seulement une
méthode d'« indolence », mais les moyens de cultiver
en soi la volupté.*

*Ce développement du libertinage épicurien appa-
raît avec une grande netteté chez Saint-Evremond. Il
avait, lui aussi, recueilli les leçons de Gassendi. Il
l'admirait profondément. Il lui a certainement
emprunté son épicurisme. Mais il lui a donné un
autre sens. Comment en aurait-il été autrement ? et
comment la même doctrine aurait-elle été inter-
prétée de la même manière par le bon et pieux théologal de Digne, et par un jeune officier de l'état-major
de Condé ?*

*Aucun texte ne nous autorise à penser que Saint-
Evremond ait pratiqué le blasphème comme faisaient*

Blot et ses amis. Mais nous pouvons imaginer sans imprudence que cette forme de libertinage ne le cho-quait pas tellement. On devine aussi qu'il avait lu le Francion *et certaine page du roman de Sorel annonce assez précisément l'idée que Saint-Evremond se fai-sait de la volupté. Elle n'était pas simplement l'in-dolence. Ele était le plaisir, recherché activement et sans timidité. Ce n'étaient pas les scrupules de la morale courante qui lui imposaient des limites. C'était un souci d'élégance et de raffinement. Toute la différence entre la débauche et la volupté, Saint-Evremond, comme le héros de Sorel, la plaçait dans cette recherche.*

Cet homme, que l'on se représente souvent comme un moraliste mondain et comme une sorte de bel esprit, s'était fait en réalité, de bonne heure, une philosophie de l'homme. Il avait un sentiment très fort de nos contradictions et de notre instabilité. Il ne pensait pas que la raison fût la reine de nos facul-tés. Ce qu'il découvrait de plus fort en nous, c'étaient nos passions, et, parmi ce chaos, l'inquiétude. La recherche même du plaisir, où il plaçait, en appa-rence, le trait dominant de notre vie, n'était qu'un effort pour échapper à la vue de notre condi-tion et de ses misères. Il s'agit pour nous de nous divertir, c'est-à-dire, au sens étymologique du mot, de nous détourner. Ce n'est pas l'auteur des Pensées, *c'est Saint-Evremond qui a parlé le premier du diver-tissement.*

Cette vue pessimiste de la condition humaine, nous en avions déjà rencontré les éléments essentiels dans la pensée libertine. Nous avions remarqué notam-ment quelle image Théophile se faisait de nos contra-dictions et de nos faiblesses. Des Barreaux avait développé cette idée, et il en venait, nous l'avons vu, à condamner l'intelligence. Il enviait l'être insen-sible, qui a le bonheur de ne pas penser. On peut croire que, d'une façon ou d'une autre, cette tradition avait touché Saint-Evremond.

Et ce qui est plus net, c'est qu'à partir de ce

moment, c'est-à-dire des années 1650-1660, les libertins
sont d'accord pour exprimer les mêmes idées sur
l'homme. Ils n'exaltent pas la raison : ils l'humilient.
Ils parlent des passions, mais c'est pour dire qu'elles
nous mènent au hasard, et que si elles nous appor-
tent parfois de la joie, elles nous font, plus sûre-
ment, souffrir. Qu'il s'agisse de Mme Deshoulières,
de Dehénault, de Chaulieu, la tradition libertine est
désormais fixée.

C'est qu'il s'agit bien d'une tradition, et qui se
développe à l'intérieur d'un cercle étroit, Saint-
Evremond, comme Sarasin, a fréquenté Gassendi.
Mme Deshoulières a vécu entourée de Des Barreaux,
de Saint-Pavin et de Dehénault. Chapelle a fréquenté
assidûment, dans sa jeunesse, l'académie putéane,
et c'est lui qui a été le maître de Chaulieu. Dans
une France reprise en main par l'Eglise romaine, et
que domine le stoïcisme chrétien, ces libertins forment une petite société, et ce sont les mêmes noms
que nous retrouvons, les mêmes idées, une commune tradition.

Ce n'était plus le libertinage agressif de la première moitié du siècle. Le ton était changé, et nous
pouvons sans naïveté imaginer que dans l'intimité
même et parmi leurs meilleurs amis, les libertins de
la nouvelle génération ne s'amusaient plus à blasphémer comme avait fait probablement Théophile,
comme avaient fait certainement Blot et ses compagnons. Mais les convictions restaient les mêmes. Chapelle, dans le cours d'un repas, dogmatisait volontiers
contre l'immortalité de l'âme. Il faut croire que
Mme Deshoulières ne faisait pas tellement mystère
de ses convictions libertines puisqu'au début du
XVII° siècle on continuait à en parler et qu'à cette
date, sa réputation auprès des gens graves en demeu-
rait flétrie. Quant à Dehénault, il faisait parade, nous
dit-on, de son athéisme avec une sorte de fureur et
d'affectation.

Ce qu'ils pensaient des confessions religieuses, ces
libertins ne l'ont pas dit. Ils se bornaient sans doute

à les envelopper dans une même indifférence. On ne discute pas de l'origine des dogmes lorsqu'on se fait de Dieu et de la nature une idée qui rend dérisoires toutes les croyances particulières. Le libertinage érudit n'est pas leur fait. Toute leur attention va aux problèmes de notre destin.

Ils sont tous obsédés par l'image de la mort. C'est le sujet que développe Dehénault dans la belle adaptation du chœur des Troades que l'on trouvera dans le présent volume. C'est l'idée de la destruction finale qui inspire le Ruisseau de Mme Deshoulières. Et trois fois au moins Chaulieu a largement développé le même thème dans des pièces qui sont parmi les plus importantes de son œuvre.

Cette vie, cernée par le néant et qui coule vers la mort, ces libertins en sentent vivement la beauté. Ils ont pour elle une sorte d'adoration. Elle est fragile, éphémère, mais elle est heureuse. L'homme seul est malheureux. A certains moments, il semblerait qu'aux yeux de Mme Deshoulières ou de Chaulieu, c'est la société qui est cause de nos malheurs. C'est elle qui a fait de l'avarice et de l'ambition des idoles auxquelles nos vies sont sacrifiées. Mais à y regarder de plus près, nous nous apercevons que le mal est dans le cœur de l'homme. Que ce soient Mme Deshoulières ou Chaulieu, les libertins de la seconde moitié du siècle pensent comme Des Barreaux que l'intelligence, ou, comme nous dirions aujourd'hui, la conscience, est la vraie cause de notre malheur. Les fleurs aussi meurent. Mais elles ne savent pas qu'elles mourront. Nous le savons. Toute notre vie est réflexion, et elle est souhait. Tristes réflexions, et souhaits inutiles. Nous tenons à la vie, et la vie, nous le savons, est un amas de craintes, de soucis, de douleurs.

Le quiétisme était l'aboutissement de cette philosophie. Il apparaît surtout chez Mme Deshoulières. Une leçon d'abdication se dégage de ses vers. Abdication du désir, abdication de la pensée. Refus de l'effort et de la contrainte. L'âme trouve son bonheur

*dans une attitude d'abandon ravi à la vie universelle,
comme les fleurs et les oiseaux peuvent en offrir
l'image. Rappelons-nous qu'à la même époque le
quiétisme de Fénelon tentait d'arracher les âmes
religieuses au stoïcisme du siècle. Il n'est pas certain
que ce fût là une simple coïncidence.*

*Ces libertins de la fin du XVIIᵉ siècle, il n'est pas
vraisemblable qu'ils aient poussé jusqu'à l'athéisme.
Ces âmes douces se trouvaient plutôt à l'aise dans
la religion de l'Etre éternel et infiniment bon. Au
surplus, les deux termes de déisme et d'athéisme ne
s'opposaient plus avec rigueur. Qu'était ce Dieu des
déistes, et dans quelle mesure se distinguait-il vraiment de l'univers infini ? On lira plus loin des vers
étonnants de Chaulieu. Le Dieu qu'il invoque, est un
Dieu qui anime la nature, qui « s'insinue » partout,
et se cache sous cent noms différents. C'est l'haleine
de ce Dieu qui sous le nom de zéphirs rappelle le
printemps. Entre ce déisme de Chaulieu et l'athéisme
contemporain, la véritable différence est dans le sentiment. A l'Etre infini, qui est pour l'athée une puissance inhumaine, Chaulieu s'adresse avec un sentiment intime de confiance et d'abandon.*

*Entre cette tradition d'épicurisme délicat, que
Chaulieu représente si bien, et les romans utopiques
qui, à la même époque, font la critique des valeurs
traditionnelles, quel trait commun découvrir ? On
sent là, très vivement, quelles réalités différentes cou-
vre le mot de libertin, et l'on comprend qu'en fait
l'usage l'applique à tous ceux qui, à un titre quel-
conque, ont ébranlé les traditions sur lesquelles repo-
sait la société française. Mme Deshoulières, Chaulieu
affirmaient un sens nouveau de la vie. Denis Veiras
et Gabriel de Foigny opposaient aux institutions et
aux croyances officielles l'image d'un monde fondé
sur la nature et la raison.*

*Nous retrouvons pourtant chez eux, à l'origine de
leur pensée, le vieux rêve libertin d'un monde déli-
vré des passions de la gloire et de l'or. C'est lui qui*

inspire la constitution des Sévarambes, et tant de dispositions, à première vue étonnantes, ont pour objet d'éteindre dans le cœur des hommes le désir de dominer les autres, et celui d'accumuler des richesses. De même les Australiens ont décidé de réaliser « une image parfaite de l'état où l'homme jouissait de la béatitude naturelle sur la terre ». Pour Denis Veiras, comme pour Gabriel de Foigny, l'idéal de l'humanité, c'est le monde avant le péché, et c'est lui qu'ils rêvent de voir restauré.

Leurs « utopies » n'en apportaient pas moins à la tradition libertine un complément capital. Que ce fût Théophile de Viau, ou Vauquelin des Yveteaux, ou Des Barreaux, ou Chaulieu, la liberté à laquelle ces hommes aspiraient était tout intérieure. C'est en eux-mêmes qu'ils imaginaient un monde d'innocence, où les passions vulgaires se taisaient pour ne laisser la place qu'aux « innocents plaisirs », et à ce plaisir plus pur que tous les autres et qu'ils appelaient l'amitié. Ils n'auraient pas songé qu'il fût possible de reconstruire la société pour la conformer à ce rêve. L'idée même, soyons-en sûrs, ne les aurait pas intéressés.

C'est pourtant cette idée qui anime Denis Veiras et Gabriel de Foigny. Avec une différence sensible d'ailleurs. Car Gabriel de Foigny est plus occupé des fondements philosophiques de son Utopie. Il insiste avant tout sur la disparition de l'amour-propre, sur la liberté et l'égalité naturelles, et c'est à titre de conséquence seulement qu'il évoque l'égalité des biens et le rêve d'une société « sans règle et sans précepte ». Chez Denis Veiras au contraire nous découvrons un esprit très préoccupé de reconstruire la société sur des structures nouvelles, et qui, pour cette raison sait fort bien que l'autorité doit être forte, et que des règlements précis sont nécessaires.

La religion était, au XVII° siècle, trop étroitement associée à l'ordre social pour qu'il fût possible de parler de l'un sans que l'autre s'y trouvât intéressée. Veiras aussi bien que Foigny ont une philosophie religieuse, et c'est elle qui alarma surtout leurs contemporains.

Elle est pour nous sans mystère, et nous constatons qu'elle s'inspire de systèmes que nous avons déjà rencontrés. Denis Veiras a certainement lu l'un ou l'autre des traités où la religion était expliquée par l'imposture politique. Le lecteur retrouvera dans l'épisode de l'imposteur Omigas certains traits qu'il a lus chez Gabriel Naudé. Ce que l'on peut seulement observer, c'est que Veiras ose, avec plus de franchise que Naudé, évoquer le souvenir de Jésus. Comment ne pas penser au fondateur du christianisme lorsque nous lisons la vie de cet Omigas, qui guérit de faux aveugles et de faux boîteux, et que suivent des femmes, « car il était bel homme » !

Il est probable que Denis Veiras était athée. Il est vrai qu'il admettait une religion d'Etat. Il la considérait comme indispensable à l'ordre social. Mais cette religion des Sévarambes est sans dogmes. Elle se réduit à peu près tout entière à un culte extérieur. Et ce culte sert à entretenir, par des cérémonies symboliques, la reconnaissance des hommes envers la Nature bienfaisante, et l'amour de la patrie. Si les Sévarambes avouent l'existence d'un Dieu éternel, ordonnateur du monde, ils ajoutent qu'il est inconnaissable. En réalité, c'est au Soleil, son ministre et l'origine de toute vie, que vont leurs adorations.

La philosophie de Denis Veiras, c'est le naturalisme. Il se fait de l'univers l'image que Giordano Bruno en avait donnée. Un nombre infini de mondes infinis. Un immense organisme, où tout est vie et mouvement, où l'esprit qui informe le corps passe ensuite en d'autres corps pour les animer, tandis que les particules matérielles se regroupent en des formes nouvelles. La philosophie de Scroménas développe les thèmes habituels du matérialisme de l'époque.

C'est au contraire au déisme que se relie Gabriel

de Foigny. L'Etre suprême qu'il conçoit est sans
doute incompréhensible. Mais du moins c'est à lui
que vont les adorations des Australiens. La nature
est son œuvre, et ce sont ses lois qui règlent l'univers. S'il fallait prononcer le nom d'un philosophe
qui éclaire la théodicée de Foigny, ce n'est pas celui
de Spinoza, c'est celui de Malebranche qu'il convien-
drait de citer.

Comme toute la tradition déiste, Gabriel de Foigny
était hostile aux confessions religieuses. Entre la
doctrine des Quatrains du Déiste et la Terre Australe, nous observons sur ce point une identité parfaite. C'est faire injure à Dieu de prétendre qu'il ait
révélé à certains hommes ou à certains peuples des
vérités qu'il aurait cachées aux autres. L'Universalité
est son essence. C'est par des lois universelles qu'il
agit. C'est par la raison universelle qu'il éclaire les
hommes. C'est un culte universel qui doit lui être
rendu. Toute conception particulière de Dieu est, par
nature, une conception fausse. D'où cette conséquence
que les Australiens adorent Dieu, mais ne parlent
jamais de lui.

Parce que l'Académie putéane avait cessé d'exister
vers 1655, ou qu'elle ne faisait plus que se survivre,
on a parlé d'une défaite finale du libertinage érudit.
Il faudrait dire plutôt qu'il se perpétua, toujours
aussi ferme et énergique, dans d'autres cercles. Le
groupe que réunissait Henri Justel et où l'on vit
Locke, Christian Huygens, Leibniz, n'était pas, à coup
sûr, indigne de celui des frères Dupuy. Et qu'il fût,
lui aussi, « libertin », on s'en saurait guère douter
lorsqu'on voit qu'en 1677, Justel se déclarait, dans
une lettre à Leibniz, d'avance certain que Daniel
Huet, critiquant Spinoza, serait incapable d'alléguer
des arguments convaincants.

Dans le monde des professeurs et des érudits, on
n'oubliait pas les exemples qu'avaient donnés
La Mothe le Vayer et Gabriel Naudé. Il se trouva
que vers 1675 un jeune théologien protestant décou-

vrit l'œuvre de ces deux hommes, en même temps
que la philosophie de Gassendi. Il s'appelait Pierre
Bayle. Et parce que la politique royale l'obligea à
chercher refuge en Hollande, ce pays devint, grâce à
lui, le plus puissant foyer de libre recherche de toute
l'Europe.

Il n'a pas semblé raisonnable de reproduire dans
ce volume des pages du Dictionnaire ou des Pensées
diverses sur la Comète. Mais pour donner à une
anthologie de la littérature libertine au XVIIᵉ siècle
un couronnement digne d'elle, on a préféré reproduire un tout petit nombre de pages empruntées à
Fontenelle.

Celui-ci suivait avec attention l'œuvre de Bayle.
Mais parce qu'il avait fréquenté le cercle d'Henri
Justel et connu les meilleurs esprits de la nouvelle
génération, il avait compris que l'explication des religions par l'imposture politique ne suffisait plus. Malebranche avait publié sa Recherche de la Vérité, qui
était surtout un traité des causes de l'erreur. Fontenelle y trouva l'explication de la naissance des fables,
c'est-à-dire, pour être franc, de la naissance des religions.

Une idée, d'autre part, se faisait jour alors, qui
allait renouveler la science des religions, ou, plus
exactement, la créer. Tandis que les esprits religieux
s'en tenaient à l'idée d'une révélation primitive dont
les traces se retrouvaient, dégradées, dans toutes les
religions à l'exception du Judéo-Christianisme, on
commençait à soupçonner que les mythes des différents peuples, ceux de l'Antiquité aussi bien que
ceux des populations sauvages encore existantes,
avaient été formés par l'action des mêmes causes,
et pouvaient par conséquent s'éclairer les uns par
les autres.

Ce sont ces idées nouvelles qui inspirèrent à Fontenelle son traité De l'Origine des Fables. La date de
composition reste malheureusement impossible à
fixer. Mais de toute façon, l'importance de ces pages

*est capitale. Le libertinage, en un sens, n'est plus.
A sa place nous avons maintenant la science des
religions.*

Lorsque s'achève le siècle, le courant libertin, sous
ses différents aspects, a réussi à modifier profondément l'état des esprits. L'athéisme n'est plus du
tout exceptionnel et il a cessé de déshonorer ceux
qui le professent. On cite des athées jusque dans la
famille royale et dans le plus grand monde. Le
déisme, lui, est peut-être devenu la religion commune
des Français éclairés et quantité de chrétiens appa-
rents et qui fréquentent les églises, ne voient plus
dans le catholicisme qu'ils pratiquent qu'une forme,
entre beaucoup d'autres, de la religion universelle,
celle qui élève la pensée des hommes vers un Etre
suprême. La critique historique étendue à toutes les
croyances est maintenant considérée dans le monde
des lettrés comme la seule attitude qui soit honnête,
et ceux qui, à la façon de Bossuet et des Jésuites,
soutiennent que ses règles ne s'appliquent pas aux
traditions chrétiennes, sont considérés comme des
gens de mauvaise foi. Enfin l'épicurisme s'est
répandu au point qu'on chercherait en vain, parmi
les « cours galantes » de l'époque, une seule qui ne
soit pas gagnée. Saint-Evremond, Chaulieu, sont les
véritables interprètes, et peut-être les maîtres de
leur temps. Les rares auteurs de traités qui prêchent
encore le stoïcisme chrétien font figure d'attardés.
Ce serait à coup sûr une erreur de croire que cette
diffusion de la pensée libertine fût l'œuvre des écrivains dont on trouve des extraits dans le présent
recueil. Il est trop évident qu'une évolution qui
atteint la société dans ses profondeurs a des causes
qui se situent au-delà des influences particulières.
Causes sociales et économiques : la bourgeoisie qui
donne le ton en 1690, ce n'est plus la vieille bourgeoisie parlementaire. C'est la classe des affairistes,
des agioteurs, des financiers, sans tradition, mais
énergique, positive et avide de luxe. Causes politiques

*aussi. La monarchie, depuis Colbert, a poursuivi à
un rythme rapide la transformation amorcée par
Richelieu. Le roi n'est plus tout à fait le premier des
nobles. Il est surtout le chef d'un Etat centralisé et
d'une grande administration. Forme politique nouvelle qui détermine des formes de pensée nouvelles.
C'est une loi de l'histoire que l'idée d'Etat et l'idée
de Raison sont liées.*

*Mais les philosophes, les écrivains ont joué leur
rôle dans cette évolution. Ils ont sauvegardé, à une
époque où le parti religieux dominait le pays, certaines traditions que l'orthodoxie prétendait étouffer.
Quand le matérialisme commence à s'affirmer de
nouveau dans les premières décades du XVIIIᵉ siècle,
nous découvrons qu'il se relie très exactement à celui
du Theophrastus redivivus, de Cyrano de Bergerac et
de Denis Veiras, et, au-delà d'eux mais aussi grâce à
eux, à celui des grands naturalistes italiens de la
Renaissance.*

*De même, les philosophes de l'Académie putéane
ont maintenu le sens de la libre recherche, dans le
temps où elle était gênée par toutes sortes d'entraves.
L'œuvre de Bayle continue celle de La Mothe la Vayer
et de Naudé, et lorsque Bayle soutient que l'athéisme
est compatible avec la vigueur d'une société, cette
thèse qui fit un si terrible scandale, il l'a simplement reprise de La Mothe la Vayer, dans une page
que le lecteur trouvera à sa place dans cette anthologie.*

*Il faut dire plus. La religion du siècle de Voltaire,
c'est la religion du plus grand nombre des écrivains
de la tradition libertine. Nous avons vu combien il
était faux d'imaginer que le blasphème fût habituel
chez les libertins. Nous l'avons rencontré. Mais dans
des cercles étroits. Les vrais libertins se plaisent à
adorer la Sagesse éternelle, la Bonté infinie, ils font
monter vers l'Etre suprême les élans de leur reconnaissance. Ils distinguent avec soin la religion, qui
honore la Divinité et la superstition qui la défigure.
Leur religion, c'est déjà la religion de Voltaire.*

Bɪʙʟɪᴏɢʀᴀᴘʜɪᴇ. — Perrens. *Les libertins en France au au* XVIIe *siècle*, 1896. — Henri Busson, *Les sources et le développement du rationalisme dans la littérature française de la Renaissance*, 1922, et *La pensée religieuse de Charron à Pascal*, 1933. — Charbonnel, *La pensée italienne au* XVIe *siècle et le courant libertin*, 1917. — R. Pintard, *Le libertinage érudit dans la première moitié du* XVIIe *siècle*, 2 vol., 1943. — J.S. Spink, *French Free Thought from Gassendi to Voltaire*, Londres, 1959.

L'établissement et l'annotation des textes ont été assurés par Mlle G. van den Bogaert, assistante à la Sorbonne.

Ces textes ont été reproduits sous leur aspect ancien. Par souci de clarté, on a pourtant régularisé l'emploi des majuscules, l'accentuation et les signes de ponctuation.

Une bibliographie très sommaire, placée à la fin de l'introduction et des notices, doit permettre au lecteur de pousser plus loin l'étude de la littérature libertine.

LE PÈRE GARASSE

Qu'il y ait eu dans les vingt premières années du XVIIᵉ siècle, des hommes qui n'étaient plus ni catholiques, ni protestants, qui n'acceptaient même plus l'idée d'un Dieu créateur et ordonnateur du monde, on n'en saurait douter. Mais c'est en 1622 que de jeunes seigneurs de la Cour et des beaux esprits osèrent, sans trop se cacher, affirmer, prêcher, répandre leur mépris des dogmes et des rites du christianisme. Un homme dénonça le scandale. C'était un Jésuite, le P. Garassus, plus souvent appelé Garasse. Vers le mois de décembre 1622, il commença d'écrire La Doctrine curieuse des beaux esprits de ce temps.

Un fait récent l'avait décidé à parler. Vers le mois de novembre, un recueil de vers avait paru, le Parnasse des Poètes satyriques. Il n'était pas muni d'un privilège. Mais ce n'était pas non plus une publication clandestine. La deuxième partie du volume, la Quintessence satyrique portait le nom d'Antoine de Sommaville, au Palais, en la galerie des libraires. Tout le monde pouvait, s'il voulait, savoir que le libraire Estoc avait imprimé la première partie.

Ce volume contenait des pièces d'une extrême grossièreté. Le genre n'était pas nouveau. Il remontait aux Folâtries du siècle précédent, et les recueils dits « satyriques » étaient nombreux depuis dix ans, sans qu'aucun auteur ou libraire eût été inquiété. Il n'était pas nécessaire d'être libre penseur pour aimer les gaillardises, et l'on a toute raison de penser que le

3

Parnasse satyrique *avait été formé par les soins de Guillaume Colletet, lequel n'était nullement un libertin. Mais le sonnet qui figurait à la première page était signé du nom de Théophile. Il n'en fallut pas davantage au P. Garasse. Il entreprit sa* Doctrine curieuse *contre Théophile et contre le Parnasse, sans distinguer un moment le libertinage des idées et l'obscénité de la plume.*

Sur le Parnasse il ne savait presque rien d'exact. Il n'ignorait pas la part qu'y avait eue Guillaume Colletet. Mais on lui avait parlé aussi de deux auteurs, Berthelot et Frenide. Or Berthelot était mort au mois de septembre 1615, sept ans plus tôt. Le prétendu Frenide n'était que le nom estropié de Nicolas Frenicle. Garasse n'en dénonça pas moins aux autorités civiles, au Parlement, aux honnêtes gens, ce Berthelot et ce Frenide.

Garasse avait des informations plus précises sur les jeunes libertins qui se groupaient autour de Théophile. Son ami le P. Voisin avait été le professeur du jeune Des Barreaux, il continuait de voir son ancien élève. Il le fit parler. Il sut que les amis de Théophile s'étaient réunis le 28 décembre dans une taverne et y avaient « prononcé mille horribles blasphèmes ». Il sut que deux athées notoires avaient tenu des propos scandaleux. Des Barreaux avouait au P. Voisin qu'il lui était impossible de croire au dogme de l'Incarnation. Au mois de mars 1623, Garasse apprit que Théophile avait grossièrement attaqué la morale de Jésus-Christ. Des informations qu'il recueillait, Garasse gonflait sa Doctrine curieuse. Le 8 mars 1623, il obtint l'approbation des censeurs. Le 19 mars, il prit un privilège. Le volume fut achevé d'imprimer le 18 août.

Une bonne partie de l'ouvrage est illisible et sans utilité. Etalage de la plus vaine érudition, Garasse y accumule les « autorités », de quelque siècle que ce soit, sans aucun rapport concevable avec le sujet qui devait l'occuper, et qui était le libertinage de son

*temps. Il nous intéresse plutôt lorsqu'il met dans
son livre des anecdotes qu'il vient d'apprendre sur
Théophile, Des Barreaux et leurs amis. A coup sûr
nous ne nous fions pas tout à fait à sa bonne foi,
mais il n'a pas inventé l'ensemble des histoires qu'il
raconte et des mots qu'il répète.*

*De la libre pensée de son temps il connaissait les
thèses essentielles. Il savait que les libertins n'étaient
pas déistes mais athées, et qu'ils plaçaient au sommet des choses un Destin irrévocable, infaillible et
cruel. Que la suprême puissance était la Nature, et
qu'elle nous dictait les lois véritables du bien et du
mal. Qu'il n'existe pas de substances spirituelles et
que l'immortalité de l'âme est incertaine. Il savait
qu'en face des croyances populaires les libertins
adoptaient une attitude de méfiance et prétendaient
les soumettre à leur libre critique. Il savait tout
cela, et il l'a dit dans son livre. On regrette seulement
qu'au lieu d'en fournir la preuve et de nous apporter
les informations précises que nous souhaitons, il ait
préféré nous accabler de son érudition désordonnée.
Dans cette masse de plus de mille pages, on n'a guère
pu trouver, pour les mettre dans la présente anthologie, qu'un petit nombre de courts passages.*

*La première maxime des beaux esprits, c'est que
la plupart des hommes sont sots et incapables de la
bonne doctrine. A l'origine de cette opinion, Garasse
découvre deux hommes, Huarte avec son* Examen
de los ingenios, *et Barclay avec son* Icon Animorum.

Mais il y a quatre sortes d'escrivains qui sont
encore plus malheureux en leurs desseins que n'ont
esté Barclay ny le Censeur prétendu des Esprits,
pour ce qu'ils se sont perdus en leurs extravagances,
et par je ne sçay quelle humeur mélancholique ont
mis la beauté de l'esprit en une certaine bigarrure,
qui le porte au mespris de toutes choses, avec inté-
rest et préjudice notable de la piété et de la religion. Pour les impertinences indifférentes, où il ne

s'agit que des choses naturelles, des opinions fantastiques, des jugemens faux en matière physique, je m'en puis aisément taire, d'autant que je puis avoir appris, et par la lecture et par l'expérience, que les hommes sont plus dissemblables en esprit qu'en visage, et que, comme il y a des visages ridicules en leur difformité, et qui semblent estre comme destinés à la farce, ainsi y a-t-il des esprits traversiers, contrefaits et bizarres, qui semblent estre au monde pour faire rire les hommes. Mais quand il y va de la Religion et du service de mon Maistre, voyant des esprits qui posent leur beauté à gaster et deffigurer la piété, prophaner les choses sainctes, et introduire l'Athéisme, j'estimerois ma langue et ma plume criminelles de lèze-Majesté si je ne les armois contre ce monstre de libertinage.

Quand j'ay veu les extravagances de Rémond Lulle, les grotesques de Goropius Becanus, les bizarreries de Copernicus, les humeurs noires du sieur Flud, j'ay pris patience, et pour me satisfaire à moy-mesme, ay dit qu'il est permis à un chacun de s'immoler à la risée publique : leurs fautes ne sont préjudiciables qu'à eux-mesmes, leurs chimères n'ont aucune suitte, elles pourront servir de divertissement et de récréation aux gens d'honneur après un estude sérieux. Mais voyant que certains Athéistes, sous prétexte d'une beauté imaginaire d'esprit, combattent la Religion comme s'ils estoient gagés ou substituts de Sathan, c'est ce que je ne puis souffrir sans m'avancer sur les rangs, et dire courageusement contre ces Alastors incarnés : *Quis ut Deus ?*

Il est vray qu'on me pourra demander dequoy je me mesle, et que j'aurois peut-estre meilleure grâce de laisser et commettre cette affaire à quelque autre, qui seroit intéressé au party en qualité de bon esprit et de sçavant homme, qui pust faire voir à Messieurs nos extravagans le grand tort et le petit esprit qu'ils ont en leurs maximes erronées, mais je respons que sainct Michel, qui n'estoit que du huictiesme ordre des Anges n'eut point toutes ces considérations poli-

tiques lorsqu'il falut vanger la querelle de son maistre, et quoyqu'il eust un grand respect envers ses
supérieurs, il eut encores plus de zèle envers Dieu.

(Doctrine curieuse, pp. 20-22.)

*Mais c'est Charron surtout que Garasse tient pour
responsable des folies de la nouvelle doctrine.*

Quant au sieur Charron, je suis contraint d'en dire
un mot pour désabuser le monde et les foibles esprits
qui avalent le venin couvert de quelques douces
paroles et de pensées aucunement raisonnables, lesquelles il a tirées de Sénèque et naturalisées à la
françoise, sans voir bonnement ce qu'il faisoit, car
c'estait un franc ignorant et semblable à ce petit
oyseau du Pérou qui s'appelle le Tocan, et qui n'a
rien que le bec et la plume. Il est vray que quelques
uns luy ont faict cette charité de revoir ses escrits,
et nommément sa *Sagesse* et sa *Divinité,* pour en
retrancher les plus apparentes impiétez ; mais on
peut dire que les œuvres de ce Charron ressemblent
à une vieille roue toute rompuë et desmembrée,
laquelle tant plus on tasche de sangler et de retenir
avec des cordages, tant plus elle eschappe et s'en
va en pièces...

Cet autheur pour principe de sa philosophie creuse
et vagabonde, a posé trois sortes d'esprits entre les
hommes : à sçavoir les esprits BAS, tels que sont
ceux de la populace, qui se laissent aller comme des
bestes et mener comme des buffles par préjugez et
par opinions anticipées, de croire sans s'enquester
plus outre, s'imaginant que le meilleur est de se
laisser aller au torrent. De cette troupe d'esprits sont
les chrestiens communs qui vont à l'église pource
qu'ils ont veu de mémoire immémoriale que ce train
a esté tenu par leurs ancestres. Ils vont, comme des
brebis, les uns après les autres. Ainsi les Turcs, ainsi
les Idolastres, ainsi les Hérétiques sont esgallement

et indifféremment enveloppez en cette bassesse d'esprit, pource que Charron tenoit toutes Religions pour indifférentes.

Le second degré d'esprits, à son dire, sont les esprits COMMUNS qui ont un peu plus de sens que les pécores de la populace, car ils s'apperçoivent bien de la matte, ils voyent bien le défaut des superstitions qui sont parmy le peuple ; que la plus part des hommes vivent en bestes. Mais ils n'ont pas assez de force pour rompre ce lien qui les tient attachez à cette servitude. Il est vray qu'ils sont un peu plus fins que les autres. Car ils ne s'y engagent que bien peu et de bonne façon. Ils s'employent aux affaires d'Estat, de gouvernement et de police.

Mais les troisiesmes, qui sont les raffinez, sont les esprits ESCARTEZ, c'est-à-dire qui ne vont pas le grand chemin battu par la populace. Tel fut Socrate parmy les Grecs, Sénèque entre les Latins, et Charron entre les François. Il veut dire que la plus grande sagesse qui soit au monde, c'est de ne tenir pas le grand chemin, mais d'aller par des sentiers escartez, ne juger jamais suivant le sens commun, aller toujours à costé, biaiser, et se former une nouvelle route, tant en matière d'affaires, que de sciences et de religion.

(Doctrine curieuse, pp. 27-29.)

Charron distinguait les esprits bas, les esprits communs et les esprits écartés. Une autre distinction est maintenant à la mode.

En somme il s'est eslevé depuis peu une bande d'athéistes qui ont fait un pot pourry de toutes ces fantaisies, et ont introduit une nouvelle distinction d'esprits qui revient en substance au mesme point que les trois autres, car ils ont distingué les esprits en trois espèces différentes. La première est des esprits MÉCANIQUES, qui sont en effect les esprits que Cardan appelloit esprits de Bestes, Charron esprits

bas, Vanino esprits superstitieux. Il est vray que les
libertins qualifient ces esprits encores d'autres noms,
car ce mal-heureux qui a faict le dizain qui est au
devant des peintures impudiques de l'Àretin les
nomme *esprits engrognez, esprits mélancoliques,
esprits renfroignez, esprits renchéris,* c'est-à-dire, en
un mot, esprits qui font estat de la religion, et conscience d'offenser Dieu.

La seconde espèce d'esprits, suivant le jargon de
nos athées est celle des esprits NOBLES, qui sont à peu
près ceux que Cardan nommoit esprits d'homme,
Charron esprits communs, Vanino esprits populaires,
esprits qui croyent, mais d'une façon particulière, qui
choisissent et ne se laissent aller indifféremment au
torrent des opinions populaires : car c'est en cela
que les athéistes posent la liberté de l'esprit.

La troisième espèce d'esprits est celle des esprits
TRANSCENDANS qui voient par dessus les autres de
cent-cinquante brasses, qui se perdent dans les nuées,
qui font de sublimes desseins, qui vivent à leur
guise, qui contentent la douce nature, qui ne sont
pas de ces cruels ennemis de leurs sens, qui voltigent
par les cabarets d'honneur, et ont pour mot du guet
de leur cabale la devise de Florus.

> Ambulare per tabernas,
> Volitare per popinas,
> Culices pati rotundos.

Ce sont en un mot les mesmes esprits que Cardan
appelloit esprits de prophètes, qui disent des merveilles quand ils sont pleins de vin, Charron esprits
escartez, qui néantmoins ne s'escartent jamais du
chemin de la taverne, Vanino esprits de démon, car
quand ils sont yvres,les bons seigneurs, ils ressemblent à ces lutins incarnez. Et telle est la distinction
de leurs esprits.

(Doctrine curieuse, pp. 33-34.)

*Ceux qui se considèrent comme « transcendans »,
ce sont les libertins.*

J'appelle libertins nos yvrongnets, mouscherons de
tavernes, esprits insensibles à la piété, qui n'ont d'autre Dieu que leur ventre, qui sont enroolez en cette
maudite confrérie qui s'appelle la *Confrérie des bouteilles*, à laquelle nous gardons son chapitre à part.
Il est vray que ces gens croyent aucunement en Dieu,
haïssent les Huguenots et toutes sortes d'hérésies, ont
quelquefois des intervalles luisans, et quelque petite
clarté qui leur fait voir le misérable estat de leur
âme, craignent et appréhendent la mort, ne sont pas
du tout (1) abbrutis dans le vice, s'imaginent qu'il y
a un enfer, mais au reste vivent licentieusement,
jettant la gourme comme jeunes poulins, jouyssant
du bénéfice de l'aage, s'imaginant que sur leurs vieux
jours Dieu les recevra à miséricorde, et pour cela
sont bien nommez quand on les appelle libertins, car
c'est comme qui diroit apprentifs de l'athéisme.

De cette religion furent Epicure, Apicius et Hélio-
gabale, le plus célèbre docteur qui ait esté jamais en
cette doctrine cabalistique. Car quand on luy représentoit que ses excez de bouche le réduiroient à
l'hospital, il avoit coustume de respondre : *Quid
melius quam ut ipse mihi haeres sim et uxori
meae ?* (2) Il avoit aussi coustume de dire qu'il ne
craignoit rien tant que d'avoir des enfans, de peur
qu'il n'y en eust quelqu'un qui n'eust pas esté prodigue, et que s'il avoit un héritier, il luy donneroit un
tuteur, lequel n'auroit autre soing que de luy faire
tenir le mesme train de vie qu'il avoit tenu, afin de
manger et yvrongner continuellement. C'estoit un
gouffre de viandes et tout autant de libertins que
nous voyons dans Paris, nous pouvons dire que ce
sont autant de nouveaux Héliogabales et des abysmes
de gourmandise, criminels contre Dieu et le monde...

J'appelle impies et athéistes ceux qui sont plus
avancez en malice ; qui ont l'impudence de proférer

d'horribles blasphèmes contre Dieu ; qui commettent des brutalitez abominables ; qui publient par sonnets leurs exécrables forfaits ; qui font de Paris une Gomorrhe ; qui font imprimer le *Parnasse satyrique ;* qui ont cet avantage malheureux qu'ils sont si desnaturez en leur façon de vivre qu'on n'oseroit les réfuter de poinct en poinct, de peur d'enseigner leurs vices et faire rougir la blancheur du papier.

De cecy je tire un advertissement pour le Lecteur, que si je parle quelquesfois diversement des Athéistes ou des Libertins, donnant indifféremment quelque cognoissance de Dieu à nos nouveaux dogmatisans, il doit se ressouvenir qu'il y a plusieurs degrez d'athéisme, et que le corps de mon livre vise en général contre toutes les parties de ce monstre, mais nommément contre les LIBERTINS, tant à cause que c'est la grande confrérie de ceux que j'appelle *les beaux esprits prétendus,* comme à cause que n'estant pas encores du tout ATHÉISTES, il peut y avoir quelque peu d'espérance à leur conversion, pour laquelle ma conscience m'a obligé de prendre ce travail, qui me sera bien doux s'il leur est profitable.

(Doctrine curieuse, pp. 37-38.)

Les Maximes des Libertins.

   I. Il y a fort peu de bons esprits au monde, et les sots, c'est-à-dire le commun des hommes, ne sont pas capables de nostre doctrine. Et partant il n'en faut pas parler librement, mais en secret, et parmy les esprits confidans et cabalistes.

  II. Les beaux esprits ne croyent point en Dieu que par bien-séance et par maxime d'Estat.

 III. Un bel esprit est libre en sa créance, et ne se laisse pas aisément captiver à la créance commune de tout plein de petits fatras qui se proposent à la simple populace.

IV. Toutes choses sont conduites et gouvernées par
le Destin, lequel est irrévocable, infaillible,
immuable, nécessaire, éternel et inévitable à
tous les hommes, quoy qu'ils peussent faire.

V. Il est vray que le livre qu'on appelle la Bible,
ou l'Escriture Saincte, est un gentil livre, et
qui contient force bonnes choses. Mais qu'il
faille obliger un bon esprit à croire sous peine
de damnation tout ce qui est dedans, jusques
à la queuë du chien de Tobie, il n'y a pas d'apparence.

VI. Il n'y a point d'autre divinité ny puissance souveraine au monde que la NATURE, laquelle il faut
contenter en toutes choses sans rien refuser à
nostre corps ou à nos sens de ce qu'ils désirent
de nous en l'exercice de leurs puissances et
facultez naturelles.

VII. Posé le cas qu'il y ait un Dieu, comme il est
bien-séant de l'advoüer pour n'estre en continuelles prises avec les superstitieux, il ne s'ensuit pas qu'il y ait des créatures qui soient
purement intellectuelles et séparées de la
matière. Tout ce qui est en nature est composé.
Et partant il n'y a ny Anges, ny Diables au
monde, et n'est pas asseuré que l'âme de
l'homme soit immortelle, etc.

VIII. Il est vray que pour vivre heureux il faut esteindre et noyer tous les scrupules. Mais si (3) ne
faut-il pas paroistre impie et abandonné, de
peur de formaliser les simples, ou se priver de
l'abord des esprits superstitieux.

*Garasse nous rapporte avec indignation les propos
du jeune Des Barreaux.*

Il n'y a pas longtemps qu'un jeune esventé, qui
est des principaux de la cabale mystérieuse, s'en vint
en la maison de S. Louys trouver un de nos Pères,

qui avoit esté jadis son maistre en Rhétorique (4),
pour luy faire une question digne d'un tel disciple :
car après quelques complimens, il luy va dire froi-
dement, qu'il estoit là venu exprès, pour luy proposer
une question, laquelle luy donnoit bien de la peine :
C'est, dit-il, *mon père, que je ne puis me persuader
que le Fils de Dieu se soit incarné depuis seize cens
ans, comme on nous voudroit faire croire ; car quelle
apparence y peut-il avoir en cela, que Dieu se soit
fait homme ?* Je confesse que je me trouverois bien
estonné si quelqu'un de ceux que j'ay tasché d'eslever
à la piété, il y a seize ou dix huict ans, me venoit proposer de semblables questions pour me faire voir le
fruict de mes travaux : et le pis est que ce jeune
folastre n'apportoit autre raison de son dire, sinon
qu'il ne le peut croire et qu'il n'y a point d'apparence : comme si la créance de ces jeunes estourdis
devoit faire un grand préjudice à la vérité (5).

(Doctrine curieuse, pp. 267-268.)

*Les libertins opposent au dogme de l'Incarnation
l'idée qu'ils se font de Dieu.*

La seconde raison que les Libertins peuvent avoir
de révoquer en doute l'Incarnation du Fils de Dieu,
est prise de Charron, qui estoit un ignorant aussi
dangereux que personne qui ait mis la main à la
plume il y a cent ans : car ce personnage d'humeur
extravagante, et qui avoit la teste pleine d'escrevisses,
combattant en secret la vérité de la Religion chrestienne par des maximes qu'il n'entendoit pas, dit en
quelque lieu de sa *Sagesse* que c'est faire tort à Dieu
de concevoir de luy quelque chose si basse comme
sont un gibbet, une estable, une naissance ordinaire,
et là-dessus nos beaux esprits prétendus, enchérissant
sur la sotte pensée de Charron, qui estoit plus capable
de faire des rouës que des livres, disent que c'est une
sottise injurieuse à la Divinité de croire ce que nous

avançons du Fils de Dieu, et qu'après tout *il n'y a point d'apparence qu'il se soit fait homme.*

(*Doctrine curieuse*, pp. 274-275.)

*Ils refusent d'accepter les idées chrétiennes de péni-
tence et d'ascétisme.*

Je viens d'apprendre tout présentement que le chef de la bande Athéiste avoit ces jours passez en pleine assemblée proféré une Maxime bien blasphématoire, qui coula doucement dans les veines de ses admirateurs, comme estant fort favorable à la sensualité ; car, disoit-il, si Jésus-Christ estoit Dieu, pourquoy ne nous enseignoit-il un autre chemin que celuy de la souffrance ? N'avoit-il rien plus à nous dire sinon qu'en bestes et pécores il faut plier les espaules soubs les coups et enfler [les joues] pour recevoir les soufflets quand il plaira à nos ennemis prendre leur plaisir aux despens de nostre sottise ? N'y avoit-il pas un plus honorable chemin pour parvenir à la félicité que celuy de la patience d'asne ? sçavoir celuy de la gloire et du plaisir, qui n'auroit ny tant de travail ny tant de reproches, et qui eust esté fréquenté de tous les bons esprits et généreux courages, au lieu que celuy de la souffrance n'est suivy que par quelques misérables pieds deschaux (6) qui prennent plaisir à s'entretenir coquinement (7) avec leur humeur hypocondriaque. Or je veux monstrer à ce tavernier qu'il est un vray cheval, quoyqu'il s'imagine estre le Roy des bons esprits, d'autant qu'il (8) sçayt rimailler quelques Satyres impudiques, et puis quand je luy auray faict voir sa sottise, je viendray à la censure de la proposition que j'ay mise en teste de ce Chapitre.

(*Doctrine Curieuse*, pp. 709-710.)

*Les libertins forment des groupes secrets. Telle la
  Confrérie des Bouteilles.*

Il est vray que sçavoir les particularitez de leurs
ivrongneries est une pauvre science : mais si faut-il
en dire (9) quelque chose, non pas en espérance que
j'ay d'y porter quelque amandement : d'autant qu'ils
sont irrémédiables en leur mal-heur ; mais en intention de les faire rougir, si leur visage est capable
d'autre rougeur que de celle du vin. Je ne parle
point des profusions incroyables qui se font dans les
Cabarets d'honneur, ny des collations à la moderne,
où les perdrix sont entassées à douzaines ; pourveu
que les viandes y soient froides, cela se qualifie du
nom de collation : puisque les Dames s'en meslent,
je ne sçay qu'en dire... Je veux dire seulement un mot
de la vénérable *Confrérie des Bouteilles,* qui est à la
vérité d'institution moderne : mais on peut dire
qu'elle est desjà plus populaire que les meilleures et
plus sainctes Confréries de dévotion qui soient dans
les Eglises...

Il est vray que pour cette Confrérie des Bouteilles,
je n'en sçay ny les loix, ny les fondateurs, ny les
officiers : d'autant qu'il n'est permis de souffler
à la bouteille qu'à ceux qui se sont enroollez en la
fraternité, et qui ont juré le secret qui se pourra
garder entre les ivrongnes : seulement sçay-je que
c'est une assemblée de vilains subalterne et dépen-
dante des beaux Esprits prétendus qui font en cette
confrérie comme leur apprentissage d'Athéisme. Le
lieu de leur rendez-vous a esté deux ou trois fois
dans cette petite Chapelle qui est en l'Isle du pont
de bois, en laquelle ils ont commis des profanations
et sacrilèges horribles, quelques défenses et excom-
munications qu'on ait pu jetter contre eux.

Il n'y a pas encor un mois que l'un des principaux gourmands de cette profane confrérie, estant
yvre comme une pie et soul jusques au sifflet, après
mille vilainies qui feroient honte aux cannibales,

desgaisnant son épée pour se ruer sur les bouteilles
comme jadis Ajax sur les pourceaux les prenant pour
une trouppe d'ennemis, le Destin ou la Providence
divine porta qu'un esclat de verre luy entrant dans
la main, il mourut dans trois ou quatre jours avec
des frénésies et blasphèmes incroyables, sans que
jamais on peust remédier au salut ny de son corps,
ny de son âme.

(Doctrine curieuse, pp. 753 et 756.)

*Les libertins se rient de la croyance au diable et à
   ses sortilèges.*

Il n'y a pas un mois qu'un des principaux dogmatisans de cette mal'heureuse Secte (10) s'en vint voir
un de nos Père de S. Louys, à la mesme façon que
le maudit Théophile visitoit quelquefois S. Jean
Chrysostome et le supérieur des Religieux qui s'appelloient Fratres Longi (11) : cette visite ne fut que
pour descharger son venin et tascher, s'il pouvoit,
de donner de très meschantes impressions à celuy
qui luy avoit autresfois inspiré le laict de la piété
en ses jeunes ans : entre autres pernitieuses Maximes
qu'il avança, non pas en qualité de croyant, mais
comme doutant de l'affaire, de peur d'être estimé
impie, ce fut que pour luy il avoit peine à se
résoudre sur ce qu'on raconte des Diables, et de
leur difformité supposée, et que, pour luy, l'un des
plus grands désirs dont il se sentoit touché, ce seroit
de voir un Diable. Et pour cela, fit-il, je confesse
que j'ay fait ce que j'ay peu. et mesmes adressé
aux plus fameux Magiciens de l'Europe, je suis
allé exprez aux lieux où c'est qu'on disoit asseurément y avoir des apparitions nocturnes : jamais
je n'ay rien sceu voir qui m'ait contenté l'esprit,
et la plus grande obligation que j'aurois au monde,
ce seroit à celuy qui me promettroit de me faire
voir asseurément un Diable : car j'aurois envie de

sçavoir s'ils sont si laids et difformes comme on nous persuade.

Car ce qu'on escrit touchant les visions de Sainct Antoine et autres bons Pères du désert, il leur faisoit cette faveur de croire que c'estoient des illusions de teste creuse, et des effects de leurs trop grandes abstinances, qui leur faisoient voir des chandelles en plein midy. Et pour les *Dialogues* de Sainct Grégoire, qui racontent des apparitions nocturnes, il renvoyoit tout cela comme autant de contes. En quoy il m'a semblé encores moins meschant que le mal-heureux Lucilio Vanino, lequel, en vray traistre, ruyne la vraye créance des diables et des enfers dans le dialogue *De Oraculis et Sybillis* (12), disant qu'à vérité il s'en remet à la créance de l'Eglise romaine, mais que l'un des plus forts arguments qu'il ait pour croire les diables, les enfers et l'immortalité de l'âme, sont les *Dialogues* du glorieux Sainct Grégoire, lesquels, par une risée de vipère, il appelle *Vénérables Dialogues*, et qu'il s'en rapportera simplement à ce qui est raconté là dedans comme à des articles de foy.

Pour respondre fortement à la proposition de nostre jeune estourdy, je dis trois choses :

La première, que quand il disoit ou se vantoit d'avoir esté luy seul ès lieux où le bruit commun estoit de certaines apparitions nocturnes, il mentoit impunément par sa gorge et se faisoit plus vaillant qu'on ne l'estime. Vaillant pourroit-il estre, comme l'escornifleur de Plaute, généreux au son des plats, et rodomont en cuisine. Mais d'avoir eu l'asseurance de se présenter aux lieux des apparitions pour y attendre le diable, il fera bien d'autres miracles devant que de me persuader celuy-là. Ce n'est pas que je ne sçache bien qu'il y a certains esprits résolus et déterminés qui ne craignent aucune apparition nocturne, tel que fut ce philosophe dont Pline le jeune raconte au long l'histoire en quelqu'une de ses belles épistres, tel que fut Brutus en la guerre de Pharsale. Mais c'estoient bien d'autres courages

que nos gueux reparés, qui n'ont pas l'asseurance
de maintenir à un homme d'honneur la moindre
de leurs pernitieuses maximes. Et ils nous voudroient
faire croire qu'ils ont deffié le diable ? Il est bien
vray qu'il est très meschant et abominable en ses
mœurs, et qu'il fait encores pis qu'il ne dit. Mais
S. Augustin m'enseigne en ses *Confessions* que souvent la jeunesse, pour s'acquérir la réputation de
galantize, se vante d'avoir fait des choses auxquelles
elle n'a jamais songé. Et partant, quand il disoit
qu'il a consulté les plus fameux Magiciens du monde
pour voir un diable, je n'en croy rien, car il n'auroit
pas la hardiesse d'y comparoistre, si ce n'est en
plein Sabat entre dix mille sorciers...

Je dis qu'en cette façon de magie et en ces apparitions nocturnes, nos escornifleurs sont grandement
versez, et n'est besoing qu'ils aillent consulter les
plus fameux magiciens de l'Europe, car ils portent
chez eux le magicien qui leur fera voir le diable
quand ils voudront, et m'asseuré-je qu'ils ne le voyent
que trop souvent pour eux et pour satisfaire aux
excez de leur desbauche, tesmoing ce qu'en dit ce
poète de cour qui s'estime si bon esprit, lequel
estant en son bannissement de Clérac, et enflant le
cours du Lot de ses larmes grosses comme des
citrouilles, taschoit, à ce qu'il dit, de trouver consolation dans la bouteille, et puis se plaignant de
son peu de finance, il adjouste en la page CXXXI :

Mais puisque le destin a trahy mon esprit,
Et que loing du Pérou la fortune me prit, etc. (13)

C'est-à-dire qu'il tasche de se conformer aux édicts
rigoureux de la pauvreté, qui luy font voir le fond
de sa bourse plus souvent qu'il ne voudroit, et qui
luy font jetter des sanglots vers la *Pomme de pin* (14)
et autres cabarets d'honneur, où d'autres fois les
seigneurs le festinoient à double pistole, bien marry
de se voir maintenant réduit à se curer les dents
avec les pailles de son fumier.

Je respons que la laideur du Diable est nompareille,
et n'y a créature au monde si difforme que le plus

beau diable de l'enfer. S. Anselme en fait la preuve au livre de ses *Similitudes,* et marque que la difformité des diables ne vient que du péché, et que par conséquence nécessaire, il faut dire que les damnés et les diables sont d'autant plus laids qu'ils sont coupables de plus grandes et énormes offenses. Que si cette vérité est asseurée, comme je le pense, et sainct Augustin le monstre par un excellent discours pris du fonds de la théologie, nos Epicuriens doivent attendre qu'on les posera un jour pour exemple de laideur et difformité par-dessus Thersite. Ç'a tousjours esté l'opinion générale du monde que les Diables sont de très laides créatures, et vouloir desmentir cette créance, est manquer de sens commun...

(Doctrine curieuse, pp. 835-839.)

NOTES

(1) *Pas entièrement.*

(2) *Que peut-il m'arriver de meilleur que d'être mon héritier, à moi et à ma femme ?*

(3) *Mais pourtant.*

(4) *Ce jeune homme, c'est Des Barreaux. Il avait été l'élève du P. Voisin au collège de La Flèche. Il avait même été son élève préféré, et Garasse a eu la naïveté de l'avouer dans ses* Mémoires. *Dans les derniers mois du procès de Théophile, Des Barreaux, à l'instigation du duc de Liancourt et du comte de La Roche-Guyon, publia que le P. Voisin lui avait fait jadis des propositions infâmes.*

(5) *Le P. Garasse feint de ne pas comprendre l'idée de Des Barreaux. Celui-ci pense que lorsqu'on a une juste idée de l'Etre suprême, il est inconcevable que Jésus puisse être le Fils de Dieu, que Dieu ait un fils et qu'il se soit incarné. Garasse l'avoue dans le texte qui suit.*

(6) Cotgrave : Deschaut, *Bare-foot and bare-legged.* Moines déchaussés.

(7) Coquinement *ne figure pas dans Cotgrave.*

(8) D'autant que *n'a pas alors plus de force que* parce que.

(9) Ce tour signifie : *mais il faut pourtant.*

(10) *Ici encore il ne peut s'agir que de l'imprudent Des Barreaux.*

(11) *A travers son gros ouvrage, Garasse revient souvent sur un certain Théophile, « homme de bas lieu » et d'esprit remuant, qui sema ses impiétés dans Constantinople, en 800 de notre ère, sous l'empereur Michel, mais aussi sur un autre Théophile qui joua le même rôle sous l'impératrice Eudoxie, au temps de Saint Jean Chrysostome. Il s'agit ici du second. Ce nom de Théophile semblait manifestement au P. Garasse chargé de présages funestes.*

(12) *Le* De Admirandis Naturæ, Reginæ Deæque mortalium Arcanis, *paru en 1616, se présentait sous forme de dialogues.*

(13) Elégie à M. de M., *c'est-à-dire au duc de Montmorency (éd. Alleaume, I, p. 228).*

(14) *La* Pomme de pin, *sur le Pont-Neuf, fut un cabaret fameux vers 1620. Il commença à déchoir vers 1635. (Sorel,* Les Visions du Pèlerin du Parnasse).

THÉOPHILE DE VIAU

*Théophile de Viau fut, aux yeux de la jeune géné-
ration de 1620, pour ceux qui avaient alors entre vingt
et trente ans, « le grand poète de la France ». On
l'appelait l'Arion français, le Premier prince des
poètes, l'Apollon de notre âge, le Roi des esprits.
La jeunesse de la Cour recueillait ses propos « comme
oracles d'une divinité ». Mais en 1623, il fut décrété
de prise de corps, jeté en prison, et si le parti
religieux ne réussit pas à obtenir sa condamnation
à mort, le malheureux ne sortit de son cachot qu'en
1625. Sa santé était ruinée. Il mourut le 25 septembre
1626.*

*Si même l'on fait la part de la calomnie, il ne
semble pas douteux que, pour employer le voca-
bulaire du temps, il ait « dogmatisé » contre les
croyances chrétiennes. Ses ennemis n'ont pas imaginé tant de blasphèmes qu'ils lui attribuent, et
nous ne pouvons raisonnablement admettre les
dénégations qu'il multiplia au cours de son procès.*

*Son œuvre imprimée ne nous permet d'ailleurs
pas de retrouver le ton qu'il adoptait dans l'intimité.
Quelques pièces très libres qui figurent dans les
recueils collectifs, ne le sont pas plus que d'autres,
composées par Malherbe ou Mainard. Mais il arrive
plus d'une fois que ses vers nous laissent deviner
le système de pensée qui donnait à ses négations
et à ses blasphèmes une signification et, si l'on peut
dire, une portée. Les deux pièces de vers qui ont
été reproduites dans la présente anthologie, ont été
choisies précisément pour cette raison.*

Au cours du premier interrogatoire, les commissaires reprochèrent à Théophile d'enseigner « qu'il ne faut recognoistre autre Dieu que la nature, à laquelle il se fault abandonner entièrement, et, oubliant le christianisme, la suivre en tout comme une beste ». Il semble en effet certain que Théophile est gagné au naturalisme des Italiens, tel que Vanini venait récemment de le faire connaître en France. Beaucoup plus qu'à la Providence, il croyait au Destin, à la matière éternelle, aux éléments que l'Ame du monde rassemble en formes éphémères.

Les premiers vers de l'Elégie à M. de C. l'enseignent expressément. Le corps de Candale a été formé des quatre éléments. Un flambeau divin l'anime. Le Destin a mesuré la trame de ses jours. Un moment viendra où les éléments, jusque-là enchaînés par le lien de son âme, se sépareront à nouveau.

La première Satyre insiste davantage sur cette philosophie de la nature. Le christianisme enseigne que l'homme a une origine divine. Théophile le nie :

Pour ne te point flatter d'une divine essence...

L'homme naît de la matière. Il est un animal parmi les autres animaux. Un animal plus faible, plus exposé qu'aucun autre à tous les fléaux. Cette idée, Vanini venait de la développer dans son De Arcanis Naturae. *Il avait dit que si l'homme prend ou dévore les animaux, ceux-ci plus souvent le prennent et le dévorent. Les commissaires sentirent vivement la signification hétérodoxe de ce développement. Ils reprochèrent à Théophile d'avoir mis dans son élégie des vers qui témoignaient « du mépris de l'homme, de la louange des bestes qui suivent la nature ».*

Ils relevèrent surtout les vers où Théophile recommandait une docilité sans réserve à la loi de nature. A celui qui a compris cette vérité, tout devient facile. Il s'attache à ce qu'il trouve aimable. Il accueille le malheur avec indifférence puisqu'aussi bien tout a la même fin. Il était impossible à Théophile de justifier de tels vers. Contre toute vraisemblance, il nia que l'Elégie fût de lui.

BIBLIOGRAPHIE. — Les *Œuvres* de Théophile, vers et prose, ont été publiées par Alleaume, 2 vol., 1856. Les *Œuvres poétiques*, seules, ont été rééditées par J. Streicher, 2 vol., 1958. Les pièces du procès ont été publiées par Fr. Lachèvre, *Le Procès de Théophile de Viau*, 2 vol., 1909. La vie et l'œuvre ont été étudiées par A. Adam, *Théophile de Viau et la libre pensée française en 1620*, Lille, 1935.

ÉLÉGIE A M. DE C. (1)

Quand la divinité qui formoit ton essence,
Vit arriver le temps au poinct de ta naissance,
Elle choisit au Ciel son plus heureux flambeau,
Et mit dans un beau corps un esprit aussi beau.
La trempe que tu pris en arrivant au monde
Estoit du feu, de l'air, de la terre et de l'onde,
Immortels élémens, dont les corps si divers,
Estrangement meslez, font un seul univers,
Et durent enchaisnez par les liens des âmes,
Selon que le destin a mesuré nos trames :
Triste condition que le sort plus humain
Ne nous peut asseurer au soir d'estre demain !
Ainsi te mit nature au cours de la fortune
Aussi subject que tous à cette loi commune,
D'un naturel fragile et qui se vient ranger
A quel poinct que l'honneur le force de changer,
Impatient, tardif, injurieux, affable,
Despiteux, complaisant, malicieux, aymable,
Serf de tes passions et du commun soucy,
Des vices des mortels et des vertus aussi.
N'attens point qu'en ton nom honteusement j'escrive
Ce qui ne fut jamais sur la troyenne rive,
Que je t'appelle Achile et que tu sois vanté

Par tant de faux exploits qu'on a jadis chanté ;
Ces poetes resveurs, par leur plume hypocrite,
De tous ces vieux héros ont trompé le mérite,
Et sans aucune foy, laissant mille tesmoins,
Ils nous en disent plus, mais en font croire moins :
Car, du rapport trompeur d'un demy-dieu qu'on
                                              [nomme,
Je douteray s'il fut tant seulement un homme.
Mon esprit, plein d'amour et plein de liberté,
Sans fard et sans respect t'escrit la vérité ;
Et sans aucun dessein d'offencer ou de plaire,
Je fais ce que mon sens me conseille de faire.
J'escrirois le démon qui du train de tes jours
Si difficilement guidoit le jeune cours,
Et l'astre dont tu vis la haine si puissante
Opposer tant d'effort à ta vertu naissante ;
J'escrirois ton destin avant le doux moment
Que pour te faire serf le Ciel te fit amant ;
Mais nostre jeune temps laisse aussi peu de marque
Que le vol d'un oyseau ou celuy d'une barque,
Et les traicts de ces ans communément passez
Pèsent au souvenir s'ils n'en sont effacez.
Laissant ces jours perdus jusqu'aux premières forces
Que l'amour vient tenter de ces douces amorces,
Mes vers ne discourront que depuis le bon jour
Que tu te vins ranger à l'empire d'amour,
Et, suyvant ta fureur, tu penseras peut-estre
Que dès lors seulement tu commenças à naistre,
Que tu ne fus vivant ny d'esprit, ny de corps,
Que depuis qu'un bel œil te donna mille morts (2).
Les aymables attraicts dont les yeux d'une dame
Firent naistre l'ardeur de ta première flamme,
Furent bientost vainqueurs, et l'amour qui le prit,
Au lieu de te desplaire, obligea ton esprit.
Ton naturel ployable à la première atteinte
Souspira son tourment d'une si douce plainte,
Et si modestement permit d'estre arresté,
Qu'il sembla que tes fers estoient ta liberté :
Tant le sort de ta vie, autrement malheureuse,
Se trouve pour ton bien de nature amoureuse !

En ce destin les maux que le Ciel a versez
Dans l'erreur de tes jours sans cesse traversez
Ont trouvé leur remède, et n'est peine si forte
Que par luy ton esprit légèrement ne porte.
Quand le poison d'amour t'eut une fois charmé,
Contre tout autre effort tu fus assez armé :
Toute autre passion, au prix mousse et légère,
Depuis ne fut en toy que foible et passagère ;
Depuis, pour vivre esclave au joug d'une beauté,
Ton âme ne fut plus qu'amour, que loyauté.
Celle qui gouvernoit ta captive pensée
Dissimuloit le coup dont elle fut blessée ;
La honte et le devoir, et ce fascheux honneur,
Ennemys conjurez de tout nostre bonheur,
De contrainctes froideurs desespéroient son âme,
Quand ton object pressant solicitoit sa flamme.
En ses regards forcez son amour paroissoit,
Et par la résistance heureusement croissoit.
Tes yeux, dont la fureur avoit changé l'usage,
Languissoient estonnez auprès de son visage,
Son visage et le tien, plus blanc, frais et vermeil,
Que le teint de l'Aurore et le front du soleil.
Elle estoit à tes yeux plus agréable encore
Que devant le Soleil ne fut jamais l'Aurore.
Vostre object en son sexe esgalement pouvoit
Se dire le plus beau que la nature avoit.
Et les traicts de ta face, aujourd'huy que l'injure
Du temps qui change tout a changé ta figure,
Uniquement parfaicts, sont punis d'un amour
A qui mille beautez font encore la cour.
Quelle deust estre alors, et combien plus prisée,
Ta face, que le poil n'avoit point déguisée,
En sa jeune vigueur, conforme au jeune object
De la première belle à qui tu fus subject !
Tu méritois beaucoup, et si l'Amour avare
Eust frustré ton espoir, il eust été barbare,
Indigne que jamais à son sacré brasier
Aucun amant portast le myrte et le rosier.
Mais ce Dieu, pour t'oster tout subject de te plaindre,
La voulut avec toy de mesmes nœuds estraindre,

De mutuelle ardeur son esprit enflamma
Et rangea son humeur au poinct qu'elle t'ayma.
D'un semblable désir vous taschiez à vous plaire ;
Ce que l'un desseignoit, l'autre le vouloit faire ;
Vous lisiez dans vos fronts ce que vos cœurs disoient,
Et de mesmes propos vos âmes devisoient.
Alors qu'impatient en ta flamme excessive,
Tu blasmois le refus de son amour craintive,
Son cœur plus que le tien de martyre souffroit,
Te refusant du corps ce que l'âme t'offroit ;
Ta qualité de marque, aucunement estrange,
A son sang populaire et tiré de la fange
Nyoit à son espoir les bienheureux accords
Qui joignent sous l'hymen deux esprits et deux corps;
Et ce titre d'espoux, honteux aux âmes fortes,
Que par despit du Ciel et de l'amour tu portes,
Duysoit mal à ton aage, et, pour vous allier,
Il eust fallu la terre au Ciel apparier.
Quelquesfois en riant tu m'as compté la feste
Que pour vostre nopçage on pensoit toute preste,
Lorsque sa parenté ridicule espéroit
Qu'un accord entre vous ferme demeureroit.
Elle, qui seulement d'Amour fut incensée,
Ne s'entretint jamais de si folle pensée,
Mais contre le destin avec toy se plaignoit
Qu'à vos désirs esgaux le rang ne se joignoit.
Il est vray qu'en l'effort de ceste rage extrême,
Tu pouvois oublier et ta race et toy-mesme,
Et l'amant qui, troublé de tel empeschement,
Se destourne d'aymer, ayme trop laschement.
Mais tu sçavois qu'amour meurt en la jouissance,
Qu'il nous travaille plus, moins il a de licence,
Qu'en des baisers permis ceste vertu s'endort,
Et que le lict d'hymen est le lict de la mort.

SATYRE PREMIÈRE (3)

Qui que tu sois, de grâce, escoute ma satyre,
Si quelque humeur joyeuse autre part ne t'attire ;
Ayme ma hardiesse et ne t'offence point
De mes vers, dont l'aigreur utilement te point.

Toy que les eslemens ont fait d'air et de boue,
Ordinaire subject où le malheur se joue,
Sçache que ton filet, que le destin ourdit,
Est de moindre importance encor qu'on ne te dit.
Pour ne le point flatter d'une divine essence,
Voy la condition de ta sale naissance,
Que, tiré tout sanglant de ton premier séjour,
Tu vois en gémissant la lumière du jour ;
Ta bouche n'est qu'aux cris et à la faim ouverte,
Ta pauvre chair naissante est toute descouverte,
Ton esprit ignorant encor ne forme rien
Et moins qu'un sens brutal sçait le mal et le bien.
A grand peine deux ans t'enseignent un langage,
Et des pieds et des mains te font trouver l'usage.
Heureux au prix de toy les animaux des champs ! (4)
Ils sont les moins hays comme les moins meschans.
L'oyselet de son nid à peu de temps s'eschappe,
Et ne craint point les airs que de son aisle il frappe.
Les poissons en naissant commencent à nager
Et le poulet esclos chante et cherche à manger.
Nature, douce mère à ces brutalles races,
Plus largement qu'à toy leur a donné des grâces.
Leur vie est moins subjecte aux fascheux accidens
Qui travaillent la tienne au dehors et dedans.
La beste ne sent point peste, guerre ou famine,
Le remors d'un forfaict en son cœur ne la mine ;
Elle ignore le mal pour n'en avoir la peur,
Ne cognoit point l'effroy de l'Achéron trompeur.
Elle a la teste basse et les yeux contre terre,
Plus près de son repos et plus loing du tonnerre.
L'ombre des biens passez n'aigrit son souvenir (5),
On ne voit à sa mort le désespoir venir ;
Elle compte sans bruict et loing de toute envie
Le terme dont nature a limité sa vie,
Donne la nuict paisible aux charmes du sommeil
Et tous les jours s'esgaye aux clartez du soleil,
Franche de passions et de tant de traverses
Qu'on voit au changement de nos humeurs diverses.
Ce que veut mon caprice à ta raison desplaist.
Ce que tu trouves beau, mon œil le trouve laid.

Un mesme train de vie au plus constant n'agrée :
La prophane nous fasche autant que la sacrée.
Ceux qui, dans les bourbiers des vices empeschez,
Ne suivent que le mal, n'ayment que les péchez,
Sont tristes bien souvent, et ne leur est possible
De consommer une heure en volupté paisible.
Le plus libre du monde est esclave à son tour,
Souvent le plus barbare est subject à l'amour,
Et le plus patient que le soleil esclaire
Se trouve quelquefois emporté de cholère.
Comme Saturne laisse et prend une saison,
Nostre esprit abandonne et reçoit la raison.
Je ne sçay quelle humeur nos volontez maistrise,
Et de nos passions est la certaine crise ;
Ce qui sert aujourd'hui nous doit nuire demain,
On ne tient le bonheur jamais que d'une main.
Le destin inconstant sans y penser oblige,
Et, nous faisant du bien, souvent il nous afflige.
Les riches plus contans ne se sçauroient guérir
De la crainte de perdre et du soin d'acquérir.
Nostre désir changeant suit la course de l'aage ;
Tel est grave et pesant qui fut jadis volage,
Et sa masse caduque, esclave du repos,
N'ayme plus qu'à resver, hayt le joyeux propos.
Une sale vieillesse, en desplaisir confite,
Qui tousjours se chagrine et tousjours se despite,
Voit tout à contre-cœur, et ses membres cassez
Se rongent de regret de ses plaisirs passez,
Veut traisner nostre enfance à la fin de la vie,
De nostre sang bouillant veut estouffer l'envie.
Un vieux père resveur, aux nerfs tout refroidis,
Sans plus se souvenir quel il estoit jadis,
Alors que l'impuissance esteint sa convoitise,
Veut que nostre bon sens révère sa sottise,
Que le sang généreux estouffe sa vigueur,
Et qu'un esprit bien né se plaise à la rigueur.
Il nous veut arracher nos passions humaines,
Que son malade esprit ne juge pas bien saines ;
Soit par rébellion, ou soit par une erreur,
Ces repreneurs fascheux me sont tous en horreur ;

J'approuve qu'un chacun suive en tout sa nature (6) ;
Son empire est plaisant, et sa loy n'est pas dure.
Ne suivant que son train jusqu'au dernier moment,
Mesmes dans les malheurs on passe heureusement.
Jamais mon jugement ne trouvera blasmable
Celuy-là qui s'attache à ce qu'il trouve aymable,
Qui dans l'estat mortel tient tout indifférent ;
Aussy bien mesme fin à l'Achéron nous rend ;
La barque de Charon, à tous inévitable,
Non plus que le meschant n'espargne l'équitable.
Injuste nautonnier, hélas ! pourquoy sers-tu
Avec mesme aviron le vice et la vertu ?
Celuy qui dans les biens a mis toute sa joye,
Et dont l'esprit avare après l'argent aboye,
Où qu'il tourne la terre en refendant la mer,
Ses navires jamais ne puissent abysmer !
L'autre, qui rien du tout que les grandeurs ne prise,
Et qu'un vif aiguillon de vanité maistrise,
Soit tousjours bien paré, mesure tous ses pas,
S'imagine en soy-mesme estre ce qu'il n'est pas !
Qu'il fasse voir un sceptre à son âme aveuglée,
Et son ambition ne soit jamais reiglée !
Cestuy-cy veut poursuivre un vain tiltre de vent,
Qui pour nous maintenir nous perd le plus souvent ;
Il s'attache à l'honneur, suit ce destin sévère
Qu'une sotte coustume ignoramment révère.
De sa condition je prise le bonheur,
Et trouve qu'il fait bien de mourir pour l'honneur.
Un esprit enragé, qui voudroit voir en guerre,
Pour son contentement, et le Ciel et la Terre,
Ne respire, brutal, que la flamme et le fer,
Et qui croit que son ombre estonnera l'Enfer,
Qu'il employe au carnage et la force et les charmes,
Et son corps nuict et jour ne soit vestu que d'armes !
Une sauvage humeur, qui dans l'horreur des bois
Des chiens avec le cor anime les abois,
Son dessein innocent heureusement poursuive
En la tranquillité de cette peine oysive !
Qu'il travaille sans cesse à brosser les forests,
Et jamais le butin n'eschappe de ses rets !

Celuy qu'une beauté d'inévitable amorce
Retient dans ses liens plus de gré que de force,
Qu'il se flatte en sa peine et tasche à prolonger
Les soucis qui le vont si doucement ronger !
Qu'il perde rarement l'object de ce visage,
Ne destourne jamais son cœur de cette image,
Ne se souvienne plus du jeu ny de la cour,
N'adore aucun des dieux qu'après celuy d'amour,
N'ayme rien que ce joug, et toujours s'estudie
A tenir en humeur sa chère maladie,
Ne se trouble jamais d'aucun soupçon jaloux,
Se moque des aguests d'un impuissant espoux ;
Qu'il se trouve allégé par la moindre caresse
Des fers les plus pesants dont la rigueur le presse,
Suive les mouvemens de ses affections,
Ne tasche de brider jamais ses passions !
Si tu veux résister, l'amour te sera pire,
Et ta rébellion estendra son empire.
Amour a quelque but, quelque temps de durer
Que nostre entendement ne peut pas mesurer.
C'est un fiévreux tourment, qui, travaillant nostre
                                              [âme,
Luy donne des accez et de glace et de flame,
S'attache à nos esprits comme la fièvre au corps,
Jusqu'à ce que l'humeur en soit toute dehors.
Contre ses longs efforts la résistance est vaine ;
Qui ne peut l'éviter, il doit aymer sa peine.
L'esclave patient n'est qu'à demy dompté
S'il veut à sa contraincte unir sa volonté.
Le sanglier (7) enragé, qui d'une dent pointue
Dans son gosier sanglant mord l'espieu qui le tue,
Se nuit pour se deffendre, et d'un aveugle effort
Se travaille luy-mesme et se donne la mort.
Ainsi l'homme souvent s'obstine à se destruire
Et de sa propre main il prend peine à se nuire.
Celuy qui de nature, et de l'amour des cieux,
Entrant en la lumière, est né moins vicieux,
Lorsque plus son génie aux vertus le convie,
Il force sa nature et fait toute autre vie ;
Imitateur d'autruy ne suit plus ses humeurs,

S'esgare pour plaisir du train des bonnes mœurs ;
S'il est né libéral, au discours d'un avare
Il taschera d'esteindre une vertu si rare.
Si son esprit est haut, il le veut faire bas.
S'il est propre à l'étude, il parle des combats.
Je croy que les destins ne font venir personne
En l'estre des mortels qui n'ayt l'âme assez bonne.
Mais on la vient corrompre, et le céleste feu
Qui luit à la raison ne nous dure que peu.
Car l'imitation rompt nostre bonne trame,
Et tousjours chez autrui fait demeurer nostre âme.
Je pense qu'un chacun auroit assez d'esprit
Suyvant le libre train que nature prescrit.
A qui ne sçait farder ny le cœur ny la face,
L'impertinence mesme a souvent bonne grâce.
Qui suyvra son génie et gardera sa foy,
Pour vivre bienheureux, il vivra comme moy.

NOTES

(1) *On peut admettre que cette pièce est adressée au comte de Candale, qui fut le patron de Théophile de 1614 à 1619 environ. Elle semble avoir été écrite vers 1618.*

(2) *La vie du comte de Candale, si du moins cette pièce lui est adressée, fut surtout marquée par sa grande passion pour la jeune duchesse de Rohan. Mais il ne peut ici s'agir d'elle. Les vers de Théophile prouvent qu'il pense à une jeune fille et que la naissance de celle-ci ne lui permet pas d'épouser M. de C.*

(3) *La satire I a paru d'abord, anonyme, dans les Délices satyriques de 1620, puis signée par le sieur Théophile, dans le Second Livre des Délices de la même année. Elle figure dans la première édition des Œuvres en 1621. Lors de l'interrogatoire du 22 mars 1624, Théophile fut interrogé sur quelques vers de cette pièce. Contre toute vraisemblance, il nia qu'elle fût de lui.*

(4) *Les commissaires ont reproché ces vers à Théophile. C'est à eux qu'ils pensaient lorsqu'ils firent grief au poète « du mépris de l'homme, de la loüange des bestes qui suyvent la nature ».*

(5) *Les éditions portent* trépassez, *leçon évidemment fausse. Le Second Livre des Délices* donne *des* biens passez, *qui est la bonne leçon.*

(6) *Les huit vers qui suivent ont été relevés par les commissaires. Après avoir reproché à Théophile des vers d'où il résultait* « *qu'il veut faire croire qu'il ne faut recognoistre autre Dieu que la nature, à laquelle il se faut abandonner entièrement, et, oubliant le christianisme, la suyvre en tout comme une beste* », *ils citent ces huit vers comme tendant* « *à mesme fin et mesme créance* ».

(7) *On se souviendra que* sanglier *est dissyllabique jusqu'au milieu du* XVIIe *siècle.*

CHARLES SOREL

L'Histoire comique de Francion.

Il existe un roman de cette époque qui ne s'explique pas sans l'existence du mouvement libertin. Charles Sorel n'était qu'un jeune homme d'un peu plus de vingt ans lorsqu'il écrivit l'Histoire comique de Francion. Mais il connaissait Théophile, il l'avait approché. Il collaborait même alors avec lui pour le ballet des Bacchanales, qui fut dansé à la Cour le 26 février 1623. Le héros de son roman fait plus d'une fois penser à Théophile, et l'œuvre a été écrite pour développer certaines thèses essentielles des libertins.

Sorel ne raconte pas simplement le roman d'un aventurier. Il veut affirmer une philosophie. Les autres livres, écrit-il, « s'amusent à parler d'un nombre infiny de choses vaines qui ont esté dites beaucoup de fois, et ne pénètrent point jusqu'au centre de la vérité. Pour moy, j'essaye d'aborder par un chemin droit un souverain bien et une vertu solide. » Il veut apprendre aux hommes à « vivre comme des dieux. »

Pour vivre comme des Dieux, il faut d'abord se délivrer des « opinions vulgaires », et Garasse nous a appris que c'était en effet la première maxime des libertins. Il s'agit pour eux de rompre avec les préjugés et de découvrir « la raison naturelle des choses ». Ils n'acceptent aucune des prétendues évidences morales sur lesquelles repose la société. Ils se moquent des hiérarchies, des grandeurs sociales,

de l'adoration commune pour l'argent. Ils ne croient
qu'à la générosité, c'est-à-dire à une fermeté d'âme
« qui résiste à tous les assauts que luy veut livrer
la fortune, et qui ne mesle rien de bas à ses actions. »

Sur les problèmes proprement philosophiques, et
qui touchent à la nature des choses, Sorel ne s'étend
pas aussi longuement. Mais il laisse clairement comprendre qu'il ne croit pas au Dieu de la théodicée
orthodoxe. C'est le Destin qui mène le monde. La
croyance aux dieux a été inspirée aux hommes par
la contemplation des astres, et sur ce point l'auteur
de Francion s'en tient à l'enseignement de Vanini
et de Giordano Bruno.

On lira dans le présent volume, après les déclara-
tions péremptoires de l'Avertissement, l'épisode des
Généreux. Francion a groupé autour de lui ses amis.
Ils forment une société, ils se sont fixé des principes. Une morale qui n'est pas celle des nobles
et des bourgeois. Une morale sans préjugés, mais
non pas sans exigences. Ils méprisent ceux qui confondent avec la générosité « une sotte friponnerie
et une brutale débauche ».

Un autre épisode du Francion méritait d'être rappelé. Au cours de ses aventures, Francion assiste
à une « partie » dans le château de son ami Raymond.
Celui-ci a mis au-dessus de la porte de la grande
salle un cartouche où sont écrites ces quatre lignes,
véritable résumé de la morale libertine :

> Que personne ne prenne la liberté d'entrer icy
> S'il n'a l'âme véritablement généreuse,
> S'il ne renonce aux opinions du vulgaire,
> Et s'il n'ayme les plaisirs d'Amour.

L'amour, chez les libertins, ne connaît pas les
interdits de la morale traditionnelle. Il est une sorte
de force élémentaire qui domine l'homme et le fait
participer à la vie universelle. Giordano Bruno ne
venait-il pas de dire, reprenant une formule d'Aristote, mais avec un autre accent, que toute vie
consiste dans le mouvement ?

Le Francion *fut publié en 1623. Il disparut rapidement, sans qu'on puisse décider si cette disparition des exemplaires fut le résultat de mesures administratives ou au contraire celui d'un succès trop grand auprès des amateurs de bons livres. Au* XIXe *siècle, aucun volume de cette édition n'était connu. Trois exemplaires aujourd'hui ont été retrouvés.*

Après le procès de Théophile, il ne pouvait être question de rééditer tel quel le scandaleux roman. Sorel en donna, en 1626, une seconde édition corrigée. Les phrases qui blessaient l'orthodoxie religieuse étaient supprimées. Certaines audaces étaient adoucies. Une troisième édition, en 1633, ajouta simplement une partie romanesque aux aventures du héros.

S<small>IBLIOG</small>τ<small>APHIE</small>. — Les pages du *Francion* reproduites ici le sont, naturellement, dans le texte de 1623, tel que M. Emile Roy l'a fait connaître dans son édition de 1924, et tel qu'on peut le trouver dans le volume des *Romanciers français du* XVIIe *siècle*, dans la collection de la Pléiade.

Sur *Francion* et son auteur, voir E. Roy, *La vie et les œuvres de Charles Sorel*, Paris, 1891, et G. Reynier, *Le roman réaliste au* XVIIe *siècle*, Paris, 1914.

AVERTISSEMENT

...C'est icy une philosophie qui n'est jamais venüe dans la cervelle de tous nos vieux resveurs ; je me doute bien que comme ceux qui ont un verre peint devant les yeux ne peuvent veoir les choses en leur propre couleur, presque tous ceux qui liront mes escrits ayant le jugement offusqué feront toute une autre estime de mes opinions qu'ils ne debvroient.

Mais je ne m'en affligeray pas beaucoup, car la vertu qui est entièrement céleste participe à l'essence de la divinité, qui ne tire sa gloire que de soy ; c'est une chose manifeste que la satisfaction qu'elle a en elle-mesme, de s'estre dignement exercée, luy sert d'une récompense que rien ne peut esgarer. Pour revenir à mon premier propos, je confesse qu'il m'estoit facile de reprendre les vices sérieusement, afin d'esmouvoir plutost les meschants à la repentance qu'à la risée. Mais il y a une chose qui m'empesche de tenir cette voye-là ; c'est qu'il faut user d'un certain apast pour attirer le monde. Il faut que j'imite les Apothicaires qui sucrent par le dessus les breuvages amers afin de les faire mieux avaller. Une satyre dont l'apparence eust esté farouche eust diverty (1) les hommes de sa lecture par son seul tiltre. Je diray par similitude que je monstre un beau palais, qui par dehors a apparence d'estre remply de liberté et de délices, mais au-dedans duquel l'on trouve néantmoins, lorsqu'on n'y pense pas, des sévères Censeurs, des Accusateurs irréprochables, et des Juges rigoureux. La corruption de ce siècle où l'on empesche que la vérité soit ouvertement divulguée, me contraint d'ailleurs à faire cecy, et à cacher mes principales répréhensions sous des songes qui sembleront sans doute pleins de niaiseries à des ignorans, qui ne pourront pas pénétrer jusques au fond (2). Quoy que c'en soit, ces resveries-là contiennent des choses que jamais personne n'a eu la hardiesse de dire. Mais mon Dieu ! quand j'y pense, à quoy me suis-je laissé emporter, de mettre en lumière cet ouvrage ? Y a-t-il au monde des esprits assez sains pour en juger comme il faut ? il y a des gents qui ne s'amusent qu'à reprendre des choses dont ils ne sont pas capables de remarquer la grâce, lesquels tascheront d'y trouver des deffaux. Quand je serois si malheureux que d'y en avoir laissé de véritables contre les loix de la façon d'escrire, je ne m'en estimerois pas moins : car je n'ay pas l'âme si basse que de mettre tous mes efforts à un art

à quoy l'on ne sçauroit s'occuper sans s'asservir...
On ne reçoit point de gloire pour avoir faict un bon livre, et quand on en recevroit, elle est trop vaine pour me charmer. Il est donc aysé à cognoistre par la négligence que j'advoüe selon ma sincérité conscientieuse quel rang pourront tenir justement les ouvrages où, sans m'espargner, je voudray porter mon esprit à ses extrêmes efforts. Mais ce n'est pas une chose asseurée que je m'y puisse addonner, car comme j'ay desja dit, je hay fort les inutiles observations à quoy nos escrivains s'attachent. Jamais ce n'a esté mon intention de les suivre, et estant fort esloigné de leur humeur comme je suis, l'on ne me sçauroit mettre en leur rang sans me donner une qualité que je ne doy pas recevoir. Leur âme sert indignement à leur plume, et je veux que ma plume serve à mon âme. Ils occupent incessamment leur imagination à leur fournir de quoy contenter le désir qu'ils ont d'escrire ; et moy je n'escry que pour mettre en ordre les conceptions que j'ay eues long temps auparavant. Ils s'amusent à parler d'un nombre infiny de choses vaines, qui ont esté dites beaucoup de fois et ne pénètrent point jusqu'au centre de la vérité : pour moy, j'essaye d'aborder par un chemin droit un souverain bien et une vertu solide.

LES GÉNÉREUX

Depuis que je m'estois veu bien en conche (3), j'avois acquis une infinité de cognoissances, de jeunes hommes de toutes sortes de qualitez, comme de nobles, de fils de Justiciers, de fils de Financiers et de Marchands ; tous les jours ·nous estions ensemble à la desbauche, où je faisois tant que j'emboursois plustost que de despendre (4). Je proposay à cinq ou six des plus grands, de faire une compagnie la plus grande que nous pourrions, et

de personnes toutes braves et ennemies de la sottise
et de l'ignorance, pour converser ensemblement et
faire une infinité de gentillesses.

Mon advis leur plût tant qu'ils mirent la main
à l'œuvre et ramassèrent chacun bonne quantité de
drosles qui en amenèrent encore d'autres, de leur
cognoissance particulière. Nous fismes des loix qui
se devaient garder inviolablement, comme de porter
tous de l'honneur à un que l'on esliroit pour Chef
de toute la bande, de quinze jours en quinze jours,
de s'entresecourir aux querelles, aux amours, et aux
autres affaires, de mespriser les âmes viles de tant
de faquins qui sont dans Paris, et qui croyent estre
quelque chose à cause de leurs richesses ou de leurs
ridicules Offices. Tous ceux qui voulurent garder ces
ordonnances-là, et quelques autres de pareille estoffe,
furent receus au nombre des braves et généreux
(nous nous appellions ainsi), et n'importoit pas
d'estre fils de Marchand, ny de Financier, pourveu
que l'on blasmast le traffic et les Finances. Nous
ne regardions point à la race, nous ne regardions
qu'au mérite. Chacun fit un banquet à son tour ;
pour moy je m'exemptay d'en faire un parce que
j'avois esté l'inventeur de la Confrairie, et si (5)
ayant esté Chef le premier, j'eus après la charge
de recevoir les amendes, auxquelles on condamnoit
ceux qui tomboient en quelque faute que l'on leur
avoit defendu de commettre : l'argent se devoit
employer à faire des collations, mais Dieu sçait quel
bon gardien j'en estois, et si je ne m'en servois pas
en mes nécessitez.

Mes compagnons estoient si pécunieux et si pro-
digues qu'ils vuidoient librement leurs bourses et ne
songeoient pas à ce que je faisois de ma recepte.
J'estois le plus brave de tous les braves, et n'appar-
tenoit qu'à moy à dire un bon mot contre les vilains,
dont je suis le fléau envoyé du Ciel...

Nous n'attaquions pas seulement le vice à coups
de langue ; le plus souvent nous mettions nos espées
en usage, et chargions sans mercy ceux qui nous

avoient offensez ; malaisément nous eust-on pû
rendre le change, car nous allions tousjours six à
six, et quelquefois tous ensemble, quand nous sor-
tions de la Ville pour aller au Cours, jusqu'au bois
de Vincennes (6). Je n'avois point de Cheval à moy ;
quelque riche brave, enfant de Thrésorier, m'en
prestoit tousjours un, quand il estoit question de
faire de telles cavalcades.

La nuit, nous allions donner la Musique aux Dames,
et fort souvent nous faisions des balets, que nous
dansions aux meilleures maisons de la Ville, où nous
combations tousjours pour nostre nouvelle vertu, à
qui jamais l'on n'avoit veu de semblable. Les Bourgeois blasmoient nos galanteries, les hommes de courage les approuvoient, chacun en parloit diversement,
et selon sa passion ; au Louvre, au Palais et aux
festins, nos exploits sont les entretiens ordinaires,
ceux qui veulent joüer quelque bon tour se rangent
en nostre compagnie, en réclamant nostre assistance.
Les plus grands Seigneurs mesme sont bien ayses
d'avoir nostre amitié, quand ils désirent punir de
leur propre mouvement quelqu'un qui les a offencez,
et nous prient de chastier son vice comme il fault.
Néantmoins avecque le temps, nostre compagnie
perdit un peu de sa vogue ; la pluspart estoient
forcez de s'en retirer, songeant à se pourvoir de
quelque office pour gaigner leur vie, et à espouser
quelque femme : estants sur ce poinct-là, ils ne pouvoient plus se mesler avec nous.

Il y avoit bien quelques nouveaux qui parfaisoient
le nombre, mais ce n'estoient pas gens qui me
pleussent. Leur esprit ne souspiroit qu'après une
sotte friponnerie et une brutale desbauche. Pourtant
je taschois de supporter leur humeur quand je
me trouvois avec eux : mais je ne les hantois que
le moins qu'il m'estoit possible et me tenois fort
souvent chez moy, feignant d'estre mal disposé,
pour éviter leur fréquentation. En ce temps-là, j'estu-
diay à toute reste (7), mais d'une façon nouvelle,
néantmoins la plus belle de toutes ; je ne faisois

autre chose que philosopher et que méditer sur
l'estat des humains, sur ce qu'il leur faudroit faire
pour vivre en repos, et encore sur un autre poinct
bien plus délicat, touchant lequel j'ay desja tracé
le commencement d'un certain discours, que je
vous communiqueray ; je vous laisse à juger si
cela n'estoit pas cause que j'avois davantage en
horreur le commerce des hommes : car dès lors
je trouvay le moyen de les faire vivre comme des
Dieux s'ils vouloient suivre mon conseil.

Toutefois, puisqu'il faut essayer d'estouffer le désir
des choses qui ne se peuvent, je ne songeay plus
qu'à procurer le contentement de moy seul. Me
délibérant de suivre en apparence le trac (8) des
autres, je fis provision d'une science trompeuse pour
m'acquérir la bienveillance d'un chacun. Je m'estu-
diay à faire dire à ma bouche le contraire de ce
que pensoit mon cœur.

LA FÊTE CHEZ RAYMOND

Alors il vint des Musiciens qui chantèrent beaucoup d'airs nouveaux, joignans le son de leurs
luths et de leurs violes à celuy de leurs voix. Ah !
dit Francion, ayant la teste panchée dessus le sein
de Laurette, après la veuë d'une beauté, il n'y a
point de plaisir qui m'enchante comme fait celuy
de la musique. Mon cœur bondit à chaque accent,
je ne suis plus à moy-mesme. Ces tremblements de
voix font trembler mignardement mon âme : mais
ce n'est pas une merveille, car mon naturel n'a
de l'inclination qu'au mouvement, je suis tousjours
en une douce agitation. Mon esprit et mon corps
tremblent tousjours à petites secousses, l'on en a
veu tantost une preuve, car à peine ay-je pû tenir
tantost mon verre dedans ma main, tant j'avois
de tremblement en tout mon bras ; aussi je ne

touche ce beau sein qu'en tremblant, mon souverain plaisir est de frétiller, je suis tout divin, je
veux estre tousjours en mouvement comme le Ciel.
Ayant dit ces paroles, il prit le Luth d'un des musiciens, et les Dames l'ayant prié de monstrer ce
qu'il sçavoit, il commença de le toucher, et chanta
cet air en mesme temps :

> *Apprenez, mes belles âmes,*
> *A mespriser tous les blâmes*
> *De ces hommes hébétez,*
> *Ennemis des voluptez.*

> *Ils ont mis au rang des vices*
> *Les plus mignardes délices*
> *Et fuyans leurs doux appas.*
> *En vivant ne vivent pas...*

Cet air-cy que les Musiciens reprenoient sur leurs
Luths, après que Francion en avoit récité un couplet,
ravit les esprits de toute l'assistance ; il y avoit une
cadence si bouffonne et si lascive qu'avecque les
paroles qui l'estoient assez, elle convia tout le monde
aux plaisirs de l'amour. Tout ce qui estoit dans la
salle souspiroit après les charmes de la volupté ;
les flambeaux mesme, agitez à cette heure-là par je
ne sçay quel vent, sembloient haleter comme les
hommes, et estre possédez de quelque passionné
désir. Une douce furie s'estant emparée des âmes,
l'on fit joüer des sarabandes, que la plupart dan-
sèrent, en s'entremeslant confusément avec des postures toutes gentilles et toutes paillardes.

NOTES

(1) Diverti *signifie* détourné. *Cotgrave :* diverted,
turned, altered, withdrawn, dissuaded, averted, kept
or driven from.
(2) *Sorel fait ici allusion aux songes rapportés dans
le livre III de* Francion. *On y devine des intentions*

philosophiques, et Sorel lui-même, dans cette phrase, nous invite à les chercher. Elles sont malheureusement si bien dissimulées sous des extravagances baroques que ce livre III reste pour nous sans grand intérêt.

(3) *Furetière commet un contresens quand il dit que ce vieux mot signifiait la bonne ou mauvaise fortune. Cotgrave traduit :* to be well closed, handsomely attired, in good fashion or order, in fit equipage or array.

(4) *Cotgrave :* embourser, to purse up, to imburse — Despendre, to dispend, spend, expend, disburse.

(5) *Et si :* et pourtant.

(6) *Le Cours, à cette époque, ce n'est pas encore le Cours-la-Reine. C'est le Cours-Saint-Antoine, entre la porte Saint-Antoine et le bois de Vincennes. Le Cours-la-Reine ne fut planté que quelques années après la publication du* Francion.

(7) *A toute reste :* à toute force, fort et ferme.

(8) Le chemin suivi par les autres. *Cotgrave traduit :* Trac, a tracke, tract or trace, a frequent footing, beaten way or path.

LES CHANSONS DE BLOT

Après la mort de Théophile, il n'aurait pas été prudent de faire étalage d'athéisme. Gaston d'Orléans fut seul, semble-t-il, à autoriser autour de lui une extrême liberté de ton. Parmi ceux qui l'entouraient, le baron de Blot a écrit de nombreuses chansons qui nous permettent de nous représenter cette société si parfaitement étrangère aux croyances de la nation comme aux habitudes de la bonne société.

Elles ne pouvaient être publiées, car depuis le procès de Théophile les recueils gaillards à la manière du Parnasse satyrique avaient complètement cessé de paraître. Mais elles circulaient, et les amateurs les recueillaient dans leurs volumes manuscrits. Frédéric Lachèvre les a rassemblées et publiées.

On va en lire plusieurs dans les pages qui suivent. Il a fallu laisser à l'écart celles qui étaient par trop ordurières. Seules ont été reproduites, quelques gros mots mis à part, celles qui découvraient surtout l'irréligion de leur auteur. Le lecteur y reconnaîtra sans peine les idées que Garasse dénonçait chez les libertins de 1623 : la négation de la Providence et celle de l'immortalité de l'âme. Il y verra aussi jusqu'à quel point Blot poussait le mépris de ces hypocrites de plus en plus nombreux qui faisaient carrière grâce à l'étalage de la plus édifiante piété. Il se sentait mal à l'aise dans une France où Vincent de Paul et le conseil de conscience faisaient la loi.

Nous voudrions savoir à quelle époque Blot écri-

*vait ces chansons. Il semble qu'elles datent d'une
époque assez tardive dans la vie de leur auteur.
Certaines portent dans les recueils manuscrits la
date de 1645 ou de 1650. Mais l'une d'elles est antérieure à la mort du P. Bernard, c'est-à-dire à 1641.
Au total, elles traduisent assez précisément le ton
d'une certaine noblesse dans les années qui ont précédé immédiatement la Fronde. Les amis de Blot
étaient Roquelaure et le chevalier de Rivière, qui
vers 1650 remplirent Paris du bruit de leurs fre-
daines. C'étaient aussi Aubijoux et Fontrailles, qui
furent compromis dans les intrigues politiques avant
et pendant la Fronde. C'était enfin Des Barreaux,
et celui-ci, après la mort de Blot a évoqué la mémoire
de son ami :*

Et Blot qui me fut cher de toute ancienneté...

*Certaines de ces chansons choqueront sans doute
le lecteur. Gardons-nous pourtant d'en tirer, sur
ces libertins aux allures provocantes, des conclusions
trop sévères. Le vrai visage de Blot nous échappe,
mais nous sommes mieux informés sur Fontrailles
et Aubijoux, ses amis. Au dire de la dévote Mme de
Motteville, Fontrailles était « spirituel, généreux, honnête homme », et Goulas dans ses Mémoires a dit
qu'il avait « tout le cœur, toute l'adresse et toute
la générosité d'un très galant homme ». Le même
Goulas, quand il parle d'Aubijoux, nous apprend qu'il
avait « tant d'avantages de la nature, tant d'esprit,
tant de cœur, tant d'honneur » que peu de gen-
tilshommes l'égalaient. Les amis de Blot lui font
honneur, et ces libertins ne sont pas les grossiers
débauchés qu'on a souvent voulu nous faire croire.*

BIBLIOGRAPHIE. — *Les Chansons de Claude de Chou-
vigny, baron de Blot*, p.p. Fr. Lachèvre, Paris, 1919.

Couplet (1)

Messieurs, encore un mot
Avant que je me taise :
Je ne suis pas si sot
De croire à la Genèse.

Air I (2)

. . . .
Je ne veux ny turban ny chappe
Je ne croy ny Mufty ny Pape,
Par le sang bleu, je suis fort net :
Je ne suis dervis ny apostre,
Mets un signe à ton cabinet
Que je ne croy ny l'un ny l'autre.

Couplet (3)
(1650)

Quoy qu'on nous rompe les oreilles
Du Paradis, de ses merveilles,
J'en donne de bon cœur ma part,
Car (d')estre tousjours en extaze,
N'en desplaise au Père Bernard (4),
Est le vray mestier d'un viédaze (5).

Couplets (6)
(1650)

Puisqu'on nous conte qu'en la Gloire
On n'y sçauroit manger ny boire,
Je m'y verray tout estonné.
C'est un vray mestier de viédaze !
J'ayme bien mieux estre damné
Que d'estre tousjours en extaze.

Chanson sur l'air « Il a battu son petit frère »(7)
(1650)

Je suis bougre de vieille roche,
Qui n'auray jamais de reproche
D'avoir usé de Sacrement.
Morbleu, tous les sept je mesprise,
Pour le monstrer plus hautement,
Je consens qu'on me débaptise.

Chanson sur l'air « Il a battu son petit frère »(8)
(1650)

Nous sommes bien demy-douzaine
Qui ne nous mettons guère en peine
Du Vieux ny Nouveau Testament,
Et je tiens qu'il est impossible
De trouver sous le Firmament
Des gens moins zélés pour la Bible (9).

(1650) (10)

Je vois encor des esprits fermes,
Fontrailles, d'Aubijoux, de Termes (11),
Qui vivent de mesme façon,
Sans faire jamais abstinence,
Si ce n'est d'eau et de poisson,
De Jubilé ou d'Indulgence.

Couplets (12)

Puisqu'enfin il faut que je quitte
Ce beau titre de desbauché,
Je veux devenir hypocrite,
Crainte qu'il me manque un péché ;
Et je prendray la contenance
De quelque cagot d'importance.

Je veux à présent estre sage,
La mode du siècle y semont ;
Qu'on ne me parle de voyage,
Surtout de celuy de Beaumont !
Car ce chemin, sans doute aucune,
N'est pas celuy de la Fortune.

Que jamais plus on ne me parle
De bougre ny de cabaret !
Adieu, maistre Guy, maistre Charles,
Adieu, Nanon, adieu, Babet ;
Et quoi que tard je m'en advise,
Je prétens qu'on me canonise.

Ah ! que je vais bien contrefaire
Le visage d'un innocent !
Je ne veux plus songer à plaire
Qu'au révérend Père Vincent (13),
Et je ne perds pas espérance
D'estre du Conseil de Conscience (14).

Que Gauffre (15) s'aille faire pendre,
Le Normand et d'Olonne aussy ! (16)
Les exemples que je veux prendre
Ont à la Cour mieux réussy :
Pour peu que j'aye conduite bonne,
Je veux imiter Chaudebonne (17).

(1650) (18)

Qu'une colombe à tire d'aile
Ait obombré une Pucelle
Je ne crois rien de tout cela.
On en dit autant en Phrygie,
Et le beau Cigne de Léda
Vaut bien le pigeon de Marie.

Chanson (19)

Cher Saint-Pavin, j'admire ta vieillesse,
Quand je la vois franche de tous remors,
Que pas à pas elle fuit la jeunesse
Dans les plaisirs de l'esprit et du corps
Et que la mort ny la vie éternelle
Ne t'ont flatté ny troublé la cervelle.

Chanson (20)

Dans les plaisirs, amis, soyons plongés
Tant que nos jours nous seront prolongés.
Pour ce qu'on voit après nostre trépas
    Nous le sçaurons
    Et nous en parlerons.
    Quand nous serons là-bas.

Réponse

Cher chevalier, de ton madrigalet
Par la morbleu, je suis mal satisfait.
Tu doutes donc? Moy, je ne doute pas.
    Car je sçay bien
    Que nous ne serons rien
    Après nostre trépas (21).

Epitaphe de Blot par Saint-Pavin (22)

Cy-gist un docteur non commun
Qui, peu sçavant, mais fort habille,
Prescha souvent, jamais à jeun,
Et comprit tout, hors l'Evangille.
En homme sage et bien sensé,
Du présent il a dit merveille.
Du futur ce qu'il a pensé
Ne s'est révélé qu'à l'oreille.
Mais chacun tient pour vérité
Que jamais il n'en a douté.

[Couplet] (23)

Satan, trompant le premier père,
  Fit tout périr.
Jésus porta la folle enchère
  Et vint mourir.
Trouvez-vous pas Dieu tout puissant
  Bien raisonnable,
D'immoler son Fils innocent
  Pour espargner le Diable ?

NOTES

(1) f. fr. 12 726, f° 123.

(2) f. fr. 12 666 et 12 726. Une variante insignifiante.

(3) f. fr. 12 666, f° 277, donne la date de 1650.

(4) Claude Bernard, dit le Pauvre Prêtre, eut dans le peuple de Paris une réputation de sainteté. On allait, nous apprend une lettre d'Henry Arnauld, en procession lui faire toucher des chapelets. Il mourut le 23 mars 1641. La chanson de Blot est donc antérieure à cette date, et l'indication de 1650 fournie par f. fr. 12 666 doit être inexacte (Tallemant, Historiettes, Pléiade, I, pp. 68 et 975).

(5) Viédaze, expression énergique qui revient à dire à un homme qu'il est un sot. Cotgrave traduit fort exactement The member of an Asse. Also an old dunce, doult, blockhead, winnyhammer.

(6) f. fr. 12 726, f° 272.

(7) f. fr. 12 726, f° 221 et de nouveau f° 242 avec des variantes sans intérêt. Le f. fr. 12 666, f° 273, donne la date.

(8) f. fr. 12 726, f° 177 et de nouveau f° 242. Le f. fr. 12 666, f° 271, fournit, en même temps que la date, une variante qui corrige le premier vers.

(9) Ce vers présente dans f. fr. 12726, f° 177, une variante assez curieuse pour être citée.

   Moins enviédazés pour la Bible.

Puisque viédaze veut dire sot, on comprend sans peine enviédazé. Mais il n'est pas dans Cotgrave.

(10) f. fr. 12 666, f° 271. C'est lui qui fournit la date

*de 1650. Entre f. fr. 12 667 et f. fr. 12 726 les variantes
sont nombreuses, mais sans intérêt.*

(11) *Louis d'Astarac, vicomte de Fonterailles ou Fontrailles, fut mêlé à la conjuration de Cinq-Mars, puis
aux agitations de la Fronde. Au dire de Mme de Motteville, cet honnête homme, spirituel et généreux,
« empoisonnoit d'athéisme l'âme de tous ceux qui
de la Cour. Il mourut en 1656. (Tallemant, II, pp. 411
et 948). — François-Jacques d'Amboise, comte d'Aubijoux, fut chambellan de Gaston d'Orléans, lieutenant général en Languedoc, gouverneur de Montpellier. Il mourut en 1665. Il était le cousin de
Fontrailles et se laissa entraîner dans le parti de la
Fronde. Il s'en retira à temps et retrouva la faveur
de la Cour. Il mourut en 1656. (Tallemant, II, pp. 411
et 1282.) — César-Auguste de Pardaillan, marquis de
Termes, fut premier gentilhomme de Gaston d'Orléans, lieutenant général des galères du roi en 1656
(Tallemant, II, p. 1 416).*

(12) *f. fr. 12 637 et 12 666.*

(13) *Il s'agit naturellement du P. Vincent de Paul.*

(14) *Le Conseil de conscience, auquel Vincent
de Paul participait, était l'organisme chargé des
affaires ecclésiastiques, et tout particulièrement de la
nomination des évêques et de la collation des béné-
fices.*

(15) *Le sens de cette strophe n'est pas clair. Il
semblerait qu'elle veuille dire : je n'imiterai pas tel
et tel libertin et je me ferai dévot comme Chaudebonne. Mais Gauffre était dévot, et Le Normand
affectait de l'être. Thomas le Gauffre, maître des
comptes, était le grand ami du Pauvre Prêtre Bernard. Il se fit même son hagiographe. Dans l'affaire
de Louviers, il intervint avec éclat pour affirmer la
réalité des possessions diaboliques.*

(16) *L'abbé Jacques Le Normand était fils d'un
maître des requêtes. Il faisait le zélé, prêchait, enseignait le catéchisme, affirmait son dévouement pour
Mazarin. Mais il avait la réputation d'être « grand
fripon », et Boisrobert l'appelait Dom Scélérat. (Tallemant, II, pp. 129 et 1 020.) Louis de la Trémouille,
comte d'Olonne, est moins connu que sa femme, qui
fut, mais un peu plus tard, la Messaline de son
temps.*

(17) *Claude d'Urre du Puy-Saint-Martin, sieur de*

Chaudebonne, fut premier maréchal des logis aux Suisses de la Garde de Monsieur. Il fut, au dire de Tallemant, le plus intime ami de Mme de Rambouillet. Il s'était converti avec ostentation. Voiture écrit : « A moins que de traiter de l'âme ou du souverain bien, on ne luy sçauroit plus faire ouvrir la bouche », *et les* Contre-Véritez *de la Cour disent par anti-phrase :*

Les bigottes du temps méprisent Chaudebonne.

Au dire de Tallemant il se jeta dans la dévotion après le retour de Bruxelles, où il avait suivi Monsieur.

(18) f. fr. 12 666, f° 275.

(19) f. fr. 12 726, f° 219.

(20) f. fr. 12 726, f° 173, *et de nouveau* f° 247. *Ces vers ne sont pas de Blot, mais adressés à Blot par un ami qui est chevalier. On peut supposer qu'il s'agit du chevalier de Rivière, qui était lui aussi fameux par ses chansons. Dans un vers, Blot l'appelle :* notre cher chevalier.

(21) *Variante de* f. fr. 12 726, f° 248 : Quand nous serons là-bas. *Cette réponse est certainement de Blot, car c'est à elle que fait allusion l'*Epitaphe de Blot *par Saint-Pavin, qui suit.*

(22) f. fr. 12 726, f° 253.

(23) *A ces pièces fournies par les mss.* f. fr. 12 666 *et* 12 726, *on a joint celle-ci que Voltaire recopia de sa main et qu'il a mise sous le nom de Blot dans le cahier qu'on appelle aujourd'hui le cahier de Léningrad (Besterman,* Voltaire's Notebooks, *I, p. 163.)*

COUPLETS LIBERTINS

Le manuscrit 3 127 de l'Arsenal contient nombre de chansons impies qui nous éclairent sur l'esprit de certains milieux libertins. On les a reproduites ici. Elles choqueront sans doute beaucoup de lecteurs. Mais ce sont des témoignages trop importants pour qu'il nous soit possible de les ignorer.

Nous voudrions savoir dans quel cercle ces chansons ont été composées. Le manuscrit porte ce titre général : Recueil de plusieurs pièces très plaisantes du sieur Théophile, avec d'autres pièces de différents Autheurs, meslées de plusieurs chansons des plus à la mode. *Il y a là une indication à retenir, mais puisque certaines de ces pièces sont « de différens Autheurs », nous n'avons pas le droit de prétendre que ces chansons ont été écrites par Théophile ou par quelqu'un de ses amis.*

Une autre indication nous inviterait pourtant à penser qu'elles sont nées dans l'entourage du « prince des libertins ». Les pièces ordurières du même manuscrit se retrouvent en grand nombre dans le Parnasse satyrique *et dans la* Quintessence, *c'est-à-dire dans des recueils publiés en 1622, à l'époque précise où Théophile donnait le ton.*

A lire ces chansons on est pourtant frappé par la parenté qu'elles offrent avec les chansons de Blot. Même langue, même mouvement, même ton. Ces ressemblances sont si fortes que l'on a peine à écarter l'idée que ces pièces ont été écrites dans l'entourage de Gaston d'Orléans. Le problème n'est pas aujourd'hui susceptible d'une solution sûre.

Chose étrange, Voltaire eut connaissance, un siècle

plus tard, de l'une des plus caractéristiques de ces
chansons. Il la copia dans un carnet qui est conservé
à Léningrad. Elle y figure après des vers d'un certain
La Ferté, avec le titre Idem. A Pâques, qui invite à
penser que ce La Ferté inconnu en serait également
l'auteur. Après quoi le copiste reporte une autre
pièce du même, où il est question de « l'ami Cha-
teaufort » défunt.

Le même manuscrit de Léningrad contient également un couplet blasphématoire, qu'il attribue for-
mellement à Blot. On l'a reproduit plus haut, avec
les autres chansons de celui-ci.

Enfin Voltaire a transcrit une pièce. Ne nous
moquons pas..., en la laissant anonyme. On l'a repro-
duite ici. Elle figure dans le manuscrit de Léningrad
aussitôt après un sixain de Blot.

Sur la Résurrection (1)

Voicy ce jour heureux, si l'on en croit l'histoire,
Où nostre créateur tout couronné de gloire
Triompha de la mort et sortit des Enfers
Amy, si tu le crois, va, que l'aze (2) te foute !
Ceux qui le virent pendre avoient les yeux ouverts :
Quand il ressuscita, pas un n'y voyait goutte.

[Autre]

[Si] le jour du grand vendredy (3),
Il s'écria Héli, Héli,
Cela ne fait rien à l'histoire.
Mais qu'il ayt bû en expirant
Pour montrer qu'il faut tousjours boire,
Cela n'est pas indifférent.

[Autre]

Les bourreaux l'attachoient et luy lioient les bras.
Il eut beau s'escrier : A l'ayde, mon papa.
Avec[que] (4) son Heli, lamma Sabatani.
Il ne fut pas ouï.

[*Autre*]

J'ay toujours crû. mes chers amis,
En Dieu dedans sa gloire,
Et je crois encor aujourd'huy
Qu'il nous voit rire et boire.
Mais de croire qu'une action
Luy plaise ou le chagrine,
J'ay bien meilleure opinion
De sa grandeur divine (5).

[*Autre*]

A quoy bon tant craindre
Les horreurs du tombeau
Quand on voit éteindre
De nos jours le flambeau ?
L'âme est une étincelle,
Et tout ce qu'on dit de l'esprit
Est bagatelle.

[*Autre*]

[Qu']on parle de Dieu le Père (6),
De toute la Trinité,
Qu'une Vierge soit la mère
D'un Sauveur ressuscité,
Et que l'esprit en colombe
Descende comme une bombe,
Je me fous de leurs destins
Pourveu que j'aye du vin.

Sur l'air du Grand Ballet du Roy (7)

Amys, Salomon, dans son Ecclésiaste,
Ne veut point qu'on soit chaste,
Ny qu'on mesle aucun chagrin

       Avec ce jus divin (8).
         L'avis de Salomon
Est un avis qu'on doit trouver fort bon,
Et qui vaut [bien] mieux qu'un sermon.
       Le docteur fort habile
       Qui précède l'Evangile
            Nous escrit
Qu'il ne sçait si l'Esprit vit ou périt,
       Et cet homme merveilleux,
            En cas douteux,
          Ne sçachant que juger
Nous dit en un mot comme en mille
Qu'il faut toujours boire et manger.

La mort doit s'envisager d'un œil ferme,
Et nostre dernier terme
Ne doit point faire peur
A tout homme de cœur (9).
Les Grecs n'en trembloient pas,
Et les Romains, en franchissant le pas,
Affrontaient le trépas.
La mort n'a pu contraindre
Ces grands hommes à se plaindre.
       Jésus Christ,
Suivant ce que dit s[on] e[sprit] (10),
       En sua d'ahan
       L'eau et le sang,
       Afin de l'éviter.
Que diable avoit-il tant à craindre,
Puisqu'il devoit ressusciter ?

         [*Autre*]

Pourquoy prescher la mort aux hommes ?
Ce sont des discours superflus.
Elle n'est pas tant que nous sommes,
Quand elle est, nous ne sommes plus.

Ah ! qu'ils sont insensés, ces bougres,
       Avec leurs illusions,

> De croire ce qui est en poudre
>   Sujet à résurrection !
>
> Pourquoy tant de cloches, de messes ?
> Peut-on ressusciter les morts ?
> Nous devons croire avec sagesse
> Que l'âme meurt avec le corps.
>
> Les chiens, les oiseaux de rivière
> Ne font pas tous un si grand bruit,
> Qu'un prestre dans un cimetière,
> En hurlant un *De Profundis*.

A ces vers tirés du manuscrit 3 127 de l'Arsenal, on joindra celui-ci, que Voltaire a copié dans ses cahiers (11).

> Ne nous moquons point des payens
>   La fable vaut la Bible.
> Jamais prêtre chez les payens
>   Ne crut être infaillible.
> Comme nous, ils avoient trois dieux.
>   Mais leur mère Cibelle
> Ne crut point en accouchant d'eux
>   Rester encor pucelle.

NOTES

(1) *Cette pièce se retrouve dans le carnet de Lénin-grad (Besterman, Voltaire's Notebooks, I, p. 174) avec les variantes suivantes :*

Idem à Pâques

*C'est icy le grand jour, si l'on en croit l'histoire,
Où notre rédempteur tout rayonnant de gloire...
Quand il mourut, chacun avoit les yeux ouverts...*

(2) Aze *signifie en gascon un âne. Le copiste du ms. 3 127 semble n'avoir pas compris cette formule indécente. Il écrit que* l'aste foute, *qui fait non-sens.*

(3) *Tel quel, le vers est faux. Il faut lire :* Que le jour, ou Si le jour.

(4) *Ici aussi le vers est faux. Il faut lire évidemment :* Avecque.

(5) *La chanson, cette fois, n'est pas pur blasphème. Conformément à la tradition libertine, l'auteur considère comme injurieuse à Dieu l'idée qu'il puisse s'abaisser jusqu'à prendre soin des choses terrestres. Les libertins s'inspiraient ici très consciemment de la philosophie épicurienne.*

(6) *Le manuscrit porte :* On parle. *Il semble très probable qu'il faut lire :* Qu'on parle.

(7) *Une note marginale prétend que cette chanson fut faite par un fameux prédicateur, qui se trouvait alors à Dijon.*

(8) *Allusion probable à l'Ecclésiaste IX, v. 7.*

(9) *Sur la même page, une chanson, qu'on ne reproduit pas tout entière ici en raison de certains mots orduriers qu'elle contient, développe en quatre vers le même thème :*

Une âme forte et saine,
Quand la mort vient,
Se fout bien de toutes les peines
Qu'on dit sentir quand on ne sent plus rien.

10) *Le manuscrit porte* S.E., *et c'est faute de mieux, et pour tenir compte de la rime, que l'on a mis ici :* son Esprit.

(11) *Besterman,* Voltaire's Notebooks, *I, p. 169. Ce couplet est copié aussitôt après un sixain de Blot.*

LES QUATRAINS DU DÉISTE

Si le libertinage revêtait des allures scandaleuses dans certains milieux de la noblesse, il se développait sous des formes bien différentes dans le monde des humanistes, des érudits, des régents de l'Université. Là, il ne s'exprimait pas par des chansons blasphématoires. Il recueillait dans la littérature ancienne et récente les arguments dirigés contre les dogmes chrétiens.

Ces hommes avaient pris conscience qu'il y a incompatibilité entre le Dieu des philosophes, Sagesse suprême et Raison infinie, et le Dieu capricieux de la tradition judéo-chrétienne, qui sauve les hommes, mais aussi qui les perd, capable de pardon, mais capable aussi de colère et de vengeance. Entre le catholicisme et la Réforme, ils ne prenaient pas la peine de choisir. Toutes les confessions religieuses leur semblaient marquées d'une commune erreur. Ils étaient déistes.

Des traités manuscrits circulaient clandestinement depuis la fin du XVIᵉ siècle, qui rassemblaient leurs arguments ou développaient leur philosophie. L'un de ces traités, les Quatrains du Déiste, eut une diffusion assez grande pour provoquer, de la part du P. Mersenne, une réfutation. Il publia en 1624 L'Impiété des Déistes, Athées et Libertins de ce temps, combattue et renversée de point en point par raisons tirées de la Philosophie et de la Théologie. Ensemble la réfutation du Poème des Déistes. Le premier volume, à lui seul, avait plus de huit cent cinquante pages.

Le P. Mersenne analysait un à un les cent six quatrains du poème. Il en reproduisait textuellement une
dizaine. Frédéric Lachèvre a retrouvé l'œuvre entière
dans un manuscrit latin (f. lat. 10 329) où elle était
restée ensevelie depuis le début du XVIIᵉ siècle.

On a cru nécessaire de la reproduire ici. Elle est
pourtant, avouons-le, écrite dans le style le plus lourd
et le plus morne. L'auteur a volontairement adopté
la forme des quatrains de Pibrac. Nous ne savons
pas son nom. Mais à coup sûr ce n'était pas un écrivain. C'était plus probablement un professeur de philosophie, et Mersenne nous dit qu'il était « très versé
dans la dialectique, étant donné qu'il a passé au
moins trente ans à l'étudier ». Quel que soit l'ennui
qui se dégage des Quatrains, on ne trouverait nulle
part ailleurs un plus fidèle exposé des dogmes du
déisme.

A l'Etre éternel, toute sagesse et toute bonté, que
le Déiste adore, l'auteur oppose le Dieu des bigots,
des superstitieux, des caffards, comme il les appelle.
Il s'étend sur les dogmes qui heurtent le plus vio-
lemment l'idée que les sages se font de Dieu. Le
péché originel, l'éternité des peines de l'enfer sont
à ses yeux incompatibles avec la justice comme
avec la bonté divines. Et la même conception fausse
de la Divinité explique seule les contes fabuleux
qu'on en fait. Comment justifier aussi cette morale
de l'ascétisme qu'enseignent les bigots ? Quel bien
Dieu peut-il tirer des mortifications, lorsqu'on se fait
une juste image de sa bonté ?

Les Quatrains du Déiste ne sortent pas de ce cercle
d'idées. On n'y trouve aucune trace de ce naturalisme qui inspirait à cette date Théophile, et qui plus
tard donne la clef de tant de pages de Cyrano, de
Veiras, ou de Gabriel de Foigny ? Nulle trace non
plus d'une critique historique des religions, telle
qu'elle se devine chez Naudé par exemple. A les lire,
on comprend que leur auteur est nourri de la philosophie spiritualiste la plus orthodoxe, mais qu'au
lieu d'y voir une étape vers la religion révélée, il a

*dévouvert à quel point ces deux systèmes de pensée
sont en réalité incompatibles.*

*Les Quatrains, retrouvés par Frédéric Lachèvre, ont
été publiés par lui. Le texte qu'il en donne forme
à certains moments des non-sens. On s'est efforcé de
l'améliorer en se servant, autant que possible, du
résumé que Mersenne en avait donné.*

BIBLIOGRAPHIE. — Fr. Lachèvre, *Le Procès de Théophile de Viau*, 1909, II, pp. 91-126. Voir le commentaire
qu'en donne H. Busson, *La pensée religieuse de Charron à Pascal*, pp. 102-109.

L'ANTI-BIGOT
OU LE FAUX DEVOTIEUX (1)

1

Puisque l'Estre éternel est éternellement
Très heureux, et parfait en toute suffisance,
Qu'il est la bonté mesme et sage infiniment
Sur tout ce qu'en conçoit l'humaine intelligence,

2

Le superstitieux est-il pas insensé
De se le figurer constant et variable,
Embrazé de vengeance, et d'un rien offensé,
Ennemy des tyrans et plus qu'eux redoutable ?

3

L'est-il pas derechef de se l'imaginer
De tout cet Univers la guide souveraine,
Et croire ensemblement qu'il se laisse mener
Selon les passions et la nature humaine ?

4

Guidé de même esprit, est-il pas affronté
D'exalter son amour, et puis, tout au contraire,
Le dépeindre envers nous de pire volonté
Qu'un barbare à l'endroit de son pire adversaire ?

5

Si luy ne voudroit pas engendrer des enfans
S'il pensoit que leur fin deust estre misérable,
Dieu de qui la bonté se voit à tous momens
Pourroit-il aux humains se monstrer dissemblable ?

6

L'Eternel nous estant infiniment meilleur
Que n'est à ses enfans une soigneuse mère,
Nous peut-il imposer un infiny malheur
Pour le contentement d'une feinte colère ?

7

Si le Bigot ne peut voir son pire ennemy
Souffrir durant un mois un extresme supplice,
Comment veut-il que Dieu du supplice infiny
De l'œuvre de ses mains repaisse sa Justice ?

8

Car sa Justice estant sa pure volonté
Et son divin amour toute une mesme chose,
Sçauroit-on proposer à nostre infirmité
Un appuy autre part où mieux elle repose ?

9

Et quant à sa bonté, qui s'en pourroit servir
D'exemple à l'imiter pour aux ennemis rendre
Le bienfait pour le mal, si nous devons tenir
Que d'elle en cet endroit il ne faut rien attendre ?

10

Tout Sage, pourroit-il inspirer les humains
A se rendre envers tous au besoin secourables,
Et monstrer quant à luy que les plus inhumains
En nulle cruauté ne luy sont comparables ?

11

Estant tout juste et bon, nous peut-il commander
D'aymer nos ennemis, et les hayr luy-mesme ?
Chétifs, les pourrons-nous en leur misère ayder
Et luy les voir souffrir une immortelle peine ?

12

Se peut-il concevoir un infiny tourment
Pour plaire à l'Eternel et contenter son ire,
Sans le présupposer cruel infiniment
Et pire en nostre endroit que des tyrans le pire ?

13

Encor si le Bigot l'estimoit comme luy
Capable d'assouvir une extrême vengeance
D'un tourment limité, il n'y auroit celuy
Qui enfin n'excusast une telle ignorance.

14

Mais de vouloir que Dieu punisse infiniment
L'Homme pour ses défauts sous peine d'injustice,
Est-ce pas accuser calomnieusement
L'éternelle bonté d'éternelle malice ?

15

Ne luy sert d'alléguer pour couvrir son erreur
Que Dieu ne peut quitter sa justice immortelle,
Et qu'estant infini la divine fureur
Ne se peut assouvir d'une peine mortelle.

16

Car bien que sa divine et saincte Majesté
Soit un estre infiny d'essence invariable,
Si ne s'ensuit-il pas qu'un meffait limité
D'un supplice infiny soit enfin punissable ?

17

Quant à l'objection qu'on fait en cet endroit
Que le bonheur des uns ne peut sans la misère
Des autres subsister, et que Dieu ne sçauroit
Aymer tous ses enfans sans estre injuste père,

18

Est-ce pas concevoir que si Dieu n'est cruel,
Il ne peut estre juste, et luy vouloir prescrire
La façon de régir son Empire actuel
Et à nos jugemens sa volonté réduire ?

19

D'autre part, veu qu'en Dieu amour est action
Dont luy seul est l'object et la cause immuable,
Est-ce pas s'impliquer en contradiction
De la croire envers nous mortelle et périssable ?

20

Si mesme cet amour ne se peut diviser
En aucune façon de l'immortelle essence,
Pourquoy veut le Bigot la corporaliser
Et la rendre sujette à l'humaine inconstance ?

21

Est-il pas insensé de croire que celuy
Dont tout pouvoir dépend soit capable d'offense,
Que, tout sage, il ait peu nous armer contre luy
Et pour nous se donner de la peine et souffrance ?

22

Pourroit-il endurer que l'on le surmontast,
De luy-mesme assisté pour ravir son ouvrage,
Puis pour le racheter que l'on exécutast
Contre sa volonté toute sorte de rage ?

23

Si Dieu estoit espris de cette ambition
D'ostenter contre nous sa force et sa puissance,
Quel serait son désir qu'une imperfection ?
Cette imperfection qu'une pure indigence ?

24

Tout estant par luy-mesme entièrement sousmis
A ce divin vouloir, peut-il estre croyable
Que jamais il ait peu faire des ennemis
Capables d'empescher ses desseins immuables ?

25

Si Dieu gouverne tout d'un absolu pouvoir
Réciproque et pareil à son intelligence,
Qui pourroit empescher l'effet de son vouloir
Et malgré qu'il en eust y faire résistance ?

26

Est-il quelque pouvoir lequel puisse servir
Contre celuy auquel tout pouvoir fait hommage ?
Dieu mesme pourroit-il aux hommes s'asservir
Et régler son vouloir selon leur arbitrage ?

27

Si à l'Estre infiny rien ne peut estre osté
Ny soustrait du ressort de sa toute-puissance,
Comment a-t-il perdu, et depuis racheté
Ce qui jamais ne fut qu'à sa divine essence ?

28

Combien que le Bigot ne die ouvertement
Qu'envers ses ennemis il est plus charitable
Que Dieu n'est envers nous, qui ne voit clairement
En ses opinions cette suite exécrable ?

29

Mais pour luy faire voir par démonstration
Visible, et fondemens de son escole mesme,
Qu'au-delà du trespas toute punition
Répugne évidemment à l'équité suprême,

30

Jettons-le dans le choix de ces deux questions,
Ou que tous mouvemens fuyent la cognoissance
Du moteur éternel, ou que les actions
De nostre volonté suivent son ordonnance.

31

S'il dit en premier lieu que chaque mouvement
Suit le sçavoir divin, avec quelle impudence
Ose-t-il opposer contradictoirement
Son vouloir aux objects de sa toute science ?

32

Car si quelques objects de son divin sçavoir
Sont à sa volonté répugnans et adverses,
S'en ensuivra-t-il pas que connoistre et vouloir
Luy seront comme à nous choses du tout diverses.

33

Que si tout est essence en la Divinité
Et tous ses attributs y ont leurs différences,
Serons-nous pas réduits à cette absurdité
De confesser en elles autant de subsistances ?

34

Dieu estant un pur acte en son éternité,
Qui précède en tout sens les choses temporelles,
Est-ce pas desnier sa très saincte Unité
Que de les supposer avant les éternelles ?

35

Si la science ensuit nos contingens effects
Et ses effects en tems ont pris estre et naissance,
Ne sera-t elle pas ainsi que ses objects
Temporelle et finie, et luy de mesme essence ?

36

Si en quelques desseins Dieu se peut décevoir,
L'issuë en arrivant contre son espérance,
Quel sera son propos qu'un infirme vouloir
Accompagné d'erreur, de doute et d'ignorance ?

37

Estimer outre plus que Dieu soit en suspens
De ce que nous ferons pour bien ou mal nous faire,
Qu'il dépende de nous, et des lieux, et du tems,
Et que de son vouloir on se puisse distraire,

38

Est-ce pas le réduire à l'imbécillité
De celuy qui pensant s'unir à la rencontre
De ce qu'il espéroit, se trouve mesconté
Par l'accident fatal de quelque malencontre ?

39

Est-ce pas mesurer le souverain agent
Qui fait tout ce qu'il veut, à l'humaine puissance,
Comme si quelque object le rendoit indigent
Pour atteindre à la fin de son intelligence ? (2)

40

Est-ce pas le vouloir à l'homme assujettir,
Comme un potier de terre à son débile ouvrage,
Que l'on voit de son but souvent se divertir,
Bien que prédestiné à quelque bon usage ?

41

Si en soy l'Eternel voit tout présentement
Ce qui nous est futur, est-il imaginable
Qu'il nous ait défendu ce qu'infailliblement
Il sçait par son vouloir nous estre inévitable ?

42

Nous peut-il commander de faire ce qu'il sçait
Que nous ne ferons point, ou par insuffisance
Retenir son vouloir sur le bien ou mal fait
Venant de nostre choix et pure contingence ?

43

Bref, si le mesme Dieu sçait actuellement
Toute chose en soy-mesme, avec quelle ignorance
Le croirons-nous autheur d'une loy qui dément
Les effects descoulans de sa préconnoissance ?

44

Que si des loix du monde il luy plaist se servir
Pour guider les humains selon sa Providence,
Pourquoy aux siennes asservir (3)
Les autres nations de diverses créances ?

45

Car puisqu'un mesme Dieu est père de nous tous
Qui désirons jouïr d'un bien intelligible,
Que nous peut importer qu'il y guide eux et nous
Par les divers chemins de ce monde sensible ? (4)

46

Nous distinguons icy en un certain respect
Ce qui (5), dit simplement, est en bonne logique
Une déception : d'autant qu'un mesme effect
Toujours loüable en Dieu peut estre en nous inique.

47

Car comme nous devons par la diversité
Des causes, recevoir (6) ès effects différence,
Aussy bien voulons-nous fuyr l'Identité
Afin d'y prévenir l'injuste conséquence.

48

C'est pourquoy nous disons que les effects divers,
Lesquels nous condamnons en leur cause prochaine,
Servent loüablement au bien de l'Univers
Par le (7) vouloir divin, leur cause souveraine.

49

Par toutes ces raisons on peut voir clairement
Que la peur d'un Enfer n'est qu'une fantasie
Et faiblesse d'esprit, consécutivement
Que tout chastiment cesse en cette humaine vie,

50

Vie en laquelle ainsi qu'en chaque région
Chacun prend le surnom du lieu de sa naissance,
De mesme le Bigot suit la religion
Dont il est allaicté dès sa première enfance,

51

Vie encore où l'on voit que de chaque costé
Le Vulgaire ignorant croit comme indubitable
Ce que ses devanciers ont jadis inventé
Avoir esté receu de l'Essence ineffable.

52

Utile invention pour brider les esprits
Des hommes insolens, qui pervers de nature
Mettent les magistrats et leur loix à mespris
Pour vivre à l'abandon, sans reigle ny mesure (8),

53

A quoy semblent aussy viser finalement
Les merveilleux effects qu'on voit au monde naistre,
Dont les pipe-niais ombragent finement
Leurs contes fabuleux pour les simples repaistre.

54

S'il dit en second lieu que tout événement
Suit l'absolu vouloir de la divine essence,
N'est-il pas obligé de nous monstrer comment
Dieu peut de ce qu'il veut recevoir de l'offense ?

55

De distinguer que Dieu détermine en secret
Et veut ce qu'en ses loix il nous défend de faire,
Est-ce pas le dépeindre hypocrite, indiscret,
Et à sa volonté répugnant et contraire ?

56

Se peut-il concevoir plus grande impiété
Que celle du Bigot qui veut que Dieu punisse
Ceux dont les actions suivent sa volonté
Pour démonstrer sur eux sa divine justice ?

57

Dieu peut-il condamner ceux lesquels il conduit
En tous leurs mouvemens sans accuser luy-mesme ?
Sçauroit-on imposer quelque justice en luy
Sans en luy concevoir une malice extreme ?

58

Pourroit-il de nos maux sa justice exalter
Et de nostre misère enrichir son essence ?
Sçauroit-on faire pis que de luy adapter
L'office de bourreau pour vanger nos offenses ?

59

Il n'est pas moins mauvais de nier simplement
Une Divinité, que de la croire telle
Qu'elle tire de l'heur et du contentement
A nous faire souffrir une peine immortelle.

60

Qui est l'homme bigot lequel n'aymast trop mieux
Estre nié des siens par leur ingratitude
Que d'en estre avoüé et dépeint furieux,
Cruel, impitoyable et plein d'inquiétude ?

61

Si Dieu est esloigné de toute passion
Comme il est manifeste à toute intelligence,
Est-ce pas ignorance et superstition
De le croire agité de colère et vengeance ?

62

S'il le faut estimer plein d'ire et furieux,
Lorsque les mandements de Moyse on délaisse,
Quel moyen de le croire autre que malheureux
Puisque le genre humain les viole sans cesse ?

63

Ains si le Souverain n'est jamais courroucé
Si à nos maux communs la beste communique (9),
Le Superstitieux est-il pas insensé
De flatter son vouloir d'un chastiment inique ?

64

C'est gazouiller en vain que tous ces attributs
Sont énoncez de Dieu pour figurer nos crimes,
Et qu'on entend par eux d'ineffables vertus
De qui tant seulement les effects on exprime.

65

Car puisque ces effects ont leur relation
Nécessaire à leur cause, il est indubitable
Ou que Dieu est sujet à perturbation,
Ou que telle doctrine est une pure fable.

66

Mais feignons comme luy l'Immuable irrité
Contre les plus meschans addonnez à tout vice,
S'ensuit-il de cela que la Divinité
Les doit punir enfin d'un infiny supplice ?

67

Le Bigot n'est-il pas cruel infiniment
De vouloir exiger une peine infinie
D'un meffait limité ? Veut-il pas sottement
Esgaler à (10) tousjours l'instant de nostre vie ?

68

Veut-il pas que Dieu soit vainement punisseur,
L'impunité n'estant nullement dommageable,
Qu'il soit loisible à nous de suivre la douceur,
Injuste à l'Eternel de faire le semblable ?

69

Veut-il pas derechef que la punition
Au-delà du trespas soit inutile et vaine,
Car ne s'en ensuivant nulle correction
Quel bien en peut tirer l'équité souveraine ?

70

S'y plaire simplement, est-ce pas cruauté ?
Y chercher de la gloire ainsy qu'en la défaite
D'une chose de néant, est-ce pas vanité
Où la Divinité ne peut estre sujette ?

71

Que si d'un grand Monarque on se moque en prisant
Contre un foible rival l'effort de sa victoire,
Le Bigot n'est-il pas phrénétique en disant
Qu'à perdre les humains Dieu treuve de la gloire ?

72

Si donc le but final d'un juste chastiment
Est la correction que de l'exemple on tire,
Qu'est-ce l'Enfer, qu'un masque et supposé tourment
Dont les religions maintiennent leur Empire ?

73

D'ailleurs, veu que le but d'un sage entendement
Est de tous ses desseins l'intention première,
Faut-il pas avoüer que déterminément
Dieu nous a tous formez à quelque fin dernière ?

74

Que si l'homme bigot ne se peut proposer
Que de bien faire à ceux desquels il est le père
Le Père de ce Tout auroit-il peu viser
Pour nous à quelque fin d'immortelle misère ?

75

De là s'ensuit-il pas si la Divinité
Pour un malheur sans fin n'a peu nous faire naistre,
Que nous parviendrons tous au repos limité
Par son divin amour pour nostre meilleur estre ?

76

Bref, tout bon, pourroit-il de nous se désunir
Et, sage, abandonner son principal ouvrage ?
Immuable en conseil, pouvons-nous parvenir
Qu'au but où sa bonté visa devant tout aage ?

77

Et quand bien Dieu voudroit qu'à l'ancien chaos
Nous fussions tous réduits, n'est-ce pas un blasphème
De le vouloir taxer de nous mettre au repos
Où nous estions sans naistre en ce principe mesme ?

78

Icy les Taupetiers et Ventres paresseux,
Despitez du mespris de leur pantalonisme,
Nous feront des discours et contes fabuleux
Pour nous faire quitter les plus claires maximes,

79

Et ne douteront point de nous mettre en avant
Que les effects divins nous sont impénétrables,
Que nos sens et raison nous déçoivent souvent
Et que rien n'est certain que leurs songes et fables.

80

Et comme un Ulespiègle estoit injurieux
A ceux qui descouvroient ses couleurs et peintures,
De mesme ces caffars, comme luy vicieux,
Contre nos argumens vomiront des injures.

81

Celuy-là voulant faire approuver ses tableaux
Disoit qu'aux seuls bastards ils estoient invisibles,
Ceux-ci pour nous ranger à leurs brides à veaux
Veulent que nous soyons des souches insensibles.

82

Et comme une nourrice effraye ses petits,
Ces frelons nous voudront (11) espouvanter de mesme,
Celle-là pour reigler leurs jeunes appétits,
Ceux-ci pour nous ranger dessous leur diadesme.

83

Mais toutes leurs raisons n'ont point d'autre pouvoir
Que d'effrayer les sots dont l'aveugle ignorance
Compagne de l'erreur, ayde à les décevoir
Pour les embéguiner d'une fausse créance.

84

Quant à ceux que l'on voit se battre et tourmenter
Afin de se punir des deffauts de leur vie,
Où trouvent-ils que Dieu se puisse délecter
En l'agitation d'une telle folie ?

85

Si par devant un juge un voleur ne sçauroit
Se purger de son crime en punissant soy-mesme,
Pourquoy veut le Bigot que Dieu en cet endroit
Donne ce privilège à la sottise humaine ?

86

Se mocqueroit-on pas de voir un malfaicteur
De juge et de partie entreprenant la charge,
De sa propre sentence estre l'exécuteur
Et en représenter l'acte et le personnage ?

87

Avons-nous pas assez de naturels malheurs
Sans nous en inventer ? est-il rien plus inique
Que de nous procurer de nouvelles douleurs
Ny qui ressente plus une âme phrénétique ?

88

Si Dieu veut envers nous user de chastiment
Par des esprits malins, bourreaux de sa justice,
Pourquoy veulent ceux-ci usurper follement
De Dieu l'authorité, et de ceux-là l'office ?

89

Sont-ils pas hors de sens de se feindre et masquer
Et de la piété faire une comédie,
De nous masquer Dieu mesme et entr'eux se moquer
De notre aveuglement à leur hypocrisie ?

90

Qui est celuy d'entr' eux qui voulust faire estat
D'un respect controuvé par l'aveugle ignorance,
Qui du leur envers Dieu plustost ne s'offençast
Que d'y constituer aucune récompense ?

91

Les yeux tournez au ciel, et le cœur en tout lieu,
Enflez de vanité où leur vertu se fonde,
Sont-ils pas impudens d'oser parler de Dieu
Plus irrévéremment que du moindre du monde ?

92

Qu'importe à l'Eternel qu'ils quittent les faveurs
Desquelles sa bonté leur présente l'usage,
Pour en oisiveté pratiquer les douceurs
Où leur propre appétit les porte davantage ?

93

Celuy qui au banquet d'un Grand refuseroit
Pour luy estre agréable une viande exquise
Que libéralement il luy présenteroit,
Seroit-il à louer d'une telle sottise ?

94

Qui d'un million d'or nous voudroit étreiner,
Pourroit-il envers nous estre court d'une obole ?
Si d'un règne infiny Dieu nous veut couronner,
Nous peut-il plaindre au prix d'une chose frivole ?

95

S'il nous faut espérer qu'au-delà du trespas
Des délices du Ciel nous aurons jouissance,
Pourquoy ne prendrons-nous de celles d'icy-bas,
Attendant celles-là, l'usage et connoissance ?

96

Si pour conclusion Dieu nous permet d'user
Des sensibles effets de sa bénéficence,
Pourquoy les voulons-nous de sa main refuser
Et luy en desnier nostre recognoissance ?

97

De tout ce que dessus on peut sommairement
Distinguer le Bigot d'avecque le Déiste,
Pour fuyr du premier l'impie enseignement
Et de l'autre imiter la bienheureuse piste.

98

Le Bigot ignorant ne fait rien sans espoir
De quelque récompense, et s'il fuit quelque vice,
Ce n'est pas qu'à bien faire il ait un bon vouloir,
Mais c'est pour éviter du meffait le supplice.

99

Plein de trouble en son âme, il s'effraye de Dieu,
Ainsi que les enfans d'un monstre espouvantable,
Et tel l'imaginant, il le blasme en tout lieu,
Sous ombre d'exalter sa justice ineffable.

100

Aussy est le Bigot entre les ignorans
Seul ennemy juré de sa propre lumière,
Pour ne voir les erreurs enfantez par les ans
Dans lesquels (12) il détient son âme prisonnière.

101

Le Déiste en repos agit tant seulement
Pour l'amour du bien mesme, et non pour le salaire
Proposé par les loix, sçachant asseurément
Que la vertu n'est point servile et mercenaire,

102

Vertu qui nous instruit que souverainement
Nous devons adorer une Cause première,
Aymant nostre prochain en elle seulement
Sans luy faire dommage en aucune manière.

103

Ennemy conjuré de l'irréligion,
Il vit paisiblement avecque tout le monde,
Et seul observateur de la religion
Il adore l'Autheur de la terre et de l'onde.

104

Mesme tout simplement il ayme l'Eternel,
Et en luy ce qui est, ce qui vit et respire,
Envers tous les humains se monstrant estre tel
Que mutuellement il souhaite et désire.

105

Au regard de l'Athée, encor qu'ingratement
Il nie l'Eternel et sa saincte police,
Si n'en parle-t-il pas si injurieusement
Comme fait le Bigot traitant de sa justice.

106

Ainsy l'Athée seul nie la Divinité.
Le Bigot, pirement, meilleur que Dieu s'estime ;
Le Déiste entre tous l'adore en vérité,
Attendant qu'il parvienne où son but se termine.

NOTES

(1) *Il semble que les* Quatrains, *dans le texte connu de Mersenne, présentaient un autre titre, le* Poème des Déistes.

(2) *De ce quatrain particulièrement mal venu et obscur, Mersenne a donné une traduction en prose qui n'est pas beaucoup plus claire :* « C'est dire que Dieu soit indigent comme l'homme et qu'il a besoin de quelque object pour venir à la fin de son intelligence. »

(3) *Ce vers forme non-sens. Peut-être faut-il lire :* Pourquoy veut iceluy... *Mersenne traduit :* Pourquoy voulez-vous nous assujettir à votre religion ?

(4) *Le ms. dit :* ce monde insensible. *Le contre-sens est flagrant et il faut lire* sensible.

(5) *Le ms. donne :* ce que, *qui fait non sens.*

(6) *Le ms. dit :* recevons, *qui n'offre aucun sens.*

(7) *Le ms. dit :* leur vouloir, *erreur évidente. Mersenne a lu :* selon la volonté de Dieu.

(8) *C'est seulement dans les quatrains 50-52 que s'esquisse une critique des religions positives. L'homme s'attache à la confession religieuse que ses premiers maîtres lui ont enseignée. Il s'en tient aveuglément à la doctrine que la tradition lui propose. Cette tradition est fondée sur une nécessité d'ordre politique.*

(9) *Lachèvre a lu :* Ainsi le Souverain, *qui n'offrait aucun sens. Le manuscrit dit :* Ains si, *c'est-à-dire* Mais si.

(10) *Il faut lire probablement :* au toujours. *C'est ce que Mersenne a lu.*

(11) *On peut se demander si le vrai texte ne serait*

pas voudroient. *La traduction de Mersenne ne permet pas d'en décider.*

(12) *Le texte de Lachèvre :* Dans lesquelles *donne un vers faux* Il faut lire : dans lesquels. *Le mot* erreur *est masculin pendant tout le* XVI⁰ *siècle, dans Marot et Du Bellay aussi bien que dans Du Vair et Agrippa d'Aubigné.*

LES MÉMOIRES DE BEURRIER

Sur ce que pouvait être l'état d'esprit de certains libertins vers le milieu du siècle, nous avons un témoignage qui mérite d'être rappelé, celui de Pierre Beurrier, curé de la paroisse Saint-Etienne-du-Mont de 1653 à 1675. Il a écrit ses Mémoires. On les cite souvent pour ce qui concerne Pascal, car c'est Pierre Beurrier qui eut l'honneur de recevoir la confession de l'auteur des Provinciales. Mais ces Mémoires contiennent aussi des pages sur certains libertins que le curé de Saint-Etienne-du-Mont eut l'occasion de rencontrer. On a reproduit dans le présent volume trois épisodes qui ont paru dignes d'être cités.

Pour tout dire, ce ne sont pas des témoignages indiscutables. Dans sa thèse sur le libertinage érudit, M. Pintard reproche à ces portraits tracés par Beurrier d'être plutôt des types conventionnels, inventés ou du moins déformés dans une intention apologétique. Au surplus, Pierre Beurrier a écrit ses mémoires après 1681, quand il était vieux et que les images du passé s'étaient sans doute un peu brouillées dans son esprit.

Ceci reconnu, il reste que les Mémoires nous permettent au moins de voir comment un curé de Paris se représentait ces terribles libertins auxquels son zèle se heurtait, les arguments qu'il croyait les plus efficaces pour les convaincre, les résistances qu'ils lui opposaient.

Lorsque le premier de ces libertins affronte l'auteur des Mémoires, nous ne sommes pas obligés de croire que celui-ci s'est souvenu exactement des paroles pro-

noncées. *Non pas que les propos du malade soient
invraisemblables. Ils ne correspondent au contraire
que trop bien à ce que nous pourrions prévoir après
avoir lu Garasse et les* Quatrains du Déiste. *Mais il
n'est pas sans intérêt de voir l'insistance du curé à
pénétrer jusqu'au lit du malade, et la résistance pas-
sive que lui opposent les gens de la maison.*

*L'histoire du médecin Basin est curieuse, et le nom
de ce médecin, l'indication de la rue où il habite, ne
permettent pas de penser que Beurrier se borne à
copier une anecdote dans un livre édifiant. La religion de ce Basin est nettement celle des* Quatrains
du Déiste. *C'est parce qu'il se fait de l'Etre suprême
l'idée la plus haute qu'il ne peut accepter les dogmes
chrétiens. Sur sa philosophie de la nature, Beurrier
nous donne une indication qui a son prix. C'est dans
Van Helmont que le médecin Basin a trouvé l'image
qu'il se fait de l'immortalité de l'âme.*

*Sur le credo de l'ecclésiastique libertin, on obser-
vera qu'il ressemble fort au credo des beaux esprits,
en tête de la* Doctrine curieuse *de Garasse. Certains
diraient même qu'il lui ressemble un peu trop.*

Le manuscrit des Mémoires de Pierre Beurrier *est
conservé à la Bibliothèque Sainte-Geneviève, ms. 885-
887. Ernest Jovy en a publié des extraits dans le
tome IV de son* Pascal inédit, *1910. Mme Jeanne Ferté
a consacré sa thèse secondaire à la reproduction et
au commentaire d'une large partie des* Mémoires.

UN AVOCAT LIBERTIN

Il y a environ vingt ans qu'estant curé de Saint-
Estienne (1), je fus adverty par les voisins qu'il y
avoit dans la rue des Anglois un advocat du Conseil
très malade, qui entretenoit une demoiselle depuis
longtemps sans estre marié, et qu'il avoit envoié
quérir un notaire pour faire son testament, se voyant

en danger de mourir, mais qu'il ne se mettoit pas en peine de recevoir les sacrements, ny de me demander ou quelqu'un de mes prestres. C'estoit un jour de dimanche après vespres. Je m'y transportay aussy tost, mais l'on ne voulut pas me laisser entrer, en me disant que Monsieur n'estoit pas en estat de me parler, et que j'y revinsse au soir. Je ne manquay pas d'y retourner, mais l'on me refusa encore l'entrée en me disant que Monsieur faisoit son testament. Je respondis que j'allois voir quelques autres malades dans le voisinage, et que je reviendrois en peu de temps, ce que je fis. Mais comme l'on ne vouloit pas encore me laisser monter dans la chambre du malade, je ne laissay pas d'y monter, en disant que mon devoir m'y obligeoit, et qu'absolument je voulois parler à mon paroissien, pour veiller au salut de son âme, de laquelle je devois respondre à Dieu. Je frappay assez fortement à la porte, en disant assez haut que je trouvois très mauvais qu'on refusast au Pasteur de voir son ouaille malade. L'on m'ouvrit alors, et fus droit au lit du malade, qui me receut bien et me fit excuse de ce qu'on m'avoit pas laissé entrer dès la première fois, et luy-mesme fit sortir de la chambre tout le monde qui y estoit afin d'avoir la liberté entière de me parler plus confidemment (2), comme il fit, en me disant : Monsieur, je ne suis pas en estat de me confesser ny de recevoir les sacremens, que vous ne m'ayez auparavant éclaircy les difficultés que j'ay sur la religion chrétienne, que j'ay professée extérieurement pour n'estre pas remarqué et pour sauver les dehors. Mais dans le fond de mon âme, j'ay cru que c'estoit une fable, et je ne suis pas seul de mon sentiment, car nous sommes bien vingt mille personnes dans Paris (3) qui sont dans ces sentiments. Nous nous connaissons tous, nous faisons des assemblées secrètes (4), et nous nous fortifions mutuellement dans nos sentiments d'irréligion, croyant que la religion n'est qu'une politique mondaine (5) inventée pour maintenir les peuples dans la soumission et dans l'obéissance aux souverains par la crainte des enfers imaginaires. Car de bonne foy nous n'en croyons point, non plus que de paradis. Nous croyons que quand nous mourons tout est mort pour nous. Que Dieu, s'il y en a, ne se mesle point de nos affaires, et plusieurs autres blasphèmes qu'il m'advança contre Jésus-Christ, qu'il croyoit un imposteur aussy bien que Moyse et Mahomet (6). Il m'adjousta que beaucoup de ses camarades d'irréligion ne laissoient pas de fréquenter les sacremens et d'aller à leurs paroisses pour n'estre point découverts, mais que pour luy il n'avoit point voulu estre hypocrite jusqu'à ce point : c'est pour cela qu'il y avoit trente ou quarante ans qu'il n'avoit esté à confesse ny à la communion (7).

Les Mémoires *nous rapportent ensuite l'histoire d'un autre libertin, le médecin Basin* (8).

Quant à sa vie ses parents l'avoient fort bien élevé dans son jeune aage, et particulièrement sa bonne mère, qui luy avoit imprimé la dévotion à la Sainte Vierge, de sorte qu'il disoit tous les jours son chepelet, fréquentoit les sacremens et vivoit en bon chrestien. ce qu'il a continué de faire jusqu'à l'aage de dix-huit ans. Durant sa philosophie, il fréquenta quelques uns de ses camarades débauchés qui l'attirèrent dans leur bordelle, l'engagèrent dans l'impureté et la crapule (9), et de là dans l'impiété et l'irréligion. Ses désordres croissoient avec l'aage, il se rendit désobéissant et révolté à l'égard de son père et de sa mère. Il despensoit tout ce qu'il pouvoit en ses débauches, ce qui fut cause que son père estant près de la mort, après avoir tenté toutes les voies justes pour le retirer de ses débauches sans y avoir rien pu gagner, creut qu'il consommeroit bientost tout son bien s'il n'y apportoit du remède, ce qui fut cause qu'il le déshérita en laissant tout son bien à son frère, à condition qu'il luy feroit quatre cent francs de pension sa vie durant. Ce qu'ayant sceu, il se

retira à Montpellier, où il estudia la médecine, et se
fit docteur de cette Université en cette faculté. Ce fut
là où il acheva de se perdre par la conversation
qu'il avoit avec les hérétiques, renonça à la religion
catholique et embrassa la protestante, et se mit fort
avant à l'étude de l'ancienne philosophie. Il courut
ensuite le pays avec des lettres de recommandation
aux protestants d'Angleterre, de Hollande, de Suède,
de Danemarcq et d'Allemagne, allant partout aux
presches. Mais comme il remarqua tant de diversitez
d'opinions entre les hérétiques sur chacun des points
controversez entr'eux et les catholiques romains, il
les quitta et fut en Italie, et passant par Avignon il
se retira chez les Juifs, qui luy mirent en teste leurs
erreurs, et fut souvent dans leurs synagogues, tant
en Avignon que dans d'autres lieux où il se ren-
contra, en Portugal et autres. Mais n'en estant point
encore satisfait, il fut en Turquie, conféra avec les
Mahométans, et de là s'embarqua et fut aux Indes
orientales, et voulut connoistre les mystères des idolastres, s'accosta des Braguemanes, estudia leur philosophie, et n'estant non plus satisfait de leur religion
que de celle des Mahométans et des Juifs, se persuada que toutes les religions n'estoient que des
resveries et des institutions de la politique des souverains pour se soumettre plus facilement leurs sujets
par le leurre de la religion et de la crainte de la
Divinité.

Il revint à Paris, lieu de sa naissance, infatué de
ses imaginations impies et extravagantes. Résolu de
vivre et de mourir en philosophe, il se logea dans
la rue de la Bucherie. Il trouva quelques compagnons de ses débauches qu'il continuoit tousjours,
et leur persuada facilement ce libertinage de croyance
et cette irréligion pour éteindre le reste des remords
de conscience qu'ils pouvoient avoir. Mais Dieu
l'arresta tout court par une maladie mortelle qui
fut causée par ses débauches...

*Le curé Beurrier va le voir et l'invite à recevoir
les sacrements.*

Il se mit à sourire et me respondit : Vrayment,
Monsieur, je voy bien que vous ne me connoissez
pas. — Il est vray, luy repartis-je, parce que je n'ay
pas encore eu l'honneur de vous voir. Mais enfin,
puisque vous avouez que vous devez mourir de cette
maladie, il est juste que vous songiez sérieusement
au salut de vostre âme, que vous fassiez pénitence
et vous prépariez à faire une bonne confession.

Il s'expliqua plus clairement en me disant que
cela estoit bon à dire à des ignorans et à des personnes qui n'ont point d'esprit, et qui se laissent
mener par le nez. Je luy repartis : « Quoy, Monsieur, n'estes-vous pas chrestien, et ne voulez-vous
pas vivre et mourir en bon chrestien ? » Il me
respondit : « Je vous dis encore une fois que
vous ne me connoissez pas, et que je suis médecin
et philosophe. Je n'ay point d'autre religion que
d'estre philosophe, et désire mourir en philosophe
comme j'ay vescu. »

Je voulus alors luy prouver la vérité de notre
religion, et qu'il n'y avoit point de salut hors
d'icelle. Mais il ne voulut pas m'entendre et me dit :
« Monsieur, si vous voulez que je vous entende,
il faut auparavant que je vous dise ma créance et
les fondemens que j'ay de la tenir. Et puis, quand
je vous auray tout dit, vous me parlerez tant qu'il
vous plaira. Mais ne m'interrompez point. » Je luy
repartis : « Pourveu que vous me donniez parole de
m'escouter, je vous entendray avec attention. » Il
me respondit : « Ouy, Monsieur, foy d'homme d'honneur. » Je luy dis : « Parlez donc et dittes tout ce
qu'il vous plaira. »

Il commença à me dire :
« Je crois trois articles de ma religion de philosophe : le premier, que la plus grande de toutes
les fables, c'est la religion chrestienne ; le second,

que le plus ancien de tous les romans, c'est la
Bible ; le troisième. que le plus grand de tous les
fourbes et de tous les imposteurs, c'est Jésus-Christ. »

Je vous laisse à penser comme je fus surpris. Il
fallut néantmoins me taire et entendre ces horribles
blasphèmes patiemment. Je lui répartis pourtant :
« Monsieur, vous dittes beaucoup de choses en peu
de mots. Prouvez ce que vous dittes. »

« Ouy, dit-il, je vous soutiens que la religion
chrestienne est une pure fable, pour vouloir faire
croire des choses impossibles et qui se contredisent
les unes les autres, et qui ne peuvent pas tomber
dans un bon sens ny entrer dans la pensée d'aucun
homme d'esprit et d'érudition, comme de dire que
vostre Jésus-Christ est le fils de Dieu, ou que Dieu
se soit fait homme, et qu'il ait souffert la mort
et passion, et le reste de vos sottises, qui sont bonnes
à dire à des ignorans et à des stupides et gens sans
esprit. De même que vous dittes qu'il y a trois personnes en Dieu, et qui ne sont qu'un Dieu, comme
si premièrement Dieu pouvoit engendrer un autre
Dieu, et puis un troisième, que vous nommez le
Saint-Esprit, et que ces trois ne soient qu'un Dieu.
N'est-il pas un esprit ? Il y a donc trois esprits.
Un esprit ne peut engendrer son semblable, comme
font les hommes et les animaux. De plus, s'ils sont
trois, ils ne sont pas une même chose. Et puis,
s'il y a un Dieu, il est infiniment élevé au-dessus
de tout ce que nous sommes et que nous voyons.
Il se met bien en peine de nous et de tout ce qui
est icy-bas. Il laisse faire aux hommes ce que bon
leur semble. Il n'a que faire d'eux. Il est impossible
qu'il se soit fait homme, et qu'il se soit rendu
passible et mortel, puisqu'il est éternel, spirituel,
impassible et immortel. Il en est de même de toutes
vos autres créances, auxquelles je ne m'arreste pas,
puisqu'elles roulent sur ces deux fondemens qui ne
valent rien et se détruisent l'un l'autre.

Venons donc au deuxième article de ma religion
de philosophe. Je vous réitère que votre Bible est

un vray roman, dans lequel il y a mille contes à
dormir debout, il y a plusieurs niaiseries et contra-
dictions, plusieurs choses impossibles, plusieurs imaginations mal pensées, mal digérées et encore plus
mal écrites. En voilà assez sur cet article.

Enfin, le troisième article que je vous réitère, c'est
qu'il y a eu trois grands imposteurs au monde, à
sçavoir Moyse, Jésus-Christ et Mahomet, mais Jésus-
Christ est le plus grand, il a été le plus adroit et le
plus subtil de tous. Aussi y a-t-il mieux réussy dans
son entreprise, ayant tellement leurré le simple
peuple et surtout ses disciples, qui estoient sans
esprit, sans lettres et sans jugement, par les menaces
de l'enfer imaginaire et les promesses d'une vie heureuse éternellement, et par ses faux miracles, qu'ils
ont répandu partout sa doctrine et sa religion. Et
avec tout cela, il lui en a cousté la vie, et à eux
aussy, se précipitant aveuglément à la mort, comme
font encore aujourd'huy plusieurs Indiens idolâtres,
qui se jettent eux-mesmes dans des feux ardens,
sous une vaine espérance de la vie future ou d'un
honneur phantastique qu'ils auront de passer pour
des héros ou des saints.

Après qu'il eut parlé une demie-heure, il ajouta
qu'il croioit pourtant un Dieu, premier principe de
toutes choses, mais qu'il ne mesloit point de nos
affaires comme estant au-dessous de luy ; qu'il n'avoit
que faire de nos cultes, et que nous ayant donné
des pensées et des inclinations et passions naturelles,
il n'y avoit non plus du mal à les suivre qu'à
boire, manger et dormir ; que la lecture de Van
Helmond (10) luy avoit persuadé que nos âmes
estoient immortelles, mais qu'elles retournoient au
sortir du corps dans les astres où estoient leurs
idées. Et me dit ensuite que je pouvois luy responde
ce que je voudrois, et qu'il m'écouteroit avec attention, comme je l'avois fait.

Un prêtre athée.

*En un temps où M. Beurrier « faisait publique-
ment la controverse » contre « les impies et libertins
en fait de religion », il remarque dans l'assistance
un abbé, d'allures très décentes, qui suit avec assi-
duité ses conférences. Un jour cet ecclésiastique
l'aborde, lui demande la faveur d'un entretien particulier. Assuré du secret, cet abbé lui demande
d'abord s'il croit vraiment ce qu'il enseigne. M. Beurrier s'étonne. L'abbé lui dit alors :*

« C'est, Monsieur, que tel que vous me voyez, je
n'ay point de religion, quoyque je sois prestre, et
ce qui vous surprendra davantage, c'est mon maistre
de théologie, docteur, professeur, prédicateur et
compositeur de livres, qui m'a jetté dans ce précipice d'impiété. »

Je luy répondis en le touchant au bras : « Monsieur, je m'asseure qu'il a commencé par la chair. »
Ce qui me fit dire cela, c'est que je remarquay
qu'il estoit très bien fait et très beau de visage.
Il me respondit : « Ouy, Monsieur, vous avez bien
deviné. » Je luy dis : « Ce n'est que l'ordinaire.
Aussy la volupté et l'orgueil conduisent assez ordinairement à l'impiété. » Alors il me dit :

« Monsieur, depuis trois mois que je vous entends
prescher, vous avez tout brouillé mon âme et troublé ma conscience. C'est pourquoy je suis venu vous
voir pour me guérir et me désabuser des erreurs
que mon maistre a imprimées dans mon esprit et
dans l'esprit de ses plus confidens écoliers »... Il
me fit ensuite un narré de ce que son maistre luy
avoit enseigné, avec les raisons qu'il leur avoit
rapportées pour les persuader. Il dit donc que son
maistre leur avoit enseigné.

1° que la religion chrestienne n'estoit qu'une fable,
et qu'il n'y avoit que les petits esprits qui creussent
ce qu'elle enseignoit, parce qu'elle enseignoit des
choses impossibles et extravagantes.

2° qu'il estoit vray pourtant qu'il y eût un Dieu, qui est principe de toutes choses, mais qu'il ne se mesloit point de nos affaires, cela estant au-dessous de sa grandeur.

3° que nostre âme, à la vérité, ne mouroit pas avec le corps, mais qu'au sortir de son corps, elle s'élevoit dans les astres pour y vivre avec les génies qu'on appelle Démons.

4 qu'il n'y avoit ny paradis, ny enfer, ny purgatoire.

5° que toutes les actions que nous croions péché ne l'estoient point, mais des inclinations purement naturelles, venant de nos inclinations et passions.

6° qu'il n'y avoit non plus de péché originel, et par conséquent que toutes les inclinations et passions que nous avions estoient aussy innocentes que la nature mesme.

7° que la police (11) et la religion estoient des inventions des hommes qui vouloient se rendre maistres des autres.

NOTES

(1) *L'épisode se situe donc vers 1661.*
(2) *Non pas* en confidence, *mais* avec confiance.
(3) *Sur le nombre des athées à Paris, voir H. Busson,* La pensée religieuse, *pp. 36-37. Mersenne avait avancé, dans ses* Quæstiones in Genesim *de 1623, le chiffre de 50 000 athées. Les textes cités par H. Busson prouvent que les apologistes trouvaient partout des athées ou n'en trouvaient nulle part, selon la thèse qu'ils avaient à soutenir.*
(4) *Le P. Zacharie de Lisieux, dans son* Gyges Gallus, *en 1658, a parlé des assemblées secrètes de libertins, et H. Busson a très justement noté la bonne foi et l'exacte information dont témoigne cet ouvrage du P. Zacharie.*
(5) *Nous avons déjà rencontré plusieurs fois, et nous rencontrerons encore cette théorie politique de l'origine des religions.*

(6) *Nous sommes ici en présence des trois « imposteurs » du De Tribus Impostoribus. De quelque façon qu'on explique ce fait, il est clair que Beurrier a ce traité — ou ce titre de traité — dans la tête quand il écrit cette phrase.*

(7) *Voici la fin de l'histoire. Le malade semble convaincu par les arguments de son curé. Celui-ci s'empresse de chasser la fille hors du logis. Mais dès que l'avocat va mieux, il rappelle sa maîtresse. Beurrier revient à la charge. Le malade élude ses exigences. La maladie s'aggrave. Le curé accourt, veut obliger l'avocat à se confesser. Il ne répond que par des coq-à-l'âne. Le curé lui donne pourtant l'extrême-onction. Le malade meurt le lendemain sans avoir donné satisfaction à son curé.*

(8) *Mme Jeanne Ferté a retrouvé au Minutier central le testament de ce Basin. Il signe Louis Bazin-Ferret, d'Orléans. Le testament porte la date du 16 janvier 1660. Il fait mention de la rue de la Bucherie, ce qui s'accorde exactement avec les Mémoires de Beurrier. Mais deux faits s'adaptent mal au récit des Mémoires. Pas un mot dans le testament ne donne à penser que ce Basin est médecin. D'autre part, il ne nomme pas, comme on s'y attendrait, le frère et le neveu du malade, alors que les Mémoires ont soin d'en parler, sans que rien fasse comprendre pourquoi Basin les aurait déshérités.*

(9) *Crapule signifie uniquement excès de boisson. Cotgrave traduit :* drunkennesse, or drunken surfetting, heaviness of the head by excessive drinking.

(10) *Jean-Baptiste Van Helmont, né en 1577, mort en 1644, fut avant tout un médecin, mais qui fondait ses idées révoltionnaires en ce domaine sur une philosophie où se mêlaient le naturalisme de la Renaissance et le mysticisme. Son premier ouvrage,* De magnetica vulnerum naturali et legitima curatione *parut en 1621. Il en publia d'autres en 1624, 1642 et 1644.*

(11) *Police signifie le gouvernement politique. Cotgrave :* policie, politicke regiment, civill government. *Il cite un avocat français :* C'est le règlement de la cité, *et cette définition d'un autre :* C'est la forme et le règlement establly aux choses nécessaires à la vie humaine.

LA MOTHE LE VAYER

Des différents cercles où se rencontraient humanistes, érudits et philosophes, le plus important fut celui des frères Dupuy. L'Académie putéane, comme on disait, rassemblait autour de Pierre et de Jacques Dupuy des savants, des philosophes, des voyageurs. Chacun gardait sa pleine liberté de penser, et des croyants sincères y coudoyaient des libres penseurs avérés. Parmi ces familiers du cercle, il en était quatre qui formaient un groupe particulièrement uni. Ils s'appelaient entre eux la Tétrade. C'étaient Gassendi, Diodati, Naudé et La Mothe le Vayer.

En 1630, celui-ci publia, sous l'anonymat et sous une fausse rubrique, Quatre dialogues faits à l'imitation des Anciens, par Orasius Tubero. Il y faisait la critique du dogmatisme, prouvait que le consentement universel est la plus inefficace des preuves, mettait en lumière le rôle des préjugés, de l'éducation, de la routine, découvrait dans tous les systèmes philosophiques des erreurs et des contradictions.

L'année suivante, il publia une suite de ce premier ouvrage. Il l'avait formé de cinq nouveaux dialogues. L'un d'eux porte pour titre dans une édition De la Divinité. Il est intitulé dans une autre De la diversité des religions. De ce dialogue il a paru nécessaire de reproduire les parties les plus notables dans la présente anthologie.

Nous pouvons y observer en effet les cheminements de la pensée libertine pour ruiner l'orthodoxie religieuse sans l'aborder de front. La Mothe

le Vayer a soin de mettre la religion chrétienne hors
de ses critiques, et le lecteur goûtera particulièrement les lignes de la fin, si édifiantes, si pénétrées
d'un attachement feint aux dogmes chrétiens, mais
dont les intentions ironiques apparaissent à l'esprit
le moins méfiant. De même, lorsqu'Orasius Tubero
discute de l'existence de Dieu, il se garde bien de
négliger les arguments traditionnels. Mais il ne
néglige pas non plus les objections. Il s'attarde même
avec tant d'insistance sur les preuves des athées
que le lecteur doit normalement renoncer à rien
croire.

Le doute s'impose aussi — si l'on peut parler
de doute — dès que nous voulons voir clair dans
l'idée de Providence. Il s'impose à quiconque pré-
tendrait choisir entre les innombrables religions qui
s'offrent à nous et sollicitent notre adhésion. Elles
n'ont pas un dogme commun. Elles ne s'accordent
même pas sur ce qui semblerait essentiel, sur la
nature du fait religieux, et l'on dispute encore pour
savoir s'il réside dans une adoration intime ou dans
un culte extérieur.

Nous savons par quelques témoignages concordants
que La Mothe le Vayer, pour son compte, n'était pas
simplement sceptique. Il était athée. Mais de toute
façon, à prendre son livre tel qu'il se présente, nous
devons bien voir que de tout son poids il pousse
au refus de croire. Cette critique de toutes les
croyances religieuses et de toutes les thèses spiri-
tualistes n'aboutissait pas, comme l'auteur aurait
voulu nous le faire admettre, à une « heureuse
suspension d'esprit ». Elle aboutissait à l'impossibilité de toute foi, et La Mothe le Vayer le savait
bien.

Nous sommes là en présence d'une forme de la
pensée libertine qui allait prendre dans la suite du
siècle des développements importants. On pourrait
l'appeler le libertinage critique. Tandis que des
hommes comme Théophile, comme l'auteur du Francion, comme les libertins attaqués par Garasse,

*opposent à une philosophie spiritualiste et chré-
tienne le naturalisme des Italiens, La Mothe le
Vayer travaille à libérer l'esprit de toutes les métaphysiques, à ramener la science à l'observation
exacte des faits, à ce que ses amis appellent « l'expérience organisée ». Leçon d'une portée infinie. Bayle
et Fontenelle ont, à la fin du siècle, développé les
conséquences de cette leçon.*

BIBLIOGRAPHIE. — Le dialogue *De la Divinité* a paru
d'abord dans *Cinq autres dialogues du mesme
autheur, faits comme les précédents à l'imitation des
Anciens. A Francfort, par Jean Sarius, 1606,* in-4°.

Il figure avec le titre *De la diversité des religions*
dans *Cinq dialogues faits à l'imitation des Anciens.
Par Oratius Tubero. A Mons, chez Paul de la Flèche,
1671,* in-12.

Voir R. Pintard, *Le libertinage érudit,* déjà cité, et
*La Mothe le Vayer - Gassendi - Guy Patin. Etudes de
bibliographie et de critique,* Paris, 1943.

DE LA DIVINITÉ

Orasius parle (1) :

Je recognois ingénuement, Orontes, qu'il n'y a
personne qui preste son oreille plus volontiers que
moy aux opinions extraordinaires, et qu'avec ce que
j'y puis avoir de naturelle disposition, ma Sceptique
m'a beaucoup aydé à me donner cette inclination
particulière aux sentiments paradoxiques, comme
celle qui sçait mieux que toute autre Philosophie
les convertir à son advantage. Mon corps n'est point
si ennemy de la foule, quoyqu'elle l'incommode
merveilleusement, que mon esprit abomine les
violentes contraintes d'une multitude (2), et je ne
crains pas moins la contagion en cette dernière

presse qu'en la première comme celuy qui croit
l'épidémie spirituelle beaucoup plus dangereuse que
que toute autre. Il est vray que la plus part de
ces beaux noms Romains me charment l'oreille par
la souvenance des vertus de leurs titulaires, mais
je ne puis entendre celuy d'un Publicola sans une
particulière indignation contre celuy qui le premier le mérita, et croyez qu'en une République
comme la leur je n'eusse jamais esté accusé du
crime qu'ils appelloient *ambitus* pour avoir trop
affecté les bonnes grâces d'un peuple. J'ay une telle
antipathie contre tout ce qui est populaire (vous
sçavez combien nous estendons loin la signification
de ce mot) que je ne pourrois condamner l'aveuglement de Démocrite, quand il le faudroit prendre
aussi littéralement qu'il doit estre moralement inter-
prété ; pour s'estre servi des yeux de l'esprit tout
autrement que le vulgaire, et n'avoir rien veu et
considéré comme luy. Ce n'est pas pour cela que
j'espouse avec aucune affectation le parti qui lui est
contraire. Ma façon de philosopher est trop indé-
pendante pour s'attacher à quoy que ce soit inséparablement. Mais pour ce qu'il n'y a rien de plus
opposé à nostre heureuse suspension d'esprit, que
la Tyrannique opiniastreté des opinions communes,
j'ay toujours pensé que c'estoit contre ce torrent
de la multitude que nous devions employer nos
principales forces, et qu'ayant dompté ce monstre
du peuple, nous viendrions facilement à bout du
reste.

Orontes s'inquiète d'une attitude de pensée qui d'une
part méprise tous les systèmes philosophiques, et
d'autre part frappe d'incertitude « nostre Saincte
Théologie ».

Mais ce qui paroît (*dit-il*) le plus important, et
qui me cause le plus de soucy dans la part que
je veux prendre en tous vos intérêts, c'est que je

ne voy pas comment, establissant l'incertitude de
vostre secte et vous moquant de ce que toutes les
autres ont voulu dogmatiquement establir, vous pour-
rez vous deffendre aussi chrestiennement qu'il seroit
à désirer de toutes les objections que l'on vous
formera. Car s'il est vray qu'il n'y ait rien du
tout de certain, et que toutes les sciences soient
vaines et chimériques, comme vous soustenez, il
s'ensuivra que nostre Saincte Théologie, qui est la
science des choses divines, sera phantastique et
illusoire comme les autres ; qui est une impiété
dont je vous tiens aussi esloigné que j'appréhende
que vous n'en puissiez esviter le soupçon.

Après avoir répondu à ces deux difficultés, Orasius
aborde le problème de l'existence de Dieu. Il com-
mence par énumérer les opinions des philosophes
sur la possibilité pour l'esprit humain de s'élever
jusqu'à ces hauteurs. Il continue :

Voilà les différentes opinions qui se trouvent
d'abord touchant l'application de nostre esprit à la
recherche d'une divinité, sur laquelle je trouve aussitost deux advis qui me partagent l'entendement ;
l'un, de ceux qui croyent que naturellement l'homme
est porté à la cognoissance d'un Dieu par des principes physiques, et qui sont nais avec luy ; l'autre,
de ceux qui le nient absolument. Les premiers se
servent de l'authorité d'Aristote, qui dit en son
premier livre du Ciel, chapitre 3, que *omnes homines*
de Diis existimationem habent (3) ; de celle de
Platon, lequel a pensé bien prouver qu'il estoit
des Dieux pource que chacun en ayant une notion
naturelle et comme infuse, *naturalis species cujusque*
intellectus inanis esse non potest (4), dit Cicéron, qui
a escrit, livre I *De Natura Deorum*, que *omnes duce*
natura eo vehimur ut Deos esse dicamus (5) ; de
Sénèque qui apporte pour exemple d'un général
consentement l'opinion des Dieux, *nulla quippe gens*

usquam est (dit-il) *adeo extra leges moresque pro-
jecta ut non aliquos Deos credat* (6), et ainsi d'infinis autres Autheurs qui ont supposé cette maxime
pour très constante. Les autres se rient, avec Cotta,
I, *De Natura Deorum,* de cette induction fondée sur
une prétendue connoissance de l'opinion de toutes
les nations, laquelle nous ne possédons pas, adjous-
tant ce sacrificateur ces mots au contraire : *Equi-
dem arbitror multas esse gentes sic immanitate affec-
tas, ut apud eas nulla Deorum suspicio sit* (7), en
confirmation de quoy Strabon, *livre I Geogr.,* escrit
en ces termes des peuples de Galice : *Callaicos
Hispanos nihil de Diis sensisse perhibent* (8), quoyque ce soit de leur pays, au dire de Diodore Sicilien,
livre III, qu'est venu le premier culte des Dieux, d'où
vient que dans Homère le bon Jupiter va si souvent
et si volontiers banqueter chez eux μετ' ἀμύμονας 'Αιθιοπῆας
apud inculpatos Aethiopes (9). Jean Léon (10) chapitre 7, nous décrivant le royaume de Borno en
Afrique, où ils vivent encore si naturellement qu'ils
tiennent leurs femmes et leurs enfans en commun,
adjouste qu'ils n'ont aucune Loy ny vestige de religion. Acosta (11) nous fait voir les Indiens Occiden-
taux n'ayant pas seulement le nom appellatif de Dieu,
en sorte que ceux de Mexico et de Cusco, quoique
trouvez avec quelque sorte de religion, furent
contraints de se servir du mot espagnol *Dios,* quand
on leur fit aucunement comprendre, n'ayans aucun
vocable en leur langage qui respondit à celuy-là.
Champlain nous asseure que ceux de la Nouvelle
France n'adoroient aucune divinité (12), et les Lettres
jésuitiques sur ce qui se passe en Orient, datées
de l'année 1626, tesmoignent qu'il se trouve encore
aujourd'huy des peuples sur le Gange lesquels ne
recognoissent aucun esprit supérieur.

*Après avoir ainsi confronté les textes contraires
sur le consentement universel des peuples, Orasius
passe aux preuves traditionnelles de l'existence de
Dieu. Il leur oppose les arguments des Athées :*

Les Athées néantmoins éludent tous ces arguments,
dont ils soustiennent n'y en avoir aucun démons-
tratif, ce qui leur est rendu assez facile par les
règles d'une exacte Logique, de sorte que se donnant ensuitte libre carrière sur ce sujet, les uns
estiment que les merveilles de la nature, les éclipses
des astres, les tremblements de terre, l'esclat des
tonnerres, et choses semblables ayent donné la première impression à nos esprits d'une divinité.

> *Primus in orbe Deos fecit timor, ardua caelo
> Fulmina dum caderent* (13).

Les autres sont à peu près de l'advis d'Epicure,
qui rapportoit cette première connoissance aux visions
prodigieuses que nous fournit nostre imagination
pendant le sommeil, sans admettre pourtant ces
simulacres divins dont, à nostre réveil, nous nous
sentons souvent extraordinairement esmus ; mais
tous conviennent entre eux que les plus grands
législateurs ne se sont servis de l'opinion vulgaire
sur ce sujet, laquelle ils ont non seulement fomentée,
mais accruë de toute leur puissance, que pour
emboucher de ce mors le sot peuple, pour le pouvoir mener à leur fantaisie. Ainsi Joseph Acosta (14)
nous représente les Mandarins qui gouvernent la
Chine et contiennent le peuple dans la Religion du
pays, ne croyans, dit-il, quant à eux, point d'autre
Dieu que la nature, d'autre vie que celle-cy, d'autre
enfer que la prison, ny d'autre Paradis que d'avoir
un office de Mandarin. Ce n'est donc pas sans sujet
que Postel, en son livre *De Orbis concordia*, ne
nomme point les Religions autrement que du mot

persuasions, et que Prodicus Chius disoit dans Cicéron que les choses utiles à la vie avoient esté facilement déifiées.

Il ne faut donc pas s'étonner si de nombreux philosophes n'ont pas cru en l'existence de Dieu. Aristote même n'est pas au-dessus du soupçon :

Il a tellement attaché son Dieu aux nécessitez naturelles dans la direction et gouvernement de l'univers, que la pluspart a estimé qu'il ne reconnaissoit point d'autre Dieu que la nature mesme : *Aristoteles tam callide mundi ortum et animae praemia et Deos et Daemones sustulit ut haec omnia aperte quidem diceret, argui tamen non posset,* dit Cardan au troisième livre de sa *Sagesse* (15). Aussi Averroës surnommé son commentateur par excellence, comme celuy qui a mieux reconneu son génie et lequel Postel ose bien nommer *maximum veri secundum intellectum indagatorem* (16), n'a jamais reconneu de cause première, ny peu comprendre cette Divinité. Anaxagoras, Anacharsis, Protagoras, Euripide, Callimache, Stilpon, Diagoras et plusieurs autres signalez personnages nous sont donnez pour n'avoir pas esté de plus facile créance, non plus qu'assez d'autres de ce temps, entre lesquels on fait dire à l'Arétin qu'il n'auroit espargné Dieu dans sa publique médisance que pource qu'il n'en connaissoit point. Bien que quant à Protagoras, il semblast nager entre deux eaux, ayant commencé un sien livre par cette déclaration qu'il luy estoit impossible de déterminer qu'il y eût des Dieux, ou qu'il n'y en eût point, pour raison de quoy il fut banny par les Athéniens, et son livre bruslé publiquement. Mais Diagoras fut si hardi qu'il osa bien dire, dit Hésychius *in ejus vita,* λόγους ἀποπυργίζοντας *orationes de turribus praecipitantes* (17), où il rendoit raison de son esloignement de la commune opinion des Dieux, après avoir esté quelque temps auparavant très superstitieux, ce changement estant

venu, comme nous apprenons de Sextus, *Advers.*
Math., *I*, 8, d'avoir considéré l'impunité d'un homme
duquel il avoit esté offensé, et lequel en avoit esté
quitte pour se parjurer envers les Dieux impunément.
Ce fut aussy le mesme, lequel ne trouvant point de
bois pour faire cuire ses lentilles, s'addressa à un
vieil Hercule de bois plein de vénération, et le
conviant à ce treizième labeur, en fit fort bien
boüillir son pot. Stilpon alloit la bride plus en main,
car se voyant interrogé hors de saison par Cratès,
si nos prières et nos honneurs n'estoient pas agréables aux Dieux, il luy répartit gentiment que ce
n'estoit pas une demande à faire en pleine rue, mais
bien seul à seul et dans un cabinet. Qui est la mesme
responce que fit Dion à un autre qui luy demandoit
s'il y avoit véritablement des Dieux ou non, et dont
use aussi, fort à propos, le grand pontife Cotta
envers Velleius qui supposoit qu'il estoit fort difficile
de nier l'estre des Dieux. *Credo*, dit-il, *si in concione*
quaeratur. Sed in ejusmodi sermone et consessu
facillimum (18).

Mais chez ceux-là mêmes qui professent l'existence
des Dieux, l'accord n'est pas fait sur leur nature :

Les uns leur attribuent non seulement la direction
géneralle de l'univers et le mouvement réglé de
toutes ses machines et ses orbes, mais encor un
soin particulier de tout ce qui se passe ici-bas, duquel
s'ensuit la rémunération des actions vertueuses et la
punition de celles qu'ils appellent vitieuses ; les
autres soustiennent qu'il vaudroit mieux nier les
Dieux tout à fait que de les attacher à des soins si
indignes, et les revestir humainement de passions si
honteuses, voire si incompatibles avec la Divinité,
impius enim, non qui tollit multitudinis Deos, sed
qui Diis opiniones multitudinis applicat (19), disoit
Epicure. A quoy on peut bien rapporter ce que dit
hardiment Sénèque en l'une de ses *Epistres : Super-*

*stitio error insanus est, amandos timet, quos colit
violat. Quid enim interest utrum Deos neges an
infames ?* (20) Ceux qui sont du premier advis nous
enseignent qu'il faut révérer et servir religieusement
les Dieux, qui connoissent toutes choses jusques aux
mouvemens de nostre cœur, ayans en main la peine
et la récompense. Les autres qui comme Epicure se
mocquent de cette Providence divine, *nullamque
omnino habere censent humanarum rerum procura-
tionem Deos* (21) (livre I, *De Natura Deorum*), se
rient aussi par conséquent de toute sorte de culte et
d'adoration, comme de chose vaine, foulans aux pieds
superbement autant qu'il y a de Religions :

> *Quare religio pedibus subjecta vicissim
> Obteritur, nos exaequat victoria caelo* (22).

*Pour croire à la Providence, pour admettre que ce
monde fût réglé par un Dieu très sage et tout puissant, il faudrait que cette sagesse et cette puissance éclatassent dans le spectacle des choses.*

Or est-il que nous y remarquons des deffauts infinis, mille monstres qui font honte à la nature, tant
de fleuves qui gastent des pays ou tombent inutilement dans la mer, lesquels fertiliseroient heureusement des contrées désertes pour leur trop grande
aridité, tant de coups de foudre qui tombent inutilement sur les cimes du Caucase, laissant toute sorte
de crimes impunis, ce que vouloient dire à mon advis
les anciens qui les disoient fabriquez par ce boiteux
Vulcain, comme ceux qui alloyent et donnoyent tout
au rebours de bien. Bref il s'y observe pour ceux
qui se sont voulu estendre sur ce subject des man-
quements innombrables, soit dans l'ordre général,
soit dans le particulier, et partant, adjoustent-ils,
establissant un Dieu, il faut, ou qu'il laisse tout aller
à la discrétion des Parques, et que Jupiter d'Homère ait eu raison de se plaindre de ne pouvoir

exempter son propre fils Sarpédon de la nécessité
de ce célèbre Fatum. Ou que la Fortune seule dispose de toutes choses à son plaisir, soit qu'elles
dépendent du fortuit concours et rencontre des Atomes de Démocrite, soit qu'elles viennent de la contingence et quelques autres causes purement casuelles.
Que si toutes choses sont prédestinées inévitablement
de toute éternité, ou dépendent absolument du sort
et de la fortune sans que les Dieux s'en entremettent,
comme les désordres présupposez le montrent assez,
il s'ensuit d'une conséquence nécessaire que toutes
nos dévotions, nos latries, nos prières et oraisons,
sont choses vaines et ridicules, inventées par ceux
qui vouloient profiter de leur introduction, et confir-
mées ensuite par l'accoustumance aveugle et populaire, voire mesme par les plus clair-voyans, qui estimoient cette fiction fort utile à réprimer les plus
vicieux. Ce n'est pas que par un zèle indiscret elle
n'ait souvent opéré tout au rebours.

Religio peperit scelerosa et impia facta (23).

*Quelle religion, au surplus, choisir, parmi toutes celles
qui prétendent s'imposer à notre croyance ?*

Mais quand, après estre sorti de tous ces escueils
irreligieux, nous venons à contempler, comme un
grand Océan, le nombre immense et prodigieux des
Religions humaines, c'est lors qu'au deffaut d'avoir
la foy pour aiguille aymantée qui tienne nostre esprit
arresté vers le pole de la grâce divine, il est impossible d'éviter des erreurs et des tempestes bien plus
longues et plus périlleuses que celles d'Ulysse, puisqu'elles nous porteroient enfin à un spirituel nau-
frage. Un vieil marbre de Chine veut que depuis le
premier homme il n'y ait eu que 365 sortes de Religions, mais on voit bien que c'est un nombre affecté
comme égal aux jours de l'an. Car en effet, pour peu
qu'on y pense, on s'apperçoit facilement qu'il ne peut

pas estre déterminé. Or, dans cette infinité de Religions, il n'y a quasi personne qui ne croye posséder la vraye, et qui condamnant toutes les autres, ne combatte *pro aris et focis* jusques à la dernière goutte de leur sang. Comme Stesichorus disoit dans Platon (IX, *de Republica*) que les Troyens ignorans la vraye figure de la belle Hélène, contestoient de sa ressemblance, n'y en ayant aucun qui ne prétendît avoir son véritable portrait. Tout le monde est touché, chacun en sa condition, de la passion de ce roy de Cochinchine, comme dit Mendes Pinto (24), qui n'estime point de plus grande gloire que de triompher des Dieux de ses ennemis. Ce qui procède de ce que, comme l'unité de Religion lie et unit, selon son étymologie *a religando*, la diversité deslie et divise merveilleusement, tesmoin le stratagème de ce prince d'Egypte, instituant divers animaux pour Dieux aux Egyptiens, mais en chaque ville ou canton le sien, afin que, dit Diodore, chacun adorant son Dieu particulier et mesprisant celuy de ses voisins, ils ne fussent jamais en concorde entr'eux, et par conséquent aussi jamais capables de conspirer contre sa domination.

Mais certains princes ont suivi une autre politique, celle de la liberté de conscience.

Ainsi, Thémistius, en deux oraisons différentes, eslève jusques aux cieux les empereurs Jovian et Valens d'avoir permis par leurs édits la liberté de conscience, autorisant et approuvant également toutes les Religions qui estoient au monde. Il y a, dit-il, plus d'une voye de piété et de dévotion qui nous conduit au ciel, et vraysemblablement Dieu se plaist comme la nature partout en cette variété. Ne voyons-nous pas les cours des Princes, qui sont ses images, beaucoup plus illustres par la différence des officiers de diverses nations et la variété des ministères qu'ils y exercent, chacun avec ses respects et façons de faire particulières ? La garde Escossoise jointe à celle des François et des Suisses, fait autant pour la majesté que pour la seureté d'un Louvre. Sur ce fondement, les Romains édifièrent leur Panthéon, et le temple de Salomon recevoit les prières de tous les peuples de la terre (III Reg., chap. 8). Ce Roy, avec toute sa sagesse, n'ayant laissé d'en construire assez d'autres aux Dieux de toutes ses femmes estrangères, lesquels il croyoit pouvoir adorer aussi bien que celuy qui l'avoit gratifié d'une sapience infuse, *Colebat Astartem, deam Sidoniorum, et Chamos, deum Moabitarum, et Moloch, Deum Ammonitarum* (25). Jehu, Joas et assez d'autres Roys d'Israël estimoient pouvoir sacrifier au Dieu de leurs pères et aux veaux d'or tout ensemble. Manassès, roy de Juda, remplit le temple du Seigneur d'autels différents et d'idoles. Les colonies transférées de Babylone et d'autres villes d'Assyrie en celles d'Israël, *cum Dominum colerent, Diis quoque simul serviebant, juxta consuetudinem gentium de quibus translati fuerunt Samariam* (26). Et Darius, dans la religion des Perses, ne laissa pas de permettre aux Juifs le relèvement de leur temple, *ut orarent pro vita Regis et filiorum ejus* (27) partout où ils seroient, monstrant bien qu'il faisoit estat des prières qu'on adresse à Dieu en toutes religions. L'Empereur Sévère révéroit également les images de Jésus-Christ, d'Abraham, d'Orphée et d'Appollonius. Un autre Empereur disoit *aliam se sibi servare religionem, aliam imperio* (28). Et Constantin le Grand vescut de sorte qu'à sa mort il fut fait Dieu par les Payens, et canonisé par les Chrestiens.

Cette tolérance, bien connue des Anciens, nous la retrouvons aujourd'hui chez toutes sortes de peuples :

Aujourd'huy encore, en la pluspart des Indes orientales, toutes religions sont indifféremment admises. Odoardo Barbosa (29) nous le dit de Calicut et de

Bisnagar au royaume de Narsingue. Le roy des Ter-
mates est More, ou Mahométan, et Gentil tout ensemble. Cadamosto (30) asseure que Budomel, prince des
Nègres, tenoit la Religion chrestienne et mahométane
pour conjoinctement bonnes. Marc Paul nous fait
voir ce Cublay Grand Cam (31), observant le culte
et célébrant les festes des Juifs, Mahométans, Idolâtres et Chrestiens, avec protestation qu'il prioit le
plus grand, de Jésus-Christ, Mahomet, ou Sagomom-
barcan, estimé le premier Dieu de toutes les Idoles.
Et le père Trigault (32) dit qu'en l'Empire des Chinois
on n'est jamais contraint ny travaillé sur le fait de
la religion. Jean Léon escrivant aussi au troisième
livre de son Afrique (33), dit qu'il y a une secte dans
le Mahométisme, laquelle tient qu'on ne sçauroit
errer en aucune foy ou loy religieuse que ce soit,
parce que, dans toutes, les humains ont intention
d'adorer celuy qui le mérite.

*Mais il faut bien voir que ces religions ne s'entendent
    sur aucun dogme. Pas même sur l'immortalité de
    l'âme.*

La pluspart des religions suppose l'immortalité des
âmes, promettant après la mort des récompenses à
la vertu, et faisant peur aux vicieux des peines qui
les attendent. Pour cet effet il y en a qui ont mesme
immortalisé le corps par une résurrection miracu-
leuse. Si est-ce que les Saducéens, parmy les Juifs,
croyoient l'âme mortelle et se mocquoient de cette
prétenduë résurrection, soustenans que dans tout le
Pentateuque de Moyse, il n'y a rien sur quoy on
puisse fonder l'immortalité de l'âme, toutes les grâces
de Dieu, et les punitions aussy, se voyans purement
temporelles. Il y a des Sabathaires en Pologne et
Transylvanie (34), lesquels tiennent encor aujourd'huy
la mesme doctrine...
Les Chinois ont une secte de religieux appelez Nau-
tolines, qui preschent publiquement la mortalité des

âmes. Et il y a apparence que les Thraciens avoient
une religion avant Zalmoxis, qu'Hérodote dit avoir
esté le premier qui leur annonça l'immortalité. Et
qu'il y en avoit encores, au reste du monde, avant
Phérécides, Syrien, je veux dire insulaire de Syros,
que Cicéron asseure avoir premièrement soustenu
l'âme éternelle, ou avant Thalès, si c'est luy qui fut
inventeur de cette opinion, comme le veut l'escrivain
de sa *Vie*. (Diogène Laert, *in Thal.*)

Désaccord d'ailleurs sur tous les points :

Les uns veulent avoir une religion cérémonieuse,
y ayant des loix infinies prescrittes sur ce subject par
la saincteté, *Sanctitas est scientia colendorum Deorum* (35), dit Cicéron. Les autres soustiennent qu'il
ne faut adorer les Dieux qu'en pureté d'esprit, et que
pour toutes prémices nous leur devons offrir l'innocence de nostre âme. *Satis illos coluit,* comme estime
Sénèque, *quisquis imitatus est* (36). Les uns ont rougi
les autels de sang humain. Les Carthaginois et der-
nièrement ceux du Pérou, immolèrent jusques à leurs
propres enfans à leurs Idoles. Les autres ont préféré
les sacrifices qui se faisoient *farre pio et saliente
mica* (37), et le cœur contrit et humilié aux plus solen-
nels holocaustes. Les uns veulent çu'on demande aux
Dieux ce dont on croit avoir besoin. Pythagore le
deffend, n'y ayant personne, à son advis, qui sçache
au vray ce qui luy est propre et utile. Les uns,
comme les Juifs, ont leur jour du repos le samedy
qu'ils appellent le jour du Seigneur. Les Turcs l'ont
mis au vendredy. Les chrestiens sabathisent le
dimanche. Les uns requièrent de nostre dévotion l'édi-
fication de temples superbes et la magnificence des
églises. Les Perses, au rapport d'Hérodote, se mocquoient de tout cela, et Perse s'escrie :

Dicite, Pontifices, in sacro quid facit aurum ? (38)

Ce n'est même pas chose décidée s'il vaut mieux être
superstitieux ou au contraire athée :

Les uns estiment qu'on ne peut estre trop religieux, l'excès estant loüable aux choses bonnes, et qu'en tout cas il vaut mieux estre superstitieux qu'impie ou Athée. Les autres favorisent l'opinion de Plutarque, qui a fait voir en un traité exprès le revers de cette médaille. L'athéisme, dit le Chancelier Bacon, dans ses *Essais moraux* (39) anglois, laisse à l'homme le sens, la philosophie, la piété naturelle, les loix, la réputation, et tout ce qui peut servir de guide à la vertu : mais la superstition destruit toutes ces choses et s'érige une tyrannie absolüe dans l'entendement des hommes : c'est pourquoy l'Athéisme ne trouble jamais les Estats, mais il en rend l'homme plus prévoyant à soy-mesme comme ne regardant pas plus loin. Et je croy, adjouste il, que les temps inclinez à l'athéisme, comme le temps d'Auguste Caesar, et le nostre, propre en quelques contrées, ont esté temps civils et le sont encor, là où (40) la superstition a esté la confusion de plusieurs Estats, ayant porté à la nouveauté le premier mobile qui ravit toutes les autres sphères des gouvernements, c'est-à-dire le peuple.

La conclusion est édifiante :

Faisons donc hardiment profession de l'honorable ignorance de nostre bien-aimée Sceptique, puisque c'est elle seule qui nous peut préparer les voyes aux cognoissances relevées de la Divinité, et que toutes les autres sectes philosophiques ne font que nous en esloigner, nous entestant de leurs dogmes et nous embroüillant l'esprit de leurs maximes scientifiques...

NOTES

(1) *Orasius est le porte-parole de La Mothe le Vayer.
Orontes n'est personne en particulier, et sert seulement à provoquer l'argumentation de son interlo-
cuteur.*

(2) *Il faut comprendre :* Si mon corps déteste la
foule (et il la déteste terriblement), mon esprit abomine encore plus...

(3) Tous les hommes ont une notion des dieux.

(4) Une idée qui est dans tous les esprits ne peut
être vaine.

(5) Nous sommes tous par nature amenés à dire
qu'il y a des dieux.

(6) Il n'existe aucune nation tellement privée de
lois et de mœurs qu'elle ne croie pas qu'il y ait des
dieux.

(8) On affirme que les Espagnols de Galice n'ont
eu aucune idée des dieux.

(9) Chez les innocents Ethiopiens.

(10) *Arabe d'Espagne, né à Grenade au* xv° *siècle,
il se retira au Maroc et écrivit en arabe une description de l'Afrique. Son livre fut traduit en italien.
Revenu en Europe, il fut baptisé par Léon X sous le
nom de Jean Léon.*

(11) *Joseph Acosta, Jésuite espagnol, publia une*
Histoire naturelle et morale des Indes *(1ʳᵉ édition
1590). Il mourut en 1600.*

(12) *Les* Voyages *de Samuel Champlain parurent
d'abord en 1613, et furent continués en 1619, puis en
1632.*

(13) C'est d'abord la crainte qui a fait les dieux,
lorsque sur la terre la foudre terrible tombait du
ciel.

(14) *Sur Joseph Acosta, voir* supra, *note 11.*

(15) Aristote a supprimé la création du monde, les
récompenses de l'au-delà, les dieux et les démons
avec une telle habileté qu'il a réussi à dire tout cela
sans qu'on puisse l'en accuser. *H. Busson signale un
jugement tout semblable sur Aristote chez Pierre
de Lostal dans les* Discours philosophiques de 1579.
(H. Busson, Le rationalisme, *pp. 432-433.)*

(16) Le plus grand de ceux qui ont cherché à pénétrer la vérité intellectuelle,

(17) De ces discours qui vous font précipiter du haut d'une tour.

(18) Oui, si la question est posée en public. Mais dans l'intimité, comme ici, la réponse est très facile.

(19) L'impie n'est pas celui qui nie les dieux du vulgaire, mais celui qui applique aux dieux les opinions du vulgaire.

(20) La superstition est une folle erreur. Elle craint ceux qu'il faut aimer, elle blesse ceux qu'elle honore. Car, quelle différence entre nier les dieux et les déshonorer ?

(21) Et pensent que les dieux n'ont absolument aucun souci des choses humaines.

(22) C'est pourquoi la religion est foulée aux pieds, à son tour, et broyée, et la victoire nous élève jusqu'aux cieux. (De Natura rerum, I, 78-79.)

(23) La religion a engendré des actions criminelles et impies.

(24) *Ferdinand Mendès Pinto, navigateur portugais de la fin du XVIᵉ siècle. Le récit de ses voyages a paru, posthume, en 1614, sous le titre de* Peregrinaçion de Fernan Mendes Pinto.

(25) Il rendait un culte à Astarté, déesse de Sidon, à Chamos, dieu de Moab, à Moloch, dieu des Ammonites.

(26) Tout en honorant le vrai Dieu, ils honoraient aussi les dieux des nations d'où ils avaient été déportés à Samarie.

(27) Pour qu'ils pussent prier pour la vie du roi et de ses fils.

(28) Qu'il avait une religion pour lui-même et une autre pour l'empire.

(29) *Duarte Barbosa, voyageur portugais, vécut aux Indes de 1500 à 1516 environ. Le récit de ses voyages n'a été retrouvé qu'au XIXᵉ siècle, mais le XVIIᵉ siècle en avait connaissance grâce à l'ouvrage de Ramusio,* Delle navigationi et viaggi, Venise, 1554.

(30) *Louis Cadamusti, navigateur vénitien des débuts du XVIᵉ siècle. Il a publié une relation de ses voyages.*

(31) *Il s'agit de Cublay, grand Khan de Tartarie. Il reçut le baptême et établit le christianisme dans son royaume.*

(32) *Le P. Nicolas Trigault mourut à Nankin en 1628. Son ouvrage décrit les coutumes et les lois chinoises.*

(33) *Sur Jean Léon, voir* supra, *p. 137, note 10.*

(34) *Les Sabathaires ou Sabathiens étaient une secte d'anabaptistes qui observaient le samedi, ou sabbat, à la façon des Juifs.*

(35) La sainteté, c'est la science du culte à rendre aux dieux.

(36) Celui-là leur a rendu un culte suffisant qui les a imités.

(37) la farine sacrée et le grain de sel pétillant *(Horace,* Odes, *III, 23, v. 20).*

(38) *Dites-moi, pontifes! Que fait l'or quand il s'agit d'honorer les dieux ?*

(39) *Tout ce passage est traduit à peu près littéralement de l'*Essai *XVII de* Bacon, Of Superstition : « Atheism leaves a man to sense, to philosophy, to natural piety, to laws, to reputation : all which may be guides to an outward moral ; virtue, though religion were not but superstition dismounts all these and erecteth an absolute monarchy in the minds of men. Therefore atheism did never perturb states ; for it makes men wary of themselves, as looking non further ; and we see the times inclined to atheism (as the time of Augustus Cæsar) were civil times ; but superstition hath been the confusion of many states and bringeth in a new primum mobile that ravisheth all the spheres of government. The master of superstition is the people... »

(40) Là où, *tandis que.*

GABRIEL NAUDÉ

Gabriel Naudé avait été formé par deux maîtres qui, l'un après l'autre, s'étaient chargés de le « déniaiser ». Puis, à vingt-six ans, il était allé en Italie et avait suivi, à Padoue, les cours de Cremonini, un philosophe qui ne croyait « ni Dieu, ni diable, ni l'immortalité de l'âme ». De retour à Paris, on le vit beaucoup chez les frères Dupuy. Il se lia avec Gassendi et La Mothe le Vayer. En 1630, il repartit pour l'Italie, à la suite du cardinal de Bagny, et c'est à Rome qu'en 1639 il publia ses Considérations politiques sur les Coups d'Estat *par G[abriel] N[audé] P[arisien]. On a mis dans cette anthologie plusieurs pages de cet ouvrage, à première vue tout politique, mais qui, dans la réalité, est essentiel pour comprendre les attitudes de la libre pensée à cette date.*

Comme son ami La Mothe le Vayer, Naudé ne s'en prend pas directement à l'orthodoxie religieuse. Il étudie un problème d'ensemble et, comme il dit, « l'érection et la conservation des Etats ». Mais dès les premières démarches de son développement, il rencontre le fait religieux. Car les monarchies ont toujours commencé par des « inventions et supercheries ». Toujours elles ont fait « marcher la Religion et les miracles en teste d'une longue suite de barbaries et de cruautez ».

Naudé se trouve donc amené à dresser le tableau de ces inventions et supercheries où le politique et le religieux se confondent. Et pas une fois il ne commet l'imprudence de compromettre le catholicisme dans son enquête. Un chrétien ne pouvait se

*fâcher si Naudé parlait de la conversion de Clovis
comme d'un « coup d'Etat » semblable à beaucoup
d'autres. Mais de même que La Mothe le Vayer, il
donnait une méthode. Les applications en pouvaient
être, à la rigueur, innocentes : la méthode même ne
l'était pas, et Naudé ne pouvait l'ignorer. Quand il
s'attardait sur la vie de Mahomet, sur les mensonges
et les ruses de ce fondateur de religion, il appartenait à chacun des lecteurs de s'interroger sur les
miracles qui appuyaient l'enseignement de Jésus.*

*Pas plus que La Mothe le Vayer, Naudé n'acceptait
la preuve par le consentement universel. Fidèle en
cela à la tradition libertine, il opposait à la foule
ignorante le petit nombre des esprits éclairés. Le
peuple est, par nature, inconstant et passionné. Il
va naturellement vers ce qui est faux. Et Naudé
prend la peine d'aller chercher dans Sénèque la
phrase où ce philosophe avait dit que l'approbation
de la foule est la meilleure preuve de l'erreur.*

*De cette folie des foules, Naudé accumule les
exemples. Ils prouvent à quel point elles sont livrées
sans défense à tous les entraînements. Plusieurs de
ces exemples sont pris à l'histoire récente. Le lecteur
de Naudé se demandera sans doute comment, dans
un passé plus ancien, les hommes pouvaient résister
aux prestiges des imposteurs et des charlatans.*

*C'est toujours aux mêmes moyens que recourrent
ceux qui ont entrepris de tromper le peuple. « Feindre des miracles, controuver des songes, inventer des
visions », l'histoire observe les mêmes procédés dans
la vie de tous les grands manieurs d'hommes, qu'il
s'agisse d'Alexandre ou de Clovis. Ou encore, ce sont
les faux bruits, révélations, prophéties, comme on
en trouve dans la vie de Mahomet. Mais la vie des
nations catholiques, telle que Naudé pouvait l'observer, n'était-elle pas remplie de ces miracles, de
ces visions, de ces prophéties, de ces révélations ?*

En 1649, Gabriel Naudé publia le Jugement de tout
ce qui a esté imprimé contre le cardinal Mazarin,
que les historiens appellent plus brièvement le Mas-

curat. *Dans cet ouvrage de littérature politique, il a mis, parmi des digressions, des idées qui lui étaient chères. On a reproduit ici une page où il rappelle certaines histoires de possession diabolique qui trop évidemment avaient été provoquées pour des raisons toutes politiques. Il étend ses réflexions au cas des sorcières, si atrocement poursuivies. Ce n'est pas contre ces malheureuses femmes qu'il s'indigne. Ce sont à ses yeux des malades, et qu'il faudrait soigner. On devine que Naudé en veut seulement aux intrigants politiques qui exploitent l'erreur populaire, et aux parlements aveugles qui ne se libèrent pas des antiques préjugés.*

CONSIDERATIONS POLITIQUES
SUR LES COUPS D'ESTAT
PAR G.N.P.

Le rôle de la religion dans l'érection ou la conservation des Etats:

Et pour parler premièrement de l'érection, si nous considérons quels ont esté les commencemens de toutes les monarchies, nous trouverons tousjours qu'elles ont commencé par quelques unes de ces inventions et supercheries, en faisant marcher la Religion et les miracles en teste d'une longue suite de barbaries et de cruautez. C'est Tite-Live qui en a le premier fait la remarque : *Datur*, dit-il, *haec venia antiquitati ut, miscendo humana divinis, primordia urbium augustiora facit* (1). Ce que nous montrerons cy-après estre très véritable, mais pour cette heure il nous faut demeurer dans le général et commencer nostre preuve par l'establissement des quatre premières et plus grandes monarchies du monde.

(Considérations, pp. 84-85.)

Naudé rappelle les « inventions et supercheries »
dont se sont servis Sémiramis, Cyrus, Alexandre.
Il en vient au fondateur de Rome :

Quant à Romulus, il se mit en crédit par les histoires du dieu Mars, qui pratiquoit familièrement
avec sa mère Rhéa ; par celle de la Louve qui le
nourrit, par la tromperie des Vautours, la mort de
son frère, l'Asile qu'il establit à Rome, le ravissement
des Sabines, le meurtre de Tatius qu'il laissa impuny,
et finalement par la mort qu'il se donna luy-mesme
en se noyant dans des marests pour faire croire que
son corps avoit esté enlevé dans les cieux puisqu'on
ne le pouvoit trouver en terre. Or si l'on adjouste à
ces Coups d'Estat de Romulus ceux que Numa Pom-
pilius son successeur pratiqua aussi au moyen de
sa nimphe Egérie, et des superstitions qu'il establit
pendant son règne, il sera facile en suite de juger

> *Quibus auspiciis illa inclita Roma*
> *Imperium Terris animos aequavit Olympo* (2).

(*Considérations*, pp. 89-90.)

Après l'histoire des empires de l'Antiquité, celle de
Mahomet.

Que si nous voulions examiner toutes les autres
monarchies et tous les estats qui sont inférieurs à
ces quatre, nous pourrions emplir un gros volume
de semblables histoires. C'est pourquoy ce sera assez
pour la dernière preuve de nôtre maxime, d'examiner
ce que pratiqua Mahomet (3), à l'establissement non
moins de sa Religion que d'un Empire lequel est
aujourd'huy le plus puissant du monde. Certes,
comme tous les grands esprits ont toûjours eu l'industrie de prendre advantage des plus signalées dis-
graces qui leur sont arrivées, cettui-cy pareillement

voulut faire de mesme. De façon que voyant qu'il
estoit fort sujet à tomber du haut mal, il s'advisa
de faire croire à ses amis que les plus violents
paroximes de son épilepsie estoient autant d'extases
et de signes de l'esprit de Dieu qui descendoit en luy.
Il leur persuada aussi qu'un Pigeon blanc qui venoit
manger des grains de bled dans son aureille estoit
l'ange Gabriel qui luy venoit annoncer de la part du
mesme Dieu ce qu'il avoit à faire. En suite de cela
il se servit du moine Sergius pour composer un
Alcoran qu'il feignoit luy estre dicté de la propre
bouche de Dieu. Finalement il attira un fameux astrologue pour disposer les peuples par les prédictions
qu'il faisoit du changement d'estat qui devoit arriver
et de la nouvelle Loy qu'un grand Prophète devoit
establir, à recevoir plus facilement la sienne lorsqu'il
viendroit à la publier. Mais s'estant une fois apperceu que son secrétaire Abdala-Ben-Salon, contre lequel
il s'estoit picqué à tort, commençoit à descouvrir et
publier telles impostures, il l'esgorgea un soir dans
sa maison et fit mettre le feu aux quatre coins, avec
intention de persuader le lendemain au peuple que
cela estoit arrivé par le feu du Ciel, et pour chastier
ledit Secrétaire qui s'estoit efforcé de changer et
corrompre quelques passages de l'Alcoran.

Ce n'estoit pas toutefois à cette finesse que devoient
aboutir toutes les autres. Il en falloit encore une qui
achevast le mystère, et ce fut qu'il persuada au plus
fidèle de ses domestiques de descendre au fond d'un
puits qui estoit proche d'un grand chemin, afin de
crier lorsqu'il passeroit en compagnie d'une grande
multitude de peuple qui le suivoit ordinairement,
*Mahomet est le bien aymé de Dieu, Mahomet est le
bien aymé de Dieu.* Et cela estant arrivé de la façon
qu'il avoit proposé, il remercia soudain la divine
bonté d'un témoignage si remarquable, et pria tout
le peuple qui le suivoit de combler à l'heure mesme
ce puits et de bastir dessus une petite mosquée pour
marque d'un tel miracle. Et par cette invention, ce
pauvre domestique fut incontinent assommé et ense-

vely sous une gresle de cailloux, qui luy ostèrent bien le moyen de jamais descouvrir la fausseté de ce miracle.

Excepit sed terra sonum, calamique loquaces (4).

(*Considérations*, p. 91-93.)

Si les impostures réussissent, c'est que le peuple est stupide.

Aussi savons-nous que cette populace est comparée à une mer sujète à toutes sortes de vents et de tempestes : au Caméléon qui peut recevoir toutes sortes de couleurs excepté la blanche, et à la sentine et cloaque dans laquelle coulent toutes les ordures de la maison. Ses plus belles parties sont d'estre inconstant et variable, appreuver et impreuver quelque chose en mesme temps, courir tousjours d'un contraire à l'autre, croire de léger, se mutiner promptement, tousjours gronder et murmurer. Bref, tout ce qu'elle pense n'est que vanité, tout ce qu'elle dit est faux et absurde, ce qu'elle improuve est bon, ce qu'elle approuve mauvais, ce qu'elle loüe infame, et tout ce qu'elle fait et entreprend n'est que pure folie. Aussi est-ce ce qui a fait dire à Sénèque : *Non tam bene cum rebus humanis geritur ut meliora pluribus placeant. Argumentum pessimi est turba* (5). Et le mesme ne donne autre advis pour cognoistre les bonnes opinions, et comme parle le poète satyrique, *quid solidum crepet* (6), sinon de ne pas suivre celle du peuple. *Sanabimur si modo separemur a coetu* (7). Que Postel (8) luy persuade que Jésus-Christ n'a sauvé que les hommes, et que sa mère Jeanne doit sauver les femmes, il le croyra soudain. Que David George se dise fils de Dieu (9), il l'adorera. Qu'un tailleur enthousiaste et fanatique contrefasse le Roy dans Munster (10) et dise que Dieu l'a destiné pour chastier toutes les Puissances de la terre, il luy obéira et le respectera comme le plus grand monarque du

monde. Que le Père Domptius luy annonce la venuë
de l'Antéchrist, qu'il est aagé de dix ans, qu'il a des
cornes, il témoignera de s'en effrayer. Que des imposteurs et charlatans se qualifient frères de la Rose-
Croix, il courra après eux (11). Qu'on luy rapporte
que Paris doit bientost abismer, il s'enfuira. Que tout
le monde doit estre submergé, il bastira des Arches
et des basteaux de bonne heure pour n'estre pas
surpris. Que la mer se doit sécher, et que des chariots
pourront aller de Gènes à Jérusalem, il se préparera
pour faire le voyage. Qu'on luy conte les fables de
Mélusine, du sabat des sorciers, des loups garoux,
des lutins, des fées, des parèdres, il les admirera.
Que la matrice tourmente quelque pauvre fille, il dira
qu'elle est possédée, ou croira à quelque prestre
ignorant ou meschant qui la fait passer pour telle.
Que quelque alchimiste, magicien, astrologue, lulliste,
cabaliste, commencent un peu à le cajoller, il les
prendra pour les plus sçavans et pour les plus honnestes gens du monde. Qu'un Pierre l'Hermite vienne
prescher la croisade, il fera des reliques du poil de
son mulet. Qu'on luy dise en riant qu'une cane ou
un oison sont inspirez du Saint-Esprit, il le croira
sérieusement. Que la peste ou la tempeste ruine une
province, il en accusera soudain des graisseurs
ou magiciens. Bref si on le trompe et beffle (12)
aujourd'huy, il se lairra encore surprendre demain,
ne faisant jamais profit des rencontres passez pour
se conduire dans les présentes ou futures. Et en ces
choses consistent les principaux signes de sa grande
faiblesse ou imbécillité.

(Considérations, pp. 154-156.)

*Il existe deux moyens de maintenir les peuples dans
leur devoir : c'est la rigueur des supplices, et la
crainte des dieux. Celle-ci est la plus efficace.*

Finalement, pour ce qui est de la politique, il faut
un peu s'y estendre davantage, puisque c'est nostre
principal dessein, et monstrer en quelle façon les

princes ou leurs ministres, *quibus quaestui sunt capti superstitione animi* (13), ont bien sceu ménager la religion et s'en servir comme du plus facile et plus asseuré moyen qu'ils eussent pour venir à bout de leurs entreprises plus relevées. Je treuve doncque qu'ils en ont usé en cinq façons principales, sous lesquelles, par après, on en peut rapporter beaucoup d'autres petites.

La première, et la plus commune et ordinaire, est celle de tous les législateurs et politiques, qui ont persuadé à leurs peuples d'avoir la communication des dieux, pour venir plus facilement à bout de ce qu'ils avoient la volonté d'exécuter ; comme nous voyons qu'outre ces anciens que nous avons rapportez cy-dessus, Scipion voulut faire croire qu'il n'entreprenoit rien sans le conseil de Jupiter Capitolin ; Sylla, que toutes ses actions estoient favorisées par Apollon de Delphe, duquel il portoit tousjours une petite image ; et Sertorius, que sa biche luy apportoit des nouvelles de tout ce qui estoit conclu dans le concile des Dieux. Mais pour venir aux histoires qui nous sont plus voisines, il est certain que par de semblables moyens, Jacques Bussularius domina quelque temps à Pavie (14), Jean de Vicence à Boulogne, et Hiérosme Savonarole à Florence, duquel nous avons cette remarque dans Machiavel : *Le peuple de Florence n'est pas beste, auquel néantmoins F. Hiérosme Savonarole a bien fait croire qu'il parloit à Dieu.*

Il n'y a pas plus de soixante ans que Guillaume Postel en voulut faire de mesme en France, et depuis peu encore Campanelle en la haute Calabre (15). Mais ils n'en purent venir à bout, non plus que les précédens, pour n'avoir pas eu la force en main ; car, comme dit Machiavel, cette condition est nécessaire à tous ceux qui veulent establir quelque nouvelle religion...

La seconde invention de laquelle ont usé les Politiques pour se prévaloir de la religion parmy les peuples a esté de feindre des miracles, controuver

des songes, inventer des visions, et produire des monstres et des prodiges,

> *Quae vitae rationem vertere possent*
> *Fortunasque omnes magno turbare timore* (16).

Ainsi voyons-nous qu'Alexandre ayant esté advisé
par quelque médecin d'un remède souverain contre
les flesches empoisonnées de ses ennemis, il fit croire
que Jupiter le luy avoit révélé en songe. Et Ves-
pasian attitroit des personnes qui feignoient d'estre
aveugles et boiteuses afin qu'il les guérist en les touchant. C'est aussi pour cette raison que Clovis accompagna sa conversion de tant de miracles, que Charles VII augmenta le crédit de Jeanne la Pucelle, et
l'Empereur d'à-présent celuy du Père à Jésus-Maria,
sous espérance peut-estre de gagner encore quelque
bataille non moindre que celle de Prague.

La troisième a pour fondement les faux bruits,
révélations et prophéties que l'on fait courir à dessein pour espouvanter le peuple, l'estonner, l'esbran-
ler, ou bien pour le confirmer, enhardir et encou-
rager, suivant que les occasions de faire l'un ou
l'autre se présentent. Et à ce propos, Postel remarque
que Mahomet entretenoit un fameux Astrologue, qui
ne faisoit autre chose que prescher une grande révolution et un grand changement qui se devoit faire,
tant en la religion qu'en l'empire, avec une longue
suite de toutes sortes de prospéritez, afin de frayer
par cette invention le chemin au mesme Mahomet et
préparer les peuples à recevoir plus volontiers la
religion qu'il vouloit introduire, et par mesme moyen
intimider ceux qui ne la voudroient pas appreuver,
par le soupçon qu'ils pouvoient avoir de combattre
contre l'ordre des destinées, en s'opposant à ce nouveau favory du Ciel, celuy-là estant tousjours le plus
advantagé

> *Cui militat aether*
> *Et conjurati veniunt ad classica venti* (17).

(Considérations, pp. 161-165.)

JUGEMENT DE TOUT CE QUI A ESTE IMPRIME
CONTRE LE CARDINAL MAZARIN

*La conversation a lieu entre le libraire Saint-Ange
et l'imprimeur Mascurat :*

Saint-Ange : Pourquoy n'as-tu rien dit des possédées ? En as-tu meilleure opinion que de toutes les
impostures et tromperies précédentes ?

Mascurat : Il y a un peu plus de vérité en ces dernières, mais néantmoins il s'y commet aussi de
grands abus, desquels on s'apperçoit d'autant moins
qu'il est très dangereux de s'y vouloir opposer. Marescot, l'un des premiers médecins de Paris, passa pour
un athée depuis qu'il eut éventé les fourberies de
Marthe Brossier (18). Duncan et Quillet s'estant oppo-
sez à celles des religieuses de Loudun, celuy-là en fut
réprimandé et menacé de belle sorte par le cardinal
de Richelieu, et celuy-cy fut contraint d'aller servir
le marquis de Cœuvre à Rome (19). Monsieur Ivelin
depuis peu ayant généreusement conclu pour la nul-
lité de la possession de Louviers (20), n'est pas
demeuré sans de picquantes répliques, et si l'événement ne leur avoit esté favorable à tous, peut-estre
n'aurois-je pas maintenant la hardiesse de te dire
une chose bien notable, quoyqu'elle ait esté remar-
quée par peu de personnes, sçavoir que quelques
moines d'Angleterre ayant supposé une possédée pour
empescher par ses menaces et ses prédictions de
malheur le roy Henry VIII de quitter sa première
femme, l'affaire fut si bien tramée plus d'un an
durant, que ces deux grands personnages, Roffensis
et Thomas Morus, s'y laissèrent surprendre, croyans
certainement que tout ce qu'elle disoit estoit véritable, et devoit arriver. C'est pourquoy ils s'opposèrent fort et ferme aux volontez du roy, et se décla-
rèrent si ouvertement que, la tromperie de cette

possédée ayant enfin esté découverte, ils eurent honte
de se dédire et aimèrent mieux mourir pieusement
et honorablement que de témoigner avec combien
de faiblesse d'esprit et de peu de jugement ils
s'estoient laissez surprendre. Ricardus Morysinus, *in
Apomaxi calumniarum Joannis Coclaei contra Hen-
ricum Octavum,* raconte cette histoire avec toutes
les circonstances et particularitez requises pour
témoigner qu'elle est véritable (21). Et pleust à Dieu
qu'elle peust servir de leçon à Messieurs les Evesques
pour ne procéder pas si légèrement à l'examen de
celles qui, la pluspart du temps, ne sont possédées
que par malice, ou par maladie, puisqu'il ne faut pas
dire absolument de toutes, ce que disoit Monsieur
Marescot de Marthe Brossier, *ficta multa, a natura
plurima, a daemone nulla* (22).

*Saint-Ange objecte à Mascurat que les sorcières et
les possédées avouent elles-mêmes la réalité de
leurs relations avec le diable. Mascurat répond :*

Remets-toy donc à ta place, puisque les canons
sont prests à ruiner tes deux preuves. Tu tirois la
première de la confesssion des coupables, qui est
justement establir ce qu'il faudroit prouver. Car tu
estimes cette confession vraye, et je la maintiens
fausse, c'est-à-dire conforme à l'imagination qu'ont
ces pauvres malades d'avoir esté au Sabbath et d'y
avoir fait des choses du tout impossibles. Quand un
phrénétique crie qu'il void des diables, des armées,
des combats, des lions, des incendies, on ne luy croit
point. Quand un hypochondriaque, après avoir rai-
sonné pertinemment de mille choses, *caetera
sanus* (23), veut persuader qu'il est Dieu le Père, un
ange, un roi, le mary de quelque princesse, un lièvre,
une cruche, on se mocque de luy. Quand une belle
et grosse fille,

Jam matura viro, jam plenis nubilis annis (24).

se plaint d'avoir quelque homme noir qui la suit, de voir des diables, d'entendre du bruit à la maison, d'estre entourée de phantosmes, on dit, en se mocquant d'elle, que son pucelage l'estouffe. Si l'on parle que des esprits, ou folets, ou sérieux, reviennent dans quelque maison, on respond communément que la maistresse ou la servante sont amoureuses. Et pourquoy donc brusler une pauvre femme qui par maladie, par sottise, par force ou autrement, confessera d'avoir esté portée en moins de rien, sur un bouc, sur une fourche, ou sur un balai, à des assemblées, tantost esloignées de cent lieuës, tantost proches de leurs villages, où elles auront fait mille extravagances puériles, ridicules, impossibles, et qui mériteroient mieux qu'on les fit panser ou enfermer aux petites Maisons, que non pas de les exterminer comme l'on fait par le feu et la corde ?

(Mascurat, p. 310.)

NOTES

(1) On accorde aux Anciens la permission de mêler l'humain et le divin, et de rendre ainsi plus auguste l'origine des cités *(Tite-Live, Préf.).*

(2) Sous quels auspices cette illustre Rome égala son empire à toute la terre et sa grande âme à l'Olympe. *(D'après Enéide, VI, 781-782.)*

(3) *Naudé s'inspire, semble-t-il, de l'ouvrage de Baudier :* Histoire générale de la religion des Turcs, 1632.

(4) *Mais sa voix, la terre la recueillit, et les roseaux bavards. (Pétrone,* Epigrammes, Aures Midae.)

(5) Les affaires humaines ne sont pas si bien réglées que le grand nombre s'attache à ce qui est meilleur. La marque du mauvais parti, c'est l'approbation de la foule.

(6) Ce qui rend un son plein. *(Perse, V, v. 25.)*

(7) Nous serons guéris pourvu que nous nous séparions de la foule.

(8) *Guillaume Postel avait rencontré à Venise une vieille femme. Il l'appelait la mère Jeanne. Il découvrit qu'elle était née de la substance de Jésus-Christ. Il annonça qu'elle devait compléter l'œuvre de Jésus-Christ et achever la rédemption des femmes. Florimond de Rémond a parlé de cette histoire* De Origine haeret. *II, 1.*

(9) *David George (ou Georges), né à Delft en 1501, mort en 1556. Il fut un des chefs du mouvement anabaptiste. Il publia en hollandais le* Livre des miracles. *Il annonçait une religion toute spirituelle, sans Ecritures, sans hiérarchie, sans sacrements.*

(10) *Son nom était Rockold, mais comme il était né à Leyde, on l'appela Jean de Leyde. Il commença sa carrière comme garçon tailleur. En 1534, il prit la tête de la révolution anabaptiste à Munster.*

(11) *La fraternité des Rose-Croix s'était d'abord implantée en Allemagne et en Angleterre. En 1623, des affiches furent apposées sur les murs de Paris, qui se donnaient pour émanant de la secte. Naudé publia une* Instruction à la France sur la vérité de l'histoire des Frères de la Rose-Croix.

(12) *Beffer : tromper avec de belles paroles. Cotgrave :* To deceive, to mock or gull with fair words.

(13) Qui ont tout intérêt à ce que les esprits se laissent prendre à la superstittion.

(14) *Jacques de Bussolari fut un moine augustin de Pavie. Patriote, il souleva les habitants de sa ville contre la domination de Milan et des Visconti (1356). Il combattit trois ans, et dut capituler en 1359. Galeas Vosconti le fit enfermer dans un couvent. Il y mourut.*

(15) *L'Académie putéane avait d'abord marqué de la sympathie pour Campanella, illustre victime de l'Inquisition. Mais elle finit par s'apercevoir qu'il n'était qu'un « moine ». Peiresc se répandait en propos contre la « moinerie » de Campanella.*

(16) Qui pussent changer l'ordre de la vie et mettre dans tous les destins les bouleversements d'une grande terreur. *(Lucrèce, I, vers 105-106.)*

(17) En faveur de qui le ciel combat et pour qui les vents assemblés accourent au bruit des trompettes guerrières.

(18) *En 1598, une jeune fille de Romorantin, Marthe Brossier, eut des visions qui se trouvèrent par hasard conformes ce que pouvait souhaiter le parti catholique et ligueur. Elle fut conduite à Paris. Les exorcismes eurent lieu à Sainte-Geneviève. Le scandale devenait politique et visait le roi. Une commission de cinq médecins fut créée. Marthe Brossier fut renvoyée chez elle. L'avis de Guillaume Marescot a été transmis sous deux formes qui diffèrent légèrement du récit de Naudé. D'après De Thou, la commission déclara :* Nihil a spiritu, multa ficta, pauca a morbo esse. *D'après Tallemant, Marescot dit plus énergiquement :* Nihil a dæmone, pauca a morbo, tradenda Rapino, *c'est-à-dire qu'il fallait livrer la prétendue possédée à la police pour être pendue.*

(19) *L'affaire des possédés de Loudun éclata en 1633. Le curé, Urbain Grandier fut, le 18 août 1634, convaincu du crime de magie et condamné à être brûlé vif. Les possessions duraient encore en 1637. Le médecin Marc Duncan publia en 1634 un* Discours de la possession des Religieuses Ursulines de Loudun : *La Ménardière lui répondit par un Traité de la mélancolie en 1635. Claude Quillet, ayant tenu des propos imprudents, comprit qu'il lui fallait s'éloigner. Il se mit au service du maréchal d'Estrées, et l'accompagna dans son ambassade à Rome.*

(19) *Le scandale des possédées de Louviers, en 1643, reproduisit celui de Loudun. Il se termina de façon atroce le 21 août 1647 lorsque, par sentence du Parlement de Normandie, le vicaire Thomas Boullé fut jeté vif et hurlant dans les flammes. Le médecin Pierre Yvelin était venu faire une enquête, et son* Rapport à la reine *concluait « qu'il n'y avait point de possession dans cette affaire et que pour y en voir, il fallait être inepte ou avoir intérêt à feindre ». Il fut aussitôt pris à parti par ceux qui avaient imaginé le scandale et par ceux qui s'étaient laissé convaincre. Voir un long récit de l'affaire dans Floquet,* Histoire du Parlement de Normandie, *IV, pp. 623 sqq. — Pierre Yvelin, né en 1610, fut nommé médecin du roi en 1650. Il est le Filerin de l'Amour Médecin.*

(21) *Sir James Morison († 1556) écrivit* Apomaxis Calumniarum, *Londres, 1537, contre Colchlaeus, qui avait publié un pamphlet contre Henri VIII. Co-*

chlaeus répondit à l'Apomaxis *dans* Scopa in Araneas
Richardi Morysini, *Leipzig, 1538.*

(27) Beaucoup de choses sont feintes. Un grand
nombre sont naturelles. Aucune ne vient du démon.

(28) et sain pour tout le reste.

(29) Une fille déjà mûre pour le mariage, et pleinement nubile. *(Enéide, VIII, v. 53.)*

GUY PATIN

Dans le monde des érudits et des philosophes régnait un attachement profond à la liberté de pensée, et par conséquent une méfiance générale à l'endroit des orthodoxies. Mais toutes les attitudes étaient admises, depuis l'athéisme jusqu'à l'acceptation la plus franche des traditions religieuses. Des athées résolus comme La Mothe le Vayer pouvaient sans être gênés converser avec un chrétien comme Guy Patin.

Mais ce chrétien était tout pénétré des idées qui régnaient dans le cercle des Dupuy, et l'on pourrait dans un certain sens parler à son propos de libertinage chrétien. On s'en persuadera en lisant ces curieuses instructions qu'il donna un jour à son fils. Comme les libertins, il s'afflige des progrès de ce qu'il appelle la superstition, et qui est le règne des moines, des Jésuites, des théologiens. Tout le monde est gagné, la bourgeoisie comme le peuple. Les grands, quand ils ne sont pas bigots, sont, comme ils disent, libertins, mais de ce libertinage scandaleux qui est blasphème et athéisme, et n'est donc qu'une « extrémité odieuse ».

Mais des véritables libertins, Patin a la prudence, le souci de demeurer à part de la foule, de sauvegarder sa liberté intérieure en se conformant aux préjugés du grand nombre dans les attitudes extérieures.

On trouvera dans ce texte un témoignage important sur cette vérité que les historiens mettent en une trop faible lumière et qui donne pourtant la clef

*du mouvement libertin : les progrès à travers le
siècle d'un régime d'orthodoxie de plus en plus étouf-
fant, d'un conformisme moral et religieux qui tolé-
rait de moins en moins l'indépendance de la pensée
et du caractère. Et que fut donc le mouvement libertin qu'une réaction de défense contre cet esprit d'orthodoxie et de conformisme ? On comprend, en
lisant Guy Patin, comment un chrétien sincère, mais
soucieux de liberté, pouvait se sentir plus proche de
certains impies que des « moines » qui alors se ren-
daient maîtres de la vie des Français.*

*Ce texte a été découvert par M. Pintard dans le
codex Palatinus 7 071 de la Bibliothèque d'Etat de
Vienne, et publié dans sa thèse secondaire,* La Mothe
le Vayer, Gassendi et Guy Patin, *1943, pp. 64-65.*

GUY PATIN A SON FILS

Des controverses de Religion, des matières d'Estat,
des nouvelles de la guerre, de l'ambition, de l'avarice,
de l'hypocrisie, des Jésuites, de la cabale des autres
moines, *nihil ad te haec singula* (1). La superstition,
qui est vrayement *humanae mentis ludibrium* (2),
triomphe aujourd'huy dans la France, et principalement dans les grandes villes, *ope et opera tot
monachorum* (3). Paris en sa populace et en sa bourgeoisie est toute bigote, et mesme ce vice monte plus
haut, *plures etiam supremi generis occupavit* (4), si
bien que la pluspart des grands ou sont bigots, ou
sont libertins, qui sont deux extrémitez odieuses. De
gens de bien et de vrais chrestiens il y en a fort peu.
Le nombre est fort petit à Paris comme ailleurs :
*pauci quos aequus amavit Jupiter, aut ardens evexit
ad aethera virtus...* (5).

Ne soyez ny superstitieux, ny libertin, mais évitez
sagement ces rencontres de contention, et *utrique
parti ut placeas* (6), ne vous déclarez pas : qu'on ne

sçache que vous soyez autre qu'homme de bien. La prudence, la sagesse et le silence *in hoc negotio utramque facient paginam* (7). Un médecin qui se bandera contre la superstition et la bigotterie du peuple de Paris, sera incontinent descrié par le peuple ignorant et par la bourgeoisie bigotte, par la faction loyolitique, par les cafards et les hypocrites encapuchonnez qui ne regardent le monde qu'au travers d'une pièce de drap, par un tas de Prestres peu sçavans, mesmes par les plus hupez, qui ont serment à la cabale des hypocrites. C'est pourquoy *audi, vide, tace, si vis vivere in pace* (8). Laissez-les battre et faites vos affaires en homme de bien, sans vous mesler en aucune façon de ce grand combat de Religion, qui n'est pas de vostre gibier. Que les curez et les moines s'accordent s'ils peuvent, aussi bien que les Jésuites et les ministres de Charenton...

Aujourd'hui Paris peut estre appelée l'ἐπιτομὴ τῆς δεισιδαιμονίας, l'Abrégé de la superstition (9), par la quantité des fourbes de moines et des ignorans Prestres qui s'y rencontrent. Si dans l'exercice externe de la Religion quelque chose vous desplaist, n'en dites mot, cachez vostre maltalent (10) et n'en parlez point. Croyez-en ce que vous devez, et laissez-là le reste sans causer aucun scandale. *Intus ut libet, foris ut moris est* (11), pratiquez ce bon mot des Italiens. *Serviendum tempori* (12). Le vulgaire et le peuple s'entretiennent de telles bagatelles. Fuyez cette compagnie et cet entretien.

NOTES

(1) Toutes ces choses ne te concernent pas.
(2) La honte de l'esprit humain.
(3) Par l'action de tant de moines.
(4) Il s'est même emparé de plusieurs parmi les gens du plus haut rang.
(5) Le nombre est petit de ceux que Jupiter a aimés avec justice, ou qu'une ardente vertu a élevés jusqu'au ciel. (*Virgile*, Enéide, *VI, v. 129-130.*)

(6) Et pour plaire à l'un et l'autre parti.

(7) Décideront de tout.

(8) Ecoute, regarde, tais-toi, si tu veux vivre en paix.

(9) *Patin reprend le mot des Anciens sur Rome « abrégé du monde habité », qu'il lisait dans Athénée*, Banquet des Sophistes, *20 B.*

(10) Mauvais vouloir, *mais, plus simplement*, mécontentement.

(11) Au dedans, comme il te plaît. Au dehors, comme la coutume le veut.

(12) Il faut obéir aux circonstances.

CYRANO DE BERGERAC

Cyrano de Bergerac eut, dès le XVIIe siècle, le renom d'être un extravagant. Notre époque est en train de découvrir que sous des apparences un peu étonnantes, il cacha l'esprit le plus sérieux, et que peu d'hommes de son temps se sont aussi passionnément attachés aux problèmes de la philosophie et de la religion. Après avoir quitté l'armée, il vint se loger au collège de Lisieux à Paris et vécut dans la société de La Mothe le Vayer. Il ne semble pas douteux qu'il suivit les conférences de Gassendi.

Lorsqu'il mourut, en 1655, il laissait dans ses papiers deux romans où il avait mis ou insinué sa philosophie : les Etats et Empires de la Lune et l'Histoire comique des Etats du Soleil. Ces deux œuvres furent publiées, posthumes, la première en 1657, la seconde en 1662. Nous avons, dans deux manuscrits conservés à Munich et à Paris, le texte authentique de la première, et nous découvrons qu'il avait été, pour être imprimé, amputé de toutes ses audaces. Nous sommes tentés de croire que les mêmes mutilations ont défiguré le second des deux romans, mais il n'en subsiste pas de manuscrit et nous en sommes réduits à l'édition posthume. Il ne reste donc, pour étudier la pensée de Cyrano, que les Etats et Empires de la Lune.

Ne commettons pas l'erreur de porter toute notre attention sur l'histoire des préparatifs du voyage, sur la confection de la machine qui transporte Cyrano dans la lune, sur les détails pittoresques et fantaisistes qu'il nous donne de l'aspect et des mœurs de

*ses habitants. Le lecteur d'aujourd'hui est assez
naturellement porté à voir dans le roman de Cyrano
un premier essai de ce genre littéraire que le jargon
à la mode appelle* science fiction. *Il s'agit en réalité
de bien autre chose.*

*N'attachons pas non plus une trop grande impor-
tance aux ouvrages antérieurs où Cyrano a pu trouver quelques suggestions. L'Anglais John Wilkins
avait publié en 1638 et 1640 un livre où il s'attachait
à démontrer que la lune est habitée, et qu'il est possible de s'y rendre. Un autre Anglais, Francis Godwin,
avait publié* The Man in the Moon, or a discourse of
a Voyage, *et son livre venait d'être traduit en 1648.
Mais l'essentiel du roman de Cyrano lui appartenait
en propre.*

*Il y avait mis, à peine voilées par des artifices d'ex-
position qui n'auraient trompé personne, les critiques
les plus hardies contre l'orthodoxie. Contre le système de Ptolémée, qui se maintenait obstinément
alors que celui de Copernic ne faisait plus de doute
aux yeux des esprits éclairés. Et ce vieux système
servait à illustrer une vérité chère à La Mothe
le Vayer et à ses amis, l'anthropocentrisme des formes
anciennes de pensée, l'habitude des hommes primitifs
de tout expliquer comme si la race humaine était le
centre de l'univers.*

*Critique aussi des orthodoxies religieuses. Critique
des miracles, de la spiritualité de l'âme et de son
immortalité. Sur chacun de ces points, la pensée de
Cyrano apparaissait dans le prolongement des philosophes naturalistes, Italiens et Français, du siècle
précédent. Sur les rapports de l'âme et du corps, il
disait exactement ce qu'avait dit Alexandre d'Aphrodisias, et il expliquait les miracles par le rôle de
l'imagination comme avait fait Pomponazzi.*

*Cyrano s'indignait de voir que des illusions sécu-
laires continuaient de régner sur les esprits. Mais
quel progrès était possible dans une société où les
bonnets carrés des docteurs et les soutanes des théologiens empêchaient la vérité de se faire jour ? Cyrano*

imaginait des discussions où éclataient la sottise, l'esprit de routine, l'entêtement de ces pédants.

Il avait mis dans son roman sa philosophie de la nature. C'était d'abord l'atomisme, tel que Gassendi l'enseignait. Une matière homogène, qui se dilate et se restreint dans le vide, des atomes solides, incorruptibles, constitués d'une même matière, mais de formes variées et par conséquent se mouvant à des vitesses inégales. L'ordre du monde résultant en réalité du hasard. Mais l'infinie quantité de matière détermine un nombre infini d'essais. Or, les combinaisons viables sont en petit nombre. Il faut donc nécessairement que toute combinaison viable se produise. Le lecteur trouvera plus loin ce développement si remarquable de Cyrano, et qui annonce assez précisément l'argumentation fameuse de Diderot.

Sur cet atomisme venaient se greffer des idées d'origine différente. Et d'abord celle de l'infinité de l'univers. Soit qu'il eût seulement réfléchi sur les conséquences à tirer du système de Copernic, soit que plus précisément il ait connu la philosophie de Giordano Bruno, Cyrano concevait l'univers comme un nombre infini de mondes infinis. Tout être est un infiniment petit par rapport au monde auquel il appartient, un infiniment grand par rapport à d'autres êtres pour lesquels il est lui-même un monde. Ce n'est pas Pascal qui le premier a parlé du ciron : c'est Cyrano.

Cet univers infini, Cyrano maintenant ne le considère plus comme une série de combinaisons d'atomes homogènes. Il le voit dans son unité d'être vivant et organique. Toute forme tend vers une forme plus parfaite. Du végétal à l'animal, de l'animal à l'homme, il y a effort et ascension. Si l'immortalité au sens habituel est une illusion, Cyrano croit à un passage continu des êtres, d'une forme à une autre forme, et il l'appelle métempsychose.

Croyait-il aussi en Dieu ? Les historiens hésitent. Mais comment imaginer que Cyrano se soit arrêté en chemin, et qu'il ait reculé devant les conséquences

*nécessaires de ses principes? A coup sûr l'idée de
Dieu ne pouvait lui faire peur, mais ce ne pouvait
être le Dieu de la théodicée traditionnelle. C'était la
puissance infinie, source de toute force et de toute
fécondité, d'où l'univers est sorti et vers laquelle tendent les formes naturelles. Puissance aveugle et
sourde, qui ne s'occupe pas des êtres éphémères, et
que nos prières ne sauraient toucher.*

*Qu'importait dès lors ce qu'elle pouvait être?
Cyrano a d'avance conçu le pari de Pascal, mais il
lui a donné une signification exactement contraire.
Il y a tout avantage à parier que Dieu n'existe pas.
Car si ce terme de l'alternative est exact, nous
n'avons rien perdu. Et si Dieu existe, peut-il nous
reprocher de l'avoir ignoré? Que ne nous donnait-il
l'évidence de sa vérité?*

Le texte authentique des Etats de la Lune *est
conservé dans le ms. de Munich 420 et dans le ms.
n. acq. fr. 4558 de Paris. Le texte de Munich a été
publié dès 1911 par Léo Jordan dans les* Veröffent-li-
chungen der Gesellschaft für roman. Literatur. *Celui
de Paris a été publié par Frédéric Lachèvre en 1922.*

Aux extraits des Etats de la Lune *on a joint deux
scènes fameuses de la* Mort d'Agrippine. *Cette tra-
gédie est annoncée par un ami de Cyrano en 1650.
Elle a été imprimée en 1654. Quoi qu'on en ait dit, il
est tout à fait certain qu'elle fut jouée en public et
qu'elle fit scandale.*

BIBLIOGRAPHIE. — *Les Œuvres libertines de Cyrano
de Bergerac*, p.p. Fr. Lachèvre, 2 vol., Paris, 1922. —
Sur la philosophie de Cyrano, voir J.S. Spink, *French
Free Thought from Gassendi to Voltaire*, Londres,
1959, pp. 48-66.

LES ESTATS ET EMPIRES DE LA LUNE

*Cyrano a été transporté par sa machine au Canada.
Il a une longue conversation avec M. de Montmagnie, gouverneur de Québec. Cyrano critique le
système de Ptolémée.*

M. de Montmagnie (1) me dit qu'il s'estonnoit fort,
veu que le sistème de Ptolémée estoit si peu probable, qu'il eust esté si généralement receu. — Monsieur, luy respondis-je, la pluspart des hommes, qui
ne jugent que par les sens, se sont laissé persuader
à leurs yeux ; et de mesme que celuy dont le navire
navigue terre à terre (2) croit demeurer immobile, et
que le rivage chemine ; ainsy les hommes, tournans
avec la Terre autour du Ciel, ont creu que c'estoit le
Ciel luy-mesme qui tournoit autour d'eux. Adjoustez
à cela l'orgueil insupportable des humains, qui leur
persuade que la Nature n'a esté faicte que pour eux,
comme s'il estoit vraysemblable que le Soleil, un
grand corps quatre cent trente-quatre fois plus vaste
que la Terre (3), n'eust esté allumé que pour meurir
ses nefles et pommer ses choux. Quant à moy, bien
loin de consentir à l'insolence de ces brutaux, je crois
que les planettes sont des mondes autour du Soleil,
et que les estoilles fixes sont aussy des soleils qui
ont des planettes autour d'eux, c'est à dire des
mondes que nous ne voyons pas d'icy à cause de leur
petitesse, et parce que leur lumière empruntée ne
sçauroit venir jusques à nous. Car comment, en
bonne foy, s'imaginer que ces globes si spacieux ne
soient que de grandes campagnes désertes, et que le
nostre, à cause que nous y rampons pour une douzaine
de glorieux cocquins, ayt esté basty pour commander
à tous ? Quoi ! parce que le Soleil compasse (4) nos
jours et nos années, est-ce à dire pour cela qu'il n'ayt
esté construit qu'afin que nous ne cognions pas de
la teste contre les murs ? Non, non ! si ce Dieu visible

esclaire l'homme, c'est par accident, comme le flambeau du Roy esclaire par accident le crocheteur qui
passe par la ruë.

La nouvelle astronomie révèle l'univers infini.

— Mais, me dit-il, si, comme vous assurés, les
estoilles fixes sont autant de soleils, on pourroit conclure de là que le monde seroit infiny, puisqu'il est
vraysemblable que les peuples de ces mondes qui sont
autour d'une estoille fixe que vous prenés pour un
soleil, descouvrent encore au dessus d'eux d'autres
estoilles fixes que nous ne sçaurions appercevoir d'icy,
et qu'il en va éternellement de cette sorte ».
— N'en doutes point, luy répliqués-je ; comme Dieu
a peu faire l'Ame immortelle, il a peu faire le
Monde infiny, s'il est vray que l'éternité n'est rien
autre chose qu'une durée sans bornes, et l'infiny
une estendue sans limites. Et puis Dieu seroit finy
luy-mesme, supposé que le Monde ne fust pas infiny
puisqu'il ne pourroit pas estre où il n'y auroit rien,
et qu'il ne pourroit acroistre la grandeur du Monde
qu'il n'adjoutast quelque chose à sa propre estenduë, commençant d'estre où il n'estoit pas auparavant. Il fault donc croire que comme nous voyons
d'icy Saturne et Jupiter, si nous estions dans l'un
ou dans l'autre, nous descouvririons beaucoup de
mondes que nous n'apercevons pas d'icy et que
l'Univers est éternellement construict de cette sorte.
— Ma foy, me répliqua-t-il, vous avés beau dire, je
ne sçaurois du tout comprendre cet infiny. — Hé,
dites-moy, luy dis-je, comprenés-vous mieux le rien
qui est au-delà ? Point du tout. Quand vous songés
à ce néant, vous vous l'imaginés tout au moins comme
du vent, comme de l'air, et cela est quelque chose ;
mais l'infiny, si vous ne le comprenés en général,
vous le concevés au moins par parties, car il n'est
pas difficile de se figurer de la terre. du feu, de
l'eau, de l'air, des astres, des cieux. Or l'infiny n'est
rien qu'une tissure sans bornes de tout cela.

Enfin Cyrano arrive dans la lune. Il y rencontre le Démon de Socrate, et ce démon lui conte ses aventures. Après Socrate, il a inspiré Epaminondas. Puis il s'est attaché au parti de Caton, et ensuite à Brutus.

« Enfin, adjousta-t-il, le peuple de vostre Terre devint si stupide et si grossier que mes compagnons et moy perdismes tout le plaisir que nous avions pris autrefois à l'instruire. Il n'est pas que vous n'ayés entendu parler de nous : on nous appelloit Oracles, Nimphes, Génies, Fées, Dieux-Foyers, Lemures, Larves, Lamies, Farfadets, Nayades, Incubes, Ombres, Mânes, Spectres, Phantosmes, et nous abandonnasmes vostre Monde sous le règne d'Auguste, un peu après que je me fus apparu à Drusus, fils de Livia, qui portoit la guerre en Allemagne, et que je luy deffendis de passer outre. Il n'y a pas longtemps que j'en suis arrivé pour la seconde fois. Depuis cent ans en ça, j'ai eu commission d'y faire un voyage. Je rodé beaucoup en Europe et conversé avec des personnes que possible vous avés conuës. Un jour entre autres, j'apparus à Cardan comme il estudioit (5) ; je l'instruisis de quantité de choses, et en récompense il me promit qu'il tesmoigneroit à la postérité de qui il tenoit les miracles qu'il s'attendoit à escrire. J'y vis Agrippa, l'abbé Trithème, le docteur Fauste, La Brosse, César (6) et une certaine caballe de jeunes gens que le vulgaire a connus sous le nom de chevaliers de la Roze-Croix (7), à qui j'ay enseigné quantité de souplesses et de secrets naturels qui, sans doute, les auront faict passer chez le peuple pour de grands magiciens. Je connus aussy Campanella ; ce fut moy qui l'advisé, pendant qu'il estoit à l'Inquisition à Rome, de stiler son visage et son corps aux grimasses et aux postures ordinaires de ceux dont il avoit besoin de connoistre l'intérieur, afin d'exciter chez soy, par une mesme assiette, les pen-

sées que cette mesme situation avoit appelées dans
ses adversaires, parce qu'ainsy il mesnageroit mieux
leur Ame quand il la connoistroit. Il commença, à
ma prière, un livre que nous intitulasmes *De Sensu
Rerum* (8). J'ay fréquenté pareillement en France
La Mothe Le Vayer et Gassendi ; ce second est un
homme qui escrit autant en philosophe que ce
premier y vit ; j'y ai connu aussy quantité d'autres
gens que vostre Siècle traitte de divins, mais je
n'ay rien trouvé en eux que beaucoup de babil et
beaucoup d'orgueil.

*Cyrano pose au Démon de Socrate certaines ques-
tions. Mais il n'est pas donné aux hommes d'en
savoir la réponse.*

« Il y a trop de rapport, dit-il, entre vos sens et
l'explication de ces mistères. Vous vous imaginés,
vous autres, que ce que vous ne sçauriez comprendre
est spirituel, ou qu'il n'est point ; la conséquence en
est très faulce, mais c'est un tesmoignage qu'il y a
dans l'Univers un million peut-estre de choses qui,
pour estre connuës, demanderoient en vous un million d'organes tout différens. Moy, par exemple, je
conçois par mes sens la cause de la sympathie de
l'aiman avec le pôle, celle du reflus de la mer, ce
que l'animal devient après la mort ; vous autres ne
sçauriez donner jusques à ces haultes conceptions, à
cause que les proportions à ces miracles vous manquent, non plus qu'un aveugle né ne sçauroit s'imaginer ce que c'est que la beauté d'un paysage,
le coloris d'un tableau, les nuances de l'iris, ou bien
il se les figurera tantost comme quelque chose de
palpable, tantost comme un manger, tantost comme
un son, tantost comme une odeur ; tout de mesme (9),
si je voulois vous expliquer ce que je perçois par
les sens qui vous manquent, vous vous le repré-
senteriés comme quelque chose qui peut estre oüy,
veu, touché, fleuré, ou savouré, et ce n'est rien cependant de tout cela. »

*Cyrano rencontre sur la lune un Espagnol qui y
est arrivé grâce à une machine de son invention.
Cet Espagnol raconte ses malheurs. Il a été per-
sécuté, sur terre, parce qu'il avait soutenu la théorie
du vide.*

« Voyés-vous, me dit-il, à moins de porter un bonnet carré, un chapperon ou une soutane (10), quoy
que vous puissiez dire de beau, s'il est contre les
principes de ces Docteurs de drap, vous estes un
idiot, un fol, ou un athée. On m'a voulu mettre en
mon païs à l'Inquisition, pour ce qu'à la barbe des
Pédans aheurtez (11) j'avois soustenu qu'il y avoit
du Vuide dans la Nature et que je ne connoissois
point de matière au monde plus pesante l'une que
l'autre. » Je luy demandé de quelles probabilitez il
appuyoit une opinion si peu reccue : « Il fault, me
respondit-il, pour en venir au bout, supposer qu'il
n'y a qu'un Elément ; car encore que nous voyons
de l'eau, de la terre, de l'air et du feu séparez,
on ne les trouve jamais pourtant si parfaictement
purs qu'ils ne soyent encore engagez les uns avec
les autres.

Quand, par exemple, vous regardés du feu, ce n'est
pas du feu, ce n'est rien que de l'air beaucoup
estendu, l'air n'est que de l'eau fort dilatée, l'eau
n'est que de la terre qui se fond, et la terre elle-
mesme, n'est autre chose que de l'eau beaucoup
resserrée, et ainsy, à pénétrer sérieusement la matière, vous trouverés qu'elle n'est qu'une, qui comme
une excellente comédienne joue icy-bas toutes sortes
de personnages sous touttes sortes d'habits ; autrement il fauldroit admettre autant d'élémens qu'il y
a de sortes de corps ; et si vous me demandés pourquoy donc le feu brusle et l'eau refroidit, veu que
ce n'est qu'une mesme matière, je vous responds
que cette matière agit par sympathie, selon la disposition où elle se trouve dans le temps qu'elle agit.
Le feu, qui n'est rien que de la terre encore plus

respanduë qu'elle ne l'est pour constituer l'air, tasche
à changer en elle, par sympathie, ce qu'elle rencontre, ainsy la chaleur du charbon, estant le feu
le plus subtil et le plus propre à pénétrer un corps,
se glisse entre les pores de nostre masse, nous faict
dilater au commencement, parce que c'est une nouvelle matière qui nous remplit et nous faict exhaler
en sueur ; cette sueur, estenduë par le feu, se convertit en fumée et devient air ; cet air, encore davantage fondu par la chaleur de l'antipéristase (12) ou
des astres qui l'avoisinent, s'appelle feu, et la terre
abandonnée par le froid et par l'humide qui lioient
touttes nos parties tombe en terre ; l'eau, d'autre
part, quoy qu'elle ne diffère de la matière du feu
qu'en ce qu'elle est plus serrée, ne nous brusle
pas, à cause qu'estant serrée elle demande par sympathie à resserrer les corps qu'elle rencontre, et
le froid que nous sentons n'est rien autre chose
que l'effet de nostre chair qui se replie sur elle-
mesme par le voisinage de la terre ou de l'eau qui
la contrainct de luy ressembler...

Mais, m'objecterés-vous, vous supposez du vuide
comme si vous l'aviez prouvé, et c'est cela dont
nous sommes en dispute ! — Hé bien ! je vais donc
vous le prouver, et quoyque cette difficulté soit la
sœur du nœud gordien, j'ay les bras assés bons pour
en devenir l'Alexandre.

Qu'il me responde donc, je l'en supplie, cet hébété
vulgaire qui ne croit estre homme que parce qu'un
Docteur luy a dit (13). Supposé qu'il n'y ayt qu'une
matière, comme je pense l'avoir assez prouvé, d'où
vient qu'elle se relasche et se restrainct selon son
appétit ? d'où vient qu'un morceau de terre, à force
de se condenser, s'est faict caillou ? Est-ce que les
particules de ce caillou se sont placées les unes
dans les autres, en telle sorte que là où s'est fiché
ce grain de sablon, là mesme, et dans le mesme
poinct, loge un autre grain de sablon ? Non, cela
ne se peut, et selon leur principe mesme, puisque
les corps ne se pénètrent point : mais il fault que

cette matière se soit rapprochée et, si vous le voulés, racourcie en remplissant le vuide de sa maison.

De dire que cela n'est point compréhensible qu'il y eust du rien dans le Monde, que nous fussions en partie composés de rien, hé ! pourquoy non ? Le Monde entier n'est-il pas enveloppé de rien ? Puisque vous m'avoüés cet article, je confesse donc qu'il est aussy aisé que le monde ayt du rien dedans soy qu'autour de soy.

Mais sans m'amuser à respondre à toutes leurs objections, j'ose bien dire que s'il n'y avoit point de vuide, il n'y auroit point de mouvement, ou il fault admettre la pénétration des corps ; car il seroit trop ridicule de croire que quand une mouche pousse de l'aisle une parcelle d'air, cette parcelle en faict reculer devant elle une autre, cette autre encore une autre, et qu'ainsy l'agitation du petit orteil d'une puce allast faire une bosse derrière le monde.

Les habitants de la lune en viennent à soupçonner que Cyrano et l'Espagnol pourraient bien être des hommes et non des bêtes. Mais les prêtres empêchent la vérité de se faire jour et leurs impostures réussissent.

Cette créance alloit prendre racine à force de cheminer, sans les Prestres du païs qui s'y opposèrent, disant que c'estoit une impiété espouvantable de croire que non seulement des bestes, mais des Monstres, fussent de leur espèce. « Il y auroit bien plus d'apparence, adjoustoient les moins passionnez, que nos animaux domestiques participassent au privilège de l'humanité et de l'immortalité par conséquent, à cause qu'ils sont nés dans nostre païs qu'une beste monstrueuse qui se dit née je ne sçay où dans la Lune ; et puis considérés la différence qui se remarque entre nous et eux : nous autres, nous marchons à quatre piedz parce que Dieu ne

se voulut pas fier d'une chose si précieuse à une
moins ferme assiette, il eut peur qu'il n'arrivast fortune de l'homme ; c'est pourquoy il prit luy-mesme
la peine de l'asseoir sur quatre pilliers affin qu'il
ne peut tomber ; mais desdaignant de se mesler de
la construction de ces deux brutes, il les abandonna au caprice de la Nature, laquelle, ne craignant pas la perte de si peu de chose, ne les appuya
que sur deux pattes.

Les oyseaux mesmes, disoient-ils, n'ont pas esté
si maltraictez qu'elles, car au moins ils ont reçu
des plumes pour subvenir à la faiblesse de leurs
piedz et se jetter en l'air quand nous les escondui-
rions de chez nous ; au lieu que la Nature, en ostant
les deux pieds à ces Monstres, les a mis en estat
de ne pouvoir eschapper à nostre Justice. Voyez un
peu, oultre cela, comme ils ont la teste tournée
devers le Ciel ! C'est la disette où Dieu les a mis
de touttes choses qui les a situez de la sorte, car
cette posture suppliante tesmoigne qu'ils cherchent
au Ciel pour se plaindre à Celuy qui les a créez,
et qu'ils luy demandent permission de s'accommoder
de nos restes. Mais, nous autres, nous avons la teste
penchée en bas pour contempler les biens dont nous
sommes seigneurs, et comme n'y ayant rien au Ciel
à quoy nostre heureuse condition puisse porter envie.

J'entendois tous les jours, à ma loge, les prestres
faire ces contes-là, ou de semblables ; enfin ils
bridèrent si bien la conscience des peuples sur cet
article qu'il fut arresté que je ne passerois tout au
plus que pour un perroquet plumé ; ils confirmoient
les persuadés sur ce que, non plus qu'un oiseau,
je n'avois que deux piedz ; on me mit en cage par
ordre exprès du Conseil d'en hault.

*Mais le voyageur n'est pas non plus exempt de pré-
jugés. Il accepte docilement les enseignements reçus
dans son enfance. Il ne se guérit pas de l'anthropocentrisme, qui est l'illusion du commun des
hommes.*

Cependant il falloit bien que quelqu'un eust res-
chauffé les querelles de la définition de mon estre,
car, comme je ne songeois plus qu'à mourir en cage,
on me vint quérir encore une fois pour me donner audience. Je fus donc interrogé, en face de force
Courtisans, sur quelques points de Phisicque, et mes
responses, à ce que je crois, satisfirent aucunement (14) ; car, d'un accent non magistral, celuy qui
présidoit m'exposa fort au long ses opinions sur la
structure du monde. Elles me semblèrent ingénieuses,
et sans qu'il passa (15) jusques à son origine, qu'il
soustenoit éternelle, j'eusse trouvé sa philosophie
beaucoup plus raisonnable que la nostre ; mais sitost
que je l'entendis soustenir une resverie si contraire
à ce que la foy nous apprend, je luy demandé ce
qu'il pourroit respondre à l'authorité de Moyse, et
que ce grand patriarche avoit dit expressément que
Dieu l'avoit créé en six jours. Cet ignorant ne fit
que rire, au lieu de me respondre. Je ne peus alors
m'empescher de luy dire que, puisqu'il en venoit là,
je commençois à croire que leur Monde n'estoit
qu'une Lune. « Mais, me dirent-ils tous, vous y
voyez de la terre, des forestz, des rivières, des mers.
Que seroit-ce donc tout cela ? — N'importe, repartis-je. Aristote asseure que ce n'est que la Lune ;
et si vous aviez dit le contraire dans les classes où
j'ay faict mes estudes, on vous auroit sifflez. » Il
se fit sur cela un grand esclat de rire, il ne fault
pas demander si ce fut de leur ignorance, et l'on
me reconduisit dans ma cage.

Les Prestres cependant furent advertis que j'avois
osé dire que la Lune d'où je venois estoit un Monde,
et que le leur n'estoit qu'une Lune ; ils creurent

que cela leur fournissoit un prétexte assés juste
pour me faire condamner à l'eau ; c'estoit la façon
d'exterminer les athées. Ils vont en corps, à cette
fin, faire leur plainte au Roy, qui leur promet justice ;
on ordonne que je serois remis sur la sellette.

Cyrano revient à l'idée de l'univers infini. Un doc-
teur déclare :

Il me reste à vous prouver qu'il y a des Mondes
infinis dans un Monde infini. Représentés-vous donc
l'Univers comme un grand animal, les estoilles qui
sont des Mondes comme d'autres animaux dedans
luy, qui servent réciproquement de Mondes à d'autres
peuples, tels qu'à nous, qu'aux chevaux et aux éléphans, et nous, à nostre tour, sommes aussy des
Mondes à de certaines gens encore plus petits. comme
des chancres, des poux, des vers, des cirons ; ceux-ci
sont la terre à d'autres imperceptibles, ainsy de
mesmes que nous paroissons un grand Monde à
ce petit peuple. Peut-estre que nostre chair, nostre
sang et nos esprits ne sont autre chose qu'une tissure
de petits animaux qui s'entretiennent, nous prestent
mouvement par le leur, et se laissant conduire à
nostre volonté qui leur sert de cocher, nous conduisent nous-mesme et produisent tout ensemble cette
action que nous appelons la vie. Car dites-moy, je
vous prie, est-il malaisé à croire qu'un Pou prenne
vostre corps pour un Monde, et que quand quelqu'un
d'eux a voyagé depuis l'une de vos oreilles à l'autre,
ses compagnons disent de luy qu'il a voyagé aux
deux bouts du Monde, ou qu'il a couru de l'un à
l'autre pôle ? Oüy, sans doubte, ce petit peuple
prend vostre poil pour les forests de son païs, les
pores pleins de pituite pour des fontaines, les bubes
et les cirons (16) pour des lacs et des estangs, les
apostumes pour des mers, les fluxions pour des
déluges ; et quand vous vous peignez en devant et
en arrière, ils prennent cette agitation pour le flux

et le reflux de l'Océan. La démangeaison ne prouve-
t-elle pas mon dire ? Ce ciron qui la produit, est-ce
autre chose qu'un de ces petits animaux qui s'est
dépris de la société civile pour s'establir tiran de
son païs ? Si vous me demandés d'où vient qu'ils
sont plus grands que ces autres petits imperceptibles, je vous demande pourquoy les éléphans sont
plus grands que nous, et les Hibernois (17) que les
Espagnols. Quant à cette ampoulle et cette crouste
dont vous ignorés la cause, il faut qu'elles arrivent,
ou par la corruption des charognes de leurs ennemis
que ces petis Géans ont massacrés, ou que la peste
produite par la nécessité des alimens dont ces séditieux se sont gorgez ayt laissé pourrir parmy la
campagne des monceaux de cadavres, ou que ce
tiran, après avoir tout autour de soy chassé ses
compagnons qui de leurs corps bouchoient les pores
du nostre, ayt donné naissance à la pituitte, laquelle,
estant extravasée hors de la sphère de la circu-
lation de nostre sang, s'est corrompüe. On me demandera pourquoy un ciron en produit cent autres. Ce
n'est pas chose malaisée à concevoir, car de mesme
qu'une révolte en esveille une autre, ainsy ces petits
peuples, poussés du mauvais exemple de leurs compagnons séditieux, aspirent chacun en particulier au
commandement, allumant partout la guerre, le mas-
sacre et la faim. Mais, me dirés-vous, certaines personnes sont bien moins subjectes à la démangeaison
que d'autres, cependant chacun est remply esgallement de ces petits animaux, puisque ce sont eux,
dites-vous, qui font la vie. Il est vray, aussy le
remarquons-nous, que les flegmaticques sont moins
en proye à la gratelle que les bilieux, à cause que
le peuple, sympathisant au climat qu'il habite, est
plus lent dans un corps froid qu'un autre eschauffé
par la température de sa région, qui pétille, se
remüe et ne sçauroit demeurer en une place. Ainsy
le bilieux est bien plus délicat que le flegmatique,
parce qu'estant animé en bien plus de parties, et
l'Ame n'estant que l'action de ces petites bestes,

il est capable de sentir en tous les endroits où ce
bestail se remüe, là où le flegmaticque n'estant pas
assez chaud pour faire agir [cette remuante populace, il n'est sensible qu'en peu d'endroits] (18), et
pour prouver encore cette cironalité universelle, vous
n'avés qu'à considérer quand vous estes blessé comme
le sang accourt à la playe. Vos docteurs disent qu'il
est guidé par la prévoyante Nature, qui veult secourir
les parties débilitées, mais voilà de belles chimères.
Donc, oultre l'âme et l'esprit, il y auroit encore en
nous une troisiesme substance intellectuelle qui auroit
ses fonctions et ses organes à part. Il est bien plus
croyable que ces petits animaux, se sentant attaqués,
envoyent chez leurs voisins demander du secours et
qu'en estant arrivé de tous costez, et le païs se
trouvant incapable de tant de gens, ils meurent
estouffés à la presse, ou de faim. Cette mortalité
arrive quand l'apostume est meure ; car pour tesmoignage qu'alors ces animaux de vie sont esteints,
c'est que la chair pourrie devient insensible, que si
bien souvent la saignée, qu'on ordonne pour divertir
la fluxion, profite, c'est à cause que s'estant perdu
beaucoup par l'ouverture que ces petits animaux
taschoient de boucher, ils refusent d'assister leurs
alliez, n'ayant que fort médiocrement la puissance
de se deffendre chacun chez soy. »

Création, hasard, matière éternelle, le philosophe
  discute ces notions et dissipe les préjugés de
  Cyrano.

Puisque nous sommes contraints, quand nous voulons remonter à l'origine de ce Grand Tout, d'en-
courir trois ou quatre absurditez, il est bien raisonnable de prendre le chemin qui nous faict le
moins broncher. Le premier obstacle qui nous arreste,
c'est l'Eternité du Monde ; et l'esprit des hommes
n'estant pas assez fort pour la concevoir, et ne
pouvant non plus s'imaginer que ce grand Univers
si beau, si bien réglé, pût s'estre faict de soy-

mesme, ils ont eu recours à la Création ; mais,
semblables à celuy qui s'enfonceroit dans la rivière
de peur d'estre moüillé de la pluye, ils se sauvent
des bras d'un nain à la miséricorde d'un géant.
Encore ne s'en sauvent-ils pas, car cette Eternité
qu'ils ostent au Monde, pour ne l'avoir peû comprendre, ils la donnent à Dieu, comme s'il leur
estoit plus aisé de l'imaginer dedans l'un que dedans
l'autre. Cette absurdité donc, ou ce géant duquel
j'ay parlé, est la Création. Car, dites-moy, en vérité,
a-t-on jamais conceu comment de Rien il se peut
faire quelque chose ? Hélas ! entre Rien et un Atome
seulement, il y a des disproportions tellement infinies
que la cervelle la plus aiguë n'y sçauroit pénétrer.
Il fauldra donc pour eschapper à ce labirinthe inex-
plicable que vous admettiés une Matière Eternelle
avec Dieu, et alors il ne sera plus besoing d'admettre
un Dieu, puisque le Monde aura peu estre sans luy ;
mais, me dirés-vous, quand je vous accorderois la
Matière éternelle, comment ce chaos s'est-il arrangé
de soy-mesme ? Ha ! je vous le vais expliquer.

Il fault, ô mon petit Animal ! après avoir séparé
mentalement chaque petit corps visible en une infinité de petits corps invisibles, s'imaginer que l'Univers infini n'est composé d'autre chose que de ces
Atomes infinis très solides, très incorruptibles et très
simples, dont les uns sont cubiques, d'autres paral-
lélogrammes, d'autres angulaires, d'autres ronds,
d'autres ovales, qui tous agissent diversement chacun selon sa figure : et qu'ainsy ne soit (19), posés
une boulle d'ivoire fort ronde sur un lieu fort
uny, la moindre impression que vous luy donnerés,
elle sera demy-quart d'heure sans s'arrester. J'adjouste que si elle estoit aussy parfaictement ronde
comme le sont quelques-uns de ces Atomes dont
je parle, elle ne s'arresteroit jamais. Si donc l'art
est capable d'incliner un corps au mouvement perpétuel, pourquoy ne croirons-nous pas que la Nature
le puisse faire ? Il en va de mesme des autres
figures : l'une, comme la carrée, demande le repos

perpétuel, d'autres un mouvement de costé, d'autres un demy mouvement, comme de trépidation ; et la ronde, dont l'estre est de se remuer, venant à se joindre à la piramidale, faict peut-estre ce que nous appelons le feu, parce que non seulement le feu s'agitte sans se reposer, mais perce et pénètre facilement. Le feu a, oultre cela, des effects différents selon l'ouverture et la quantité des angles, où la figure ronde se joint, comme par exemple le feu du poivre est autre chose que le feu du sucre, le feu du sucre que celuy de la canelle, celuy de la canelle que celuy du clou de girofle, et celuy-cy que le feu d'un fagot. Or le feu, qui est le constructeur et destructeur des parties et du tout de l'Univers, a poussé et ramassé dans un chesne la quantité des figures nécessaires à composer ce chesne. Mais, me dirés-vous, comment le hazard peut-il avoir assemblé en un lieu touttes les choses qui estoient nécessaires à produire ce chesne ? Je responds que ce n'est pas merveille que la matière ainsy disposée [ayt] formé un chesne, mais que la merveille eust esté bien grande si la Matière ainsy disposée, le chesne n'eust pas esté formé. Un peu moins de certaines figures, c'eust esté un orme, un peuplier, un saule, un sureau, de la bruyère, de la mousse ; un peu plus de certaines autres figures, c'eust esté la plante sensitive, une huistre à l'escaille, un ver, une mouche, une grenouille, un moineau, un singe, un homme. Quand ayant jetté trois dez sur une table, il arrive ou rafle (20) de deux, ou bien trois, quatre et cinq, ou bien deux six et un, dirés-vous : « O le grand Miracle ! à chaque dé il est arrivé mesme point, tant d'autres points pouvant arriver ; ô le grand Miracle ! il est arrivé en trois dez trois points qui se suivent ; ô le grand Miracle ! il est arrivé justement deux six et le dessous de l'autre six ! » Je suis très asseuré qu'estant homme d'esprit vous ne ferés point ces exclamations ; car puisqu'il n'y a sur les dez qu'une certaine quantité de nombres, il est impossible qu'il n'en arrive quelqu'un. Vous

vous estonnés comment cette matière, broüillée pesle-
mesle au gré du hazard, peut avoir constitué un
homme, veu qu'il y avoit tant de choses nécessaires
à la construction de son estre ? Mais vous ne
sçavez pas que cent millions de fois cette Matière,
s'acheminant au dessein d'un homme, s'est arrestée
à former tantost une pierre, tantost du plomb, tantost du corail, tantost une fleur, tantost une comette,
pour le trop ou le trop peu de certaines figures qu'il
falloit ou ne falloit pas à désigner un homme,
si bien que ce n'est pas merveille qu'entre une
infinie quantité de Matière qui change et se remue
incessamment, elle ayt rencontré à faire (21) le peu
d'animaux, de végétaux, de minéraux que nous
voyons, non plus que ce n'est pas merveille qu'en
cent coups de dez il arrive un rafle ; aussy bien
est-il impossible que de ce remuement il ne se fasse
quelque chose, et cette chose sera tousjours admirée
d'un estourdy qui ne sçaura pas combien peu s'en
est fallu qu'elle n'ayt pas esté faicte.

Contre l'immortalité.

Quoy ! me répliqua-t-il, en esclatant de rire, vous
estimés vostre Ame immortelle privativement à celle
des bestes ? Sans mentir, mon grand Amy, vostre
orgueil est bien insolent ! Et d'où argumentés-vous,
je vous prie, cette immortalité au préjudice de celle
des bestes ? Seroit-ce à cause que nous sommes douez
de raisonnement et non pas elles ? En premier lieu,
je vous le nie, et je vous prouveray, quand il vous
plaira, qu'elles raisonnent comme nous. Mais encore
qu'il fust vray que la raison nous eust esté dis-
tribuée en appanage et qu'elle fust un privilège
réservé à nostre espèce, est-ce à dire pour cela
qu'il faille que Dieu enrichisse l'homme de l'immortalité parce qu'il luy a desjà prodigué la raison ?
je doibs donc, à ce compte-là, donner aujourd'huy
à ce pauvre une pistolle parce que je luy donné

hier un escu ? Vous voyés bien vous-mesme la
faulceté de cette conséquence, et qu'au contraire, si
je suis juste, plustost que de donner une pistolle
à cettuy-cy, je doibs donner un escu à l'autre, puisqu'il n'a rien touché de moy. Il fault conclure de
là, ô mon cher compagnon, que Dieu, plus juste
encore mille fois que nous, n'aura pas tout versé
aux uns pour ne rien laisser aux autres. D'alléguer
l'exemple des aisnés de vostre Monde, qui com-
portent dans leur partage casi tous les biens de
la maison, c'est une foiblesse des pères qui, voulant perpétuer leur nom, ont appréhendé qu'il ne
se perdist ou ne s'esgarat dans la pauvreté. Mais
Dieu, qui n'est pas capable d'erreur, n'a eu garde
d'en commettre une si grande, et puis, n'y ayant
dans l'Eternité de Dieu ny avant, ny après, les cadets
chez luy ne sont pas plus jeunes que les aisnés.

Ebranlé, Cyrano se tourne vers le démon de Socrate.
Celui-ci professe l'immortalité de l'âme, mais dans
un sens qui n'est pas celui de l'orthodoxie.

Vous sçavés, ô mon filz, que de la terre il se faict
un arbre, d'un arbre un pourceau, d'un pourceau
un homme. Ne pouvons-nous donc pas croire, puisque tous les estres en la Nature tendent au plus
parfaict, qu'ils aspirent à devenir hommes, cette
essence estant l'achèvement du plus beau mixte,
et le mieux imaginé qui soit au monde, estant
le seul qui fasse le lien de la vie brutale avec
l'angelicque. Que ces métamorphoses arrivent, il faut
estre pédant pour le nier. Ne voyons-nous pas qu'un
pommier, par la chaleur de son germe comme par
une bouche, succe et digère le gazon qui l'entoure ;
qu'un pourceau dévore ce fruict et le faict devenir
une partie de soy-mesme ! et qu'un homme mangeant
le pourceau reschauffe cette chair morte, le joint
à soy et faict enfin revivre cet animal sous une plus
noble espèce ? Ainsy ce Grand Pontife que vous voyez

la mitre sur la teste estoit, il n'y a que soixante
ans, une touffe d'herbe en mon jardin. Dieu donc,
estant le Père Commun de touttes ses créatures,
quand il les aymeroit touttes également, n'est-il pas
bien croyable qu'après que, par cette métempsichose
plus raisonnée que la Pitagoricque, tout ce qui sent,
tout ce qui végète, enfin après que toutte la
matière aura passé par l'homme, alors ce grand jour
du Jugement arrivera où font aboutir les Prophètes
les secrets de leur Philosophie ?

Cyrano au cours d'une nouvelle discussion avec
son philosophe, prononce le mot de miracle. Le
philosophe s'indigne.

« Mais, s'escria-t-il avec une cholère passionnée
d'amour, ne déferés-vous jamais vostre bouche aussy
bien que vostre raison de ces termes fabuleux de
miracles ? Sçachés que ces noms-là diffament le nom
de philosophe. Comme le sage ne veoit rien au monde
qu'il ne conçoive ou qu'il ne juge pouvoir estre
conceu, il doibt abominer touttes ces expressions de
miracles, de prodiges, d'événemens contre Nature,
qu'ont inventés les stupides pour excuser les faiblesses de leur entendement. »
Je crus alors estre obligé en conscience de prendre
la parolle pour le destromper :
« Encore, luy répliquès-je, que vous ne croyés pas
aux miracles, il ne laisse pas de s'en faire, et beaucoup. J'en ay veu de mes yeux. J'ay connu plus de
vingt malades guéris miraculeusement. »
— Vous le dites, interrompit-il, que ces gens-là
ont esté guéris par miracle, mais vous ne sçavés
pas que la force de l'imagination est capable de
combattre touttes les maladies, à cause d'un certain bausme naturel respandu dans nos corps contenant touttes les qualitez contraires à touttes celles
de chaque mal qui nous attaque, et nostre imagination, advertie par la douleur, va choisir en son

lieu le remède spécificque qu'elle oppose au venin
et nous guérit. C'est là d'où vient que le plus habile
Médecin de nostre monde conseille au malade de
prendre plustost un médecin ignorant qu'il estimera
fort habile, qu'un fort habile qu'il estimera ignorant,
parce qu'il se figure que nostre imagination, travaillant à nostre santé, pour peu qu'elle fust aydée
des remèdes, elle estoit capable de nous guérir,
mais que les plus puissants estoient trop faibles
quand l'imagination ne les applicquoit pas ! Vous
estonnés-vous que les premiers hommes de vostre
monde vivoient tant de siècles sans avoir aucune
connoissance de la médecine ? Leur nature estoit
forte, ce bausme universel n'estoit pas dissipé par
les drogues dont vos médecins vous consomment.
Ils n'avoient, pour rentrer en convalescence, qu'à
souhaiter fortement et s'imaginer d'estre guéris.
Aussi tost leur fantaisie nette, vigoureuse et bandée
s'alloit plonger dans cette huile vitale, applicquoit
l'actif au passif, et presque en un clin d'œil les
voilà sains comme auparavant. Il ne laisse pas
touttefois de se faire encore aujourd'huy des cures
estonnantes, mais le populaire les attribue à miracles.
Pour moy, je n'en crois point du tout, et ma raison
est qu'il est plus facile que tous ces Diseurs-là se
trompent, que cela n'est facile à faire ; car je leur
demande, ce fiévreux qui vient de guérir a souhaitté
bien fort, comme il est vraysemblable, pendant sa
maladie, de se reveoir en santé, il a faict des vœux,
et il faloit nécessairement, estant malade, qu'il mou-
rust, qu'il demeurast en son mal, ou qu'il guérist.
S'il fust mort, on eust dit : Dieu l'a voulu récompenser de ses peines ; on le fera peut-estre équi-
voquer en disant que, selon les prières du malade,
il l'a guéri de tous les maux. S'il fust demeuré dans
son infirmité, on auroit dit qu'il n'avoit point la
foy ; mais parce qu'il est guéri, c'est un miracle
tout visible. N'est-il pas bien plus vraysemblable
que sa fantaisie, excitée par les violens désirs de
la santé, a faict cette opération ? Car je veux (22)

qu'il soit reschappé beaucoup de ces Messieurs qui s'estoient voués (23). Mais combien davantage en voyons-nous qui sont péris misérablement avec leurs vœux ? »

Mais cette âme, capable de provoquer la guérison du corps, ce n'est pas une substance spirituelle et immortelle.

« Pour l'âme des bestes qui est corporelle, je ne m'estonne pas qu'elle meure, veu qu'elle n'est possible (24) qu'une harmonie des quatre qualitez, une force de sang, une proportion d'organes bien concertés ; mais je m'estonne bien fort que la nostre, incorporelle, intellectuelle et immortelle, soit contraincte de sortir de chés nous pour les mesmes causes qui font périr celles d'un bœuf. A-t-elle faict pacte avec nostre corps, quand il auroit un coup d'espée dans le cœur, une balle de plomb dans la cervelle, une mousquetade à travers le corps, d'abandonner aussitost sa maison trouée ? Encore manqueroit-elle souvent à son contract, car quelques-uns meurent d'une blessure dont les autres reschappent. Il fauldroit que chaque Ame eust faict un marché particulier avec son corps. Sans mentir, elle qui a tant d'esprit, à ce qu'on nous a faict accroire, est bien enragée de sortir d'un logis quand elle veoit qu'au partir de là on luy va marquer son appartement en enfer. Et si cette âme estoit spirituelle et par soy-mesme raisonnable, comme ils disent, qu'elle fust aussy capable d'intelligence quand elle est séparée de nostre masse qu'alors qu'elle en est revestue, pourquoy les Aveugles-nés, avec tous les beaux avantages de cette Ame intellectuelle, ne sçauroient-ils mesme s'imaginer ce que c'est que de veoir ? Pourquoy les Sourds n'entendent-ils point ? Est-ce à cause qu'ils ne sont pas encore privez par le trépas de tous les sens ? Quoy, je ne pourré donc me servir de ma main droite parce que j'en ay aussy une

gauche ? Ils allèguent, pour prouver qu'elle ne
sçauroit agir sans les sens, encore qu'elle soit spirituelle, l'exemple d'un peintre qui ne sçauroit faire
un tableau s'il n'a des pinceaux. Oüy, mais ce n'est
pas à dire que le peintre qui ne peut travailler sans
pinceaux, quand avec ses pinceaux il aura [encore]
perdu ses couleurs, ses crayons, ses toiles et ses
coquilles, qu'alors il le pourra mieux faire. Bien au
contraire ! Plus d'obstacles s'opposeront à son labeur,
plus il luy sera impossible de peindre. Cependant
ils veulent que cette âme, qui ne peut agir qu'im-
parfaitement à cause de la perte d'un de ses
outils dans le cours de la vie, puisse alors travailler avec perfection quand, après nostre mort,
elle les aura tous perdus. S'ils nous viennent chan-
ter qu'elle n'a pas besoin de ces instrumens pour
faire ses fonctions, je leur rechanteré qu'il fault
foüetter les Quinze-Vingts, qui font semblant de ne
voir goutte.

Le philosophe accumule les objections contre la
  résurrection des corps, et Cyrano tente faiblement
  d'y répondre.

Alors je pris la parolle : « Je n'ay rien à respondre,
luy respartis-je, à vos argumens sophistiques contre
la résurrection. Tant y a que Dieu l'a dit, Dieu
qui ne peut mentir. — N'allez pas si viste, me
réplicqua-t-il, vous en estes desjà à Dieu l'a dit. Il
fault prouver auparavant qu'il y ait un Dieu, car
pour moy, je vous le nie tout à plat. »
« Je ne m'amuseré point, luy dis-je, à vous réciter
les démonstrations évidentes dont les philosophes se
sont servis pour l'establir : il faudroit redire tout
ce qu'ont jamais escrit les hommes raisonnables. Je
vous demande seulement quel inconvénient vous
encourés de le croire. Je suis bien asseuré que vous
ne m'en sçauriés prétexter aucun. Puisque donc il
est impossible d'en tirer que de l'utilité, que ne

vous le persuadés-vous ? Car s'il y a un Dieu, oltre
qu'en ne le croyant pas vous serés mescompté,
vous aurés désobéy au précepte qui commande d'en
croire ; et s'il n'y en a point, vous n'en serés pas
mieux que nous ! »

— Si faict, me respondit-il, j'en seré mieux que
vous, car s'il n'y en a point, vous et moy serons
à deux de jeu. Mais au contraire, s'il y en a, je
n'auray pas peu avoir offensé une chose que je
croyois n'estre point, puisque pour pescher il faut
ou le sçavoir ou le vouloir. Ne voyés-vous pas qu'un
homme, mesme tant soit peu sage, ne se picqueroit
pas qu'un crocheteur l'eust injurié, si le crocheteur
auroit pensé ne le pas faire, s'il l'avoit pris pour
un autre ou si c'estoit le vin qui l'eust faict parler ?
A plus forte raison, Dieu, tout inébranlable, s'em-
portera-t-il contre nous pour ne l'avoir pas connu,
puisque c'est Luy-mesme qui nous a refusé les moyens
de le connoistre. Mais par vostre foy, mon petit
animal, si la créance de Dieu nous estoit si nécessaire, enfin si elle nous importoit de l'éternité, Dieu
luy-mesme ne nous en auroit-il pas infus à tous
des lumières aussy claires que le soleil, qui ne se
cache à personne ! Car de feindre qu'il ayt voulu
joüer entre les hommes à cligne-musette, faire comme
les enfans : Toutou, le voilà, c'est-à-dire tantost se
masquer, tantost se démasquer, se desguiser à quelques-uns pour se manifester aux autres, c'est se for-
ger un Dieu ou sot, ou malicieux, veu que si ç'a
esté par la force de mon génie que je l'ay connu,
c'est luy qui mérite et non pas moy, d'autant qu'il
pouvoit me donner une âme ou des organes imbé-
cilles qui me l'auroient faict mesconnoistre. Et si,
au contraire, il m'eust donné un esprit incapable
de le comprendre, ce n'auroit pas esté ma faulte,
mais la sienne, puisqu'il pouvoit m'en donner un
si vif que je l'eusse compris. »

Ces opinions diaboliques et ridicules me firent
naistre un frémissement par tout le corps ; je commencé alors de contempler cet homme avec un peu

plus d'attention et je fus bien esbahi de remarquer
sur son visage je ne sçay quoy d'effroyable que je
n'avois point encore apperceu : ses yeux estoient
petits et enfoncez, le teint bazané, la bouche grande,
le menton velu, les ongles noirs. « O Dieu, me songé-je
aussitost, ce misérable est resprouvé dès cette vie, et
possible mesme que c'est l'Antéchrist dont il se parle
tant dans nostre monde. »

LA MORT D'AGRIPPINE

Acte II. Scène 4.

Séjanus et Térentius.

Séjanus

Mon sang n'est point royal, mais l'héritier d'un roy
Porte-t-il un visage autrement fait que moy ?
Encor qu'un toict de chaume eût couvert ma nais-
　　　　　　　　　　　　　　　　　　　　[sance
Et qu'un palais de marbre eût logé son enfance,
Qu'il fût né d'un grand Roy, moy d'un simple pasteur,
Son sang auprès du mien est-il d'autre couleur ?
Mon nom seroit au rang des héros qu'on renomme
Si mes prédécesseurs avoient saccagé Rome ;
Mais je suis regardé comme un homme de rien
Car mes prédécesseurs se nommoient gens de bien.
Un César cependant n'a guères bonne veuë,
Dix degrez sur sa teste en bornent l'estenduë,
Il ne sçauroit au plus faire monter ses yeux
Que depuis son berceau jusques à dix Ayeux ;
Mais moy, je rétrograde aux cabanes de Rome,
Et depuis Séjanus jusques au premier homme ;
Là, n'estant point borné du nombre ny du chois,
Pour quatre dictateurs j'y rencontre cent Rois.

Térentius

Mais le crime est affreux de massacrer son maistre !

Séjanus

Mais on devient au moins un magnifique traistre.
Quel plaisir, sous ses pieds de tenir aux abois
Celuy qui sous les siens fait gémir tant de rois,
Fouler impunément des testes couronnées,
Faire du genre humain toutes les destinées,
Mettre au fer un César et penser dans son cœur :
« Cet esclave jadis estoit mon empereur ! »

Térentius

Peut-estre en l'abatant tomberas-tu toy-mesme.

Séjanus

Pourveu que je l'entraîne avec son diadème,
Je mourray satisfait, me voyant terracé
Sous le pompeux débris d'un Thrône renversé.
Et puis mourir n'est rien, c'est achever de naistre !
Un esclave hier mourut pour divertir son maistre.
Aux malheurs de la vie on n'est point enchaisné,
Et l'âme est dans la main du plus infortuné.

Térentius

Mais n'as-tu point d'horreur pour un tel parricide ?

Séjanus

Je marche sur les pas d'Alexandre et d'Alcide.
Penses-tu qu'un vain nom de traistre, de voleur
Aux hommes demy-dieux doive abatre le cœur ?

Térentius

Mais d'un coup si douteux peux-tu prévoir l'issue ?

Séjanus

De courage et d'esprit cette trame est tissuë :
Si César massacré, quelques nouveaux Titans
Eslevez par mon crime au Throsne où je prétens,

Songent à s'emparer du pouvoir monarchique,
J'appellerai pour lors le peuple en république,
Et je luy feray voir que par des coups si grans,
Rome n'a point perdu, mais changé ses tyrans.

TÉRENTIUS

Tu connois cependant que Rome est monarchique,
Qu'elle ne peut durer dans l'aristocratique,
Et que l'Aigle romaine aura peine à monter
Quand elle aura sur soy plus d'un homme à porter.
Respecte et crains des dieux l'effroyable tonnerre !

SÉJANUS

Il ne tombe jamaís en hyver sur la terre.
J'ay six mois pour le moins à me moquer des Dieux.
Ensuite je feray ma paix avec les cieux.

TÉRENTIUS

Ces dieux renverseront tout ce que tu proposes.

SÉJANUS

Un peu d'encens bruslé rajuste bien des choses.

TÉRENTIUS

Qui les craint ne craint rien.

SÉJANUS

     Ces enfans de l'effroy,
Ces beaux riens qu'on adore et sans sçavoir pourquoy,
Ces altérez du sang des bestes qu'on assomme,
Ces dieux que l'homme a faicts, et qui n'ont point faict
       [l'homme,
Des plus fermes Estats ce fantasque soustien,
Va, va, Térentius, qui les craint, ne craint rien.

TÉRENTIUS

Mais s'il n'en estoit point ! cette machine ronde...

SÉJANUS

Ouy, mais s'il en estoit, serois-je encor au monde ?

Acte V. Scène 6.

Agrippine et Séjanus.

AGRIPPINE

Demeure, Séjanus ! on te l'ordonne, arreste :
Je te viens annoncer qu'il faut perdre la teste ;
Rome en foule desja court au lieu de ta mort.

SÉJANUS

D'un courage au-dessus des injures du sort,
Je tiens qu'il est si beau de choir pour votre cause,
Qu'un si noble malheur borne tout ce que j'ose ;
Et desja mes travaux sont trop bien reconnus
S'il est vray qu'Agrippine ait pleuré Séjanus.

AGRIPPINE

Moy, pleurer Séjanus ! Moy, te pleurer, perfide !
Je verray d'un œil sec la mort d'un parricide.
Je voulois, Séjanus, quand tu t'offris à moy,
T'esgorger par Tibère, ou Tibère par toy !
Et feignant tous les jours de t'engager mon âme,
Tous les jours en secret, je dévidois ta trame...

SÉJANUS

Il est d'un grand courage et d'un cœur généreux
De ne point insulter au sort d'un malheureux :
Mais j'en sçay le motif. Pour effacer la trace

Des soupçons qui pourroient vous joindre à ma dis-
                                            [grâce
Vous bravez mes malheurs, encor qu'avec regret,
Afin de vous purger d'estre de mon secret ;
Madame, ce n'est pas connoistre mon génie,
Car j'aurois fort bien sceu mourir sans compagnie.

AGRIPPINE

Ne t'imagine pas que par un feint discours
Je tasche vainement à prolonger mes jours !
Car puisqu'à l'Empereur ta trame est découverte,
Il a sceu mon complot et résolu ma perte.
Aussy j'en soustiendray le coup sans reculer,
Mais je veux de ta mort pleinement me soûler,
Et gouster à longs traits l'orgueilleuse malice
D'avoir par ma présence augmenté ton suplice.

SÉJANUS

De ma mortalité je suis bien convaincu.
Hé bien, je dois mourir parce que j'ay vescu.

AGRIPPINE

Mais as-tu de la mort contemplé le visage ?
Conçois-tu bien l'horreur de cet affreux passage ?
Connois-tu le désordre où tombent leurs accords,
Quand l'âme se déprend des attaches du corps ?
L'image du tombeau, qui nous tient compagnie,
Qui trouble de nos sens la paisible harmonie,
Et ces derniers sanglots dont avec tant de bruit.
La Nature espouvante une âme qui s'enfuit ?
Voilà de ton destin le terme espouvantable.

SÉJANUS

Puisqu'il en est le terme, il n'a rien d'effroyable.
La mort rend insensible à ses propres horreurs.

AGRIPPINE

Mais une mort honteuse estonne les grands cœurs !

SÉJANUS

Mais la mort nous guérit de ces vaines chimères° !

AGRIPPINE

Mais ta mort pour le moins passera les vulgaires ;
Escoute les mal-heurs de ton dernier soleil :
Car je sçay de ta fin le terrible appareil.
De joye et de fureur la populace esmeuë
Va pour aigrir tes maux en repaistre sa veuë.
Tu vas sentir chez toy la mort s'insinuer
Partout où la douleur se peut distribuer.
Tu vas voir les enfans te demander leurs pères,
Les femmes leurs maris, et les frères leurs frères,
Qui pour se consoler en foule s'estouffans
Iront voir à leur rage immoler tes enfans.
Ton fils, ton héritier, à la haine de Rome,
Va tomber, quoy qu'enfant, du supplice d'un homme,
Et te perçant du coup qui percera ton flanc,
Il esteindra ta race et ton nom dans son sang.
Ta fille, devant toy, par le bourreau forcée,
Des plus abandonnez blessera la pensée,
Et de ton dernier coup la Nature en suspens
Promènera ta mort en chacun de tes sens :
D'un si triste spectacle es-tu donc à l'épreuve ?

SÉJANUS

Cela n'est que la mort, et n'a rien qui m'esmeuve.

AGRIPPINE

Et cette incertitude où mesne le trespas ?

SÉJANUS

Estois-je malheureux lorsque je n'estois pas ?
Une heure après la mort, nostre âme évanoüie
Sera ce qu'elle estoit une heure avant la vie.

AGRIPPINE

Mais il faut t'annonçant ce que tu vas souffrir
Que tu meures cent fois avant que de mourir.

SÉJANUS

J'ay beau plonger mon âme et mes regards funèbres
Dans ce vaste néant et ces longues ténèbres,
J'y rencontre partout un estat sans douleur,
Qui n'eslève à mon front ny trouble ny terreur.
Car puisque l'on ne reste après ce grand passage
Que le songe léger d'une légère image,
Et que le coup fatal ne fait ny mal ny bien,
Vivant, parce qu'on est ; mort, parce qu'on n'est rien,
Pourquoy perdre à regret la lumière receuë,
Qu'on ne peut regretter après qu'elle est perduë ?
Pensez-vous m'estonner par ce faible moyen,
Par l'horreur du tableau d'un estre qui n'est rien ?
Non, quand ma mort au Ciel luiroit dans un comette,
Elle me trouvera dans une ferme assiette.
Sur celle des Catons je m'en vais enchérir,
Et si vous en doutez, venez me voir mourir.
Marchez, gardes !

NOTES

(1) *Charles de Montmagnie fut gouverneur de Québec de 1636 à 1647.*
(2) *Littré cite une phrase de Fontenelle où* aller
terre à terre *est dit d'un bâtiment qui navigue sans
perdre la terre de vue. — Nicolas de Cuse avait
employé une comparaison analogue :* Si enim quis
ignoraret aquam fluere, et ripas non videret, existens

in navi in medio aquae, quomodo apprehenderet navem moveri ? (De Docta ignorantia, *II, ch. 12.*)

(3) *Ce chiffre allait bientôt paraître dérisoire, et en 1684 Cassini écrivait que le soleil est un million de fois plus gros que la terre. Nous savons aujourd'hui qu'il était au-dessous de la réalité.*

(4) Compasser, *tourner autour.* Cotgrave : to turne around, also to make a circle. *Mais Cyrano s'en sert au sens de* mesurer.

(5) *Cardan (1501-1576) se vantait d'avoir son démon familier comme Socrate.*

(6) *Henri-Corneille Agrippa de Nettesheim (1486-1535) fut souvent accusé de magie. Il écrivit un* De occulta philosophia *et un livre sur Raimond Lulle. — Jean Trithème, abbé de Spanheim (1462-1516) fut accusé de s'être vanté d'avoir commerce avec les démons. — Guy la Brosse, qui dirigea le Jardin du Roi, fut un admirateur de Théophile et son médecin. Il était plutôt rationaliste que magicien. — Le César dont parle Cyrano fit beaucoup parler de lui entre 1608 et 1615. Il disait qu'il était Italien et grand magicien. Mis en prison en 1609, il fut de nouveau incarcéré en 1615. Le 11 mars, on le trouva étranglé dans son cachot. Etait-il seulement Italien ? On dit qu'il s'appelait en réalité Jean du Chastel, et un homme bien informé assura à Tallemant que ce César était un grand fourbe.*

(7) *Sur les Rose-Croix, voir plus haut, p. 152.*

(8) *Le* De Sensu Rerum, *de Campanella, parut à Francfort en 1620.*

(9) Tout de même *signifie au* XVIIe *siècle de façon* toute semblable.

(10) *Le bonnet était la coiffure des docteurs, des avocats et des juges. Le bonnet carré était l'insigne des docteurs en théologie. Le chaperon était la coiffure des ecclésiastiques.*

(11) Aheurtés, *têtus.* Cotgrave : stiffe, wilfull, obstinate.

(12) Antipéristase *désignait en général l'agent dont l'action se rencontrant avec celle d'un autre agent tout contraire sert à la rendre plus vive et plus puissante. De la glace et du chocolat, par exemple, sont les antipéristases l'un de l'autre.*

(13) *Dans la construction* il le lui a dit, *l'omission de* le *est courante au* XVIIe *siècle.*

(14) Aucunement, *d'une certaine manière.*

(15) Sans qu'il passa, *sauf le fait qu'il passa.* —
Fr. Lachèvre *donne* sans qu'il passât, *qui change
complètement la phrase et n'offre aucun sens.*

(16) Bube. Furetière *donne :* « *Petite élevure ou bou-
ton qui se fait sous la peau.* » — Ciron, *insecte qui
se met sous la peau et donne la gratelle.* Ou encore :
*petits animaux qui se développent dans le cuir et le
rongent. On appelait* également *ciron un insecte qui
se développe dans le fromage et la farine.* — *Il semble que dans cette page sur les cirons, Cyrano s'inspire d'un passage du* Francion *dans l'édition de 1626,
livre XI. L'analogie est d'autant plus frappante que
Sorel évoque là des projets de romans. Le premier
décrirait les villes qui existent dans la lune, et pein-
drait les mœurs de ses habitants. Le second racon-
terait les aventures des peuples qui habitent dans les
cailloux et les fourmis. Et c'est à propos de ce second
roman que Sorel évoque les cirons et les animaux
infiniment petits qui vivent sur les cirons « comme
dans un spacieux monde ». (Ed. Roy, IV, pp. 11-12.)*

(17) Hibernois, *Irlandais.*

(18) *Les mots entre crochets ont été omis dans le
manuscrit, et cette lacune rendait la phrase inintel-
ligible. Elle a été rétablie grâce au texte imprimé
de 1657.*

(19) Qu'ainsi ne soit : *la preuve qu'il en est bien
ainsi, c'est que...*

(20) Rafle, *jeu à trois dés. Le joueur fait rafle
quand les trois dés sortent un même nombre de
points. Il emporte alors tout l'enjeu.*

(21) Rencontrer à faire, *réussir par hasard.* Cotgrave : *to come to, or light on casualy.*

(22) Je veux, *je vous accorde, je vous concède.*

(23) Se vouer, *se donner à Dieu par un vœu, pour
obtenir la guérison.*

(24) Possible, *peut-être.*

DES BARREAUX

Jacques Vallée des Barreaux, qui fut peut-être le meilleur ami de Théophile, vécut jusqu'en 1673, et prolongea à travers une grande partie du siècle la tradition du libertinage de 1620. Il avait gardé longtemps le renom d'être libertin. En 1666 encore, Guy Patin écrivait : « Il a bien infecté de pauvres jeunes gens de son libertinage ; sa conversation était bien dangereuse et fort pestilente au public. » On disait que ce libertinage, il le poussait jusqu'à l'athéisme, et qu'il était « de la secte de Crémonin ». Dans sa jeunesse, en effet, il était allé à Padoue, et c'est là qu'il aurait été « infecté » du venin.

On lui faisait une terrible réputation de débauché, et peut-être la méritait-il. Mais il avait aussi des curiosités de philosophe. Ami de Luillier, il est probable qu'il était accueilli comme lui à l'académie putéane et dans la société de Gassendi. En 1641, il alla rendre visite en Hollande à Descartes. Il est vrai qu'au dire de Méré, il fut saoul tous les soirs de son séjour, lui et les deux amis qui l'accompagnaient.

Il n'avait rien d'un écrivain de profession. Mais il portait aux belles lettres l'attention la plus suivie, et il a sans aucun doute rimé quelques pièces de vers.

Frédéric Lachèvre a voulu rassembler l'œuvre de Des Barreaux. Il l'a fait avec l'absence de méthode et le manque de rigueur critique qui le caractérisaient. Il semble pourtant qu'il ait eu raison d'attribuer à Des Barreaux un groupe de sonnets anonymes

13

qui se lisent dans le Recueil de quelques pièces
nouvelles et galantes tant en prose qu'en vers, *publié
à Cologne en 1667. On observe en effet que plusieurs de ces pièces se retrouvent dans des manuscrits de l'époque, et que chaque fois elles y portent
en toutes lettres le nom de Des Barreaux. Et comme
ce groupe de sonnets forme de toute évidence un
ensemble, il paraît raisonnable d'admettre que les
pièces non attestées dans les manuscrits sont de
Des Barreaux comme les autres. On en a reproduit
quelques-unes dans le présent volume. Il était juste
d'avertir le lecteur que l'attribution de ces vers à
l'ancien ami de Théophile est seulement la conclusion d'un raisonnement probable.*

*On dégagera des quelques sonnets reproduits dans
les pages suivantes une idée qui va prendre une
grande importance dans le développement de la
pensée libertine. Ces hommes à qui l'on attribue le
plus souvent une confiance excessive dans la raison,
sont au contraire pénétrés de la faiblesse de l'homme,
des misères de sa condition, des ténèbres où il
avance en tâtonnant. Ils croient que tout est
vain, la pensée aussi bien que l'action. Les sonnets
attribués à Des Barreaux doivent leur force émou-
vante à ce pessimisme qui les inspire.*

BIBLIOGRAPHIE. — F. Lachèvre, *Disciples et successeurs de Théophile de Viau*, 1911.

Qui multiplicat intellectum multiplicat afflictionem.

SONNET (1)

Mortels qui vous croyez, quand vous venez à naistre,
Obligez à Nature, ô quelle trahison !
Se montrer un moment, pour jamais disparaistre,
Et pendant que l'on est, voir des maux à foison.

Tenant plus du néant que l'on ne fait de l'estre,
Je l'ay dit autrefois et bien moins en saison,
Estudions-nous plus à joüir qu'à connoistre,
Et nous servons des sens plus que de la raison.

D'un sommeil éternel la mort sera suivie,
J'entre dans le néant quand je sors de la vie,
O déplorable estat de ma condition !

Je renonce au bon sens, je hay l'intelligence.
D'autant plus que l'esprit s'élève en connoissance,
Mieux voit-il le sujet de son affliction.

Qui addit scientiam addit et laborem.

SONNET (2)

Il faut prendre pendant la vie,
Tout le plaisir qu'on peut avoir,
La clarté que Dieu nous fait voir
D'une longue nuit est suivie.

Il n'est que faire chère lie,
Pour faire fort bien son devoir,
Peu de bon sens, point de sçavoir,
Nargue de la philosophie.

Je me dégrade de raison,
Je veux devenir un oison,
Et me sauver dans l'ignorance

En buvant toujours du meilleur.
Celuy qui croist en connaissance
Ne fait qu'accroistre sa douleur.

SUR LA MORT

SONNET (3)

Dieu, Nature ou Destin, que tu nous fais grand tort !
De peine et de chagrin toute la vie est pleine,
Au lieu de ton amour tu nous montres ta haine,
Qui que tu sois des trois qui conduises le sort.

On pleure, l'on gémit, l'on souffre, et foible et fort,
Pendant le cours fatal d'une vie incertaine,
Par quels fascheux chemins au cercueil on nous traîne,
Pauvreté, maladie. et puis survient la mort.

La Nature le veut, il faut que tout périsse,
La plante, l'animal, la pierre, l'édifice.
En ayant prononcé l'irrévocable arrest,

Tu ne nous donnes rien, traîtresse de Nature,
Tu nous prestes la vie, ouy, mais à grande usure,
Nos maux font qu'on t'en paye un trop gros intérêt.

SUR LA MORT

SONNET (4)

Mortel, qui que tu sois, n'aye plus à frémir
De l'horreur de la mort et de la sépulture,
Ce n'est qu'un doux repos où tombe la Nature,
Dont l'insensible estat ne doit faire gémir.

Nos sens s'éteignent tous quand on vient à périr,
De l'âme avec le corps ne se fait pas rupture,
Ce n'est qu'extinction de chaleur toute pure.
Donc est-ce un si grand mal que d'avoir à mourir ?

Peut-estre nostre mort sera-t-elle impréveüe,
Peut-estre pourra-t-elle eschapper nostre veüe
Par l'insensible effet d'un violent transport.

C'est pourquoy de tout point contentons nostre envie,
Du reste, chers amis, laissant faire le sort,
Des pensers de la mort n'affligeons point la vie.

SUR LA MORT

SONNET (5)

Toy qui braves la mort, et qui d'un grand courage
Concluant en trois mots, fais sonner hautement :
On naist, on vit, on meurt, c'est l'Homme entière-
                                                    [ment :
La mort comme la vie est de son apanage.

Nous n'appréhendons point la mort, mais le dommage
Qu'apporte le non-estre ; et ce fatal moment
Qui nous porte à la triste horreur du monument
Doit estre justement appréhendé du Sage.

Il faut estre bien fat, stupide ou malheureux
Pour n'avoir pas douleur de ton sort rigoureux
Qui t'oblige à la mort du jour de ta naissance.

Mais pour n'en point jetter d'inutiles soupirs,
Et n'avoir pas toujours cet objet en présence,
Jette-toy comme moy dans le sein des plaisirs.

NOTES

   (1) Recueil *de 1667, II, p. 208.*
   (2) Recueil *de 1667, II, p. 209.*
   (3) Recueil *de 1667, II, p. 207.*
   (4) Recueil *de 1667, II, p. 207.*
   (5) *Sainte-Geneviève, ms. 3208. Le seul argument qui puisse être invoqué pour attribuer ces vers à Des Barreaux, c'est qu'ils sont placés dans une série de quatre sonnets et que les trois autres peuvent lui être attribués.*

VAUQUELIN DES YVETEAUX

Des hommes comme *La Mothe le Vayer* et *Naudé* menaient le combat contre l'esprit d'orthodoxie et contre les préjugés. D'autres pensaient plutôt à délivrer l'homme des fausses valeurs de l'ambition et de la cupidité. Ces deux préoccupations avaient suffisamment d'affinités pour se retrouver souvent chez les mêmes hommes. Chez Vauquelin des Yveteaux, si l'esprit veut rester libre, c'est la volonté d'ordonner sa vie pour le plus grand plaisir qui explique les attitudes, et l'effort critique de la pensée ne joue manifestement qu'un rôle secondaire.

Etait-il vraiment athée ? Balzac l'a prétendu. Il a même précisé que l'athéisme de Vauquelin remontait aux années de sa jeunesse, quand il fréquentait la cour, et que Desportes était son maître. Mais on lira plus loin un fragment de l'Institution du Prince qu'il composa pour le duc de Vendôme, son élève, en 1604. Ces vers semblent nettement prouver que Vauquelin était en réalité déiste. Nous aurions le droit de nous méfier de la profession de foi qu'ils contiennent si Vauquelin y avait manifesté des sentiments d'une trop parfaite orthodoxie. Mais il recommande expressément l'adoration intérieure de l'Eternel. Une adoration qui n'est liée à aucun culte particulier puisque le monde entier est le temple de Dieu. La vraie religion, ce ne sont pas les sacrifices, les temples pompeux, les autels fumant de chandelles et d'encens. C'est l'innocence du cœur. Et cette religion unit les hommes tandis que les

sectes les divisent. Il n'était pas possible à l'écri-
vain de dire plus clairement qu'il était déiste.

Ecarté de la cour par le parti religieux, Vauquelin
acheta une belle maison au faubourg Saint-Germain,
avec un grand jardin. Il y mena une vie voluptueuse
qui attira l'attention. Il fut bientôt considéré par
les uns comme un objet de scandale, par les autres
comme un maître.

On citera ici deux témoignages. Ces citations sont
longues. Elles ont leur place dans une anthologie
dont l'objet est de faire connaître par les textes le
libertinage du xviiᵉ *siècle.*

Dans son dialogue S'il faut qu'un jeune homme
soit amoureux, *en 1649, Sarasin écrit :*

« ...*Vous vous souviendrez que la dernière fois*
que nous le visitasmes ensemble, vous pristes un
grand plaisir à lui voir chérir ce ruban jaune qu'il
portoit à son chapeau, pour l'amour, comme il disoit,
de la gentille Ninon qui le luy avoit donné (1). *Et*
il vous entretint si agréablement de cette faveur
que, le reste de la journée, vous ne fîtes autre
chose que répéter les mignardises de la vieille cour
qu'il vous avoit racontées sur ce sujet. Si bien qu'il
s'en fallut peu que vous ne souhaitassiez une vieillesse
qui ressemblast à la sienne ; au moins faisant
réflexion sur sa nimphe, sur la musique et sur sa
bonne chère, vous nous distes qu'il passoit cet âge
comme Horace l'avoit désiré. Aussi, puisque c'est
un homme extraordinaire, je suis d'avis que nous
ne troublions point ses pastorales et que nous le
laissions en repos juger en faveur de la harpe de
Mlle du Puy (2) *contre les rossignols de son jar-*
din. »

Et voici ce que Chaulieu écrit, cinquante ans après
la mort de Vauquelin, dans sa Réponse à l'abbé
Courtin :

Ah ! que Des Yveteaux, la gloire de nostre âge
    Et l'Epicure de son temps,
    Connut bien mieux quel est l'usage

Que doit faire de ses momens
Le parfait philosophe et l'homme vraiment sage !
Jusques au dernier de ses jours,
Il porta constamment pannetière et houlette,
Et dans les bras de ses amours
Expira mollement au son de la musette.
Cherchant parmi ces doux accords,
Prêt à descendre chez les morts,
A se faire une route aisée,
Voluptueux même en sa fin,
Il sema de fleurs le chemin
Qui le mena dans l'Elysée...

*Vauquelin des Yveteaux a créé la tradition de ce
libertinage épicurien dont nous allons suivre le développement à travers le siècle.*

*Il a défini sa conception de la vie dans un sonnet
qui fut célèbre. Il est antérieur à 1645 car il est
dès cette date attesté. Il circula en copies manus-
crites et fut ensuite recueilli dans les* Poésies choisies *de Sercy, en 1653.*

*Le sonnet fameux a été conservé avec de nom-
breuses variantes. Elles restent d'importance secondaire. On l'a reproduit ici dans le texte de l'excellente édition que Georges Mongrédien a donnée des*
Œuvres *de Des Yveteaux en 1921.*

*On y a joint le sonnet que Des Barreaux a écrit
à l'imitation des vers de Des Yveteaux. Il est facile
d'y découvrir des traits qui vont beaucoup plus
loin. Parmi ses règles de vie, Des Barreaux n'oublie
pas de mettre l'indifférence à « l'avenir ». c'est-à-
dire à l'autre vie, le refus de se laisser gêner par
les remords, et le souci de garder son esprit « purgé
des erreurs populaires ».*

*Malgré leur prudence, les vers de Des Yveteaux
provoquèrent pourtant l'indignation des bien-pen-
sants. François Ogier, en 1653, se déchaîna contre
le poète dans un sonnet qui vengeait la vertu. Colère
inoffensive d'ailleurs : Vauquelin était mort en 1649.
On a reproduit ici ce sonnet, à la suite de celui*

*de Des Barreaux. A la fin du siècle, les vers de
Des Yveteaux n'étaient pas oubliés, et le scandale
durait encore. Le bon Daniel Huet en parlait avec
sévérité. « Vauquelin des Yveteaux, écrit-il, a renfermé
sa morale dans un sonnet fort licencieux, qui a fait
doubter plus que tout le reste de ses sentiments et
de sa religion. »*

Bibliographie. — *Œuvres complètes de Vauquelin
des Yveteaux*, p. p. Georges Mongrédien, Paris, 1921.
Voir Georges Mongrédien, *Etude sur la vie et l'œuvre
de Nicolas Vauquelin, seigneur des Yveteaux*, Paris,
1921.

INSTITUTION DU PRINCE

A Monseigneur le duc de Vendôme.

Donne ton cœur à Dieu, recherche son secours,
Et sur luy seulement fonde l'heur de tes jours.
Fuy, pour suivre ses loys, les fortunes prospères
Et ne t'esloigne point de la foy de tes pères.
Au langage, aux habits, j'aime à voir adjouster
Ce qu'une longue paix nous peut faire gouster,
Et voir combien le Temps, roy des choses mortelles,
Donne et desrobe aux arts de richesses nouvelles.
En la Foy seulement je hay la nouveauté ;
Plus elle est pleine d'ans, plus elle a de beauté.
Mais il faut, croyant bien, adorer et se taire.
Défendant à nos sens d'esplucher ce mystère,
Tu peux, en tous endroicts, et lorsque tu le veux,
Invoquer l'Eternel et luy faire des vœux.
Pour ceux qui vivent bien, le monde n'est qu'un
                                              [temple.
Mais tu luy dois ta vie, au peuple ton exemple.
Le chef peut sur la foy comme il faict sur les mœurs.

L'Orient autrefois suivit ses Empereurs,
Et les peuples du Nort, esteignant leur lumière,
Changèrent sous leurs roys leur créance première.
Sans faire le dévot, que ton cœur soit entier,
Autant que peut porter la loy de ton mestier.
Dieu ne s'achète point par de grands sacrifices,
Ny pour luy consacrer de pompeux édifices.
Il aime beaucoup mieux les esprits innocens,
Que les autels couverts de chandelle et d'encens.
Hay les sectes à part, mais aime tous les hommes,
Sans te réduire aux lois des climats où nous sommes.
Que l'Arabe, le Scythe et les fronts bazanez
Qui sous un autre ciel que le nostre sont nez
Ne soyent tenus de toy pour des peuples barbares,
Et chéry leurs esprits s'il s'en trouve de rares...

SONNET DE DES YVETEAUX

Avoir peu de parens, moins de train que de rente,
Et chercher en tout temps l'honneste volupté,
Contenter ses désirs, maintenir sa santé,
Et l'âme de procez et de vices exempte ;

A rien d'ambitieux ne mettre son attente,
Voir ceux de sa maison en quelque authorité,
Mais sans besoin d'appuy garder sa liberté,
De peur de s'engager à rien qui mescontente.

Les jardins, les tableaux, la musique, les vers,
Une table fort libre et de peu de couverts,
Avoir bien plus d'amour pour soy que pour sa Dame,

Estre estimé du Prince et le veoir rarement,
Beaucoup d'honneur sans peine, et peu d'enfans sans
                                 [femme,
Font attendre à Paris la mort fort doucement.

SONNET DE DES BARREAUX

N'estre ny magistrat, ny marié, ny prestre,
Avoir un peu de bien, l'appliquer tout à soy,
Et sans affecter d'estre un docteur de la Loy,
S'estudier bien plus à jouir qu'à connoistre ;

Pour son repos n'avoir ny maistresse, ny maistre,
Ne voir que par rencontre ou la Cour ou le Roy ;
Ne sçavoir point mentir, mais bien garder sa foy,
Ne vouloir estre plus que ce qu'on se voit estre ;

Avoir l'esprit purgé des erreurs populaires,
Porter tout le respect que l'on doit aux mystères,
N'avoir aucun remords, vivre moralement ;

Posséder le présent en pleine confiance,
N'avoir pour l'avenir crainte ny espérance,
Font attendre partout la mort tranquillement.

SONNET DE FRANÇOIS OGIER

Vivre en Sardanapale et croire en Epicure,
Noyer ses sentimens dans les plaisirs du corps,
Parmy l'oisiveté faire tous ses efforts
Afin de satisfaire à la bonne nature,

N'avoir pour tout object qu'une sale peinture,
Souiller l'âme au dedans et les yeux au dehors,
Sur les quatre-vingts ans (3), presque au nombre des
                                            [morts,
Ne méditer jamais ny mort ny sépulture ;

Un sérail qui comprend l'une et l'autre Vénus (4),
Des femmes sans honneur et des maris cornus (5),
Des enfans, mais bastards (6), des valets, mais
                                            [infames (7).

Estre considéré comme un vieux monument,
Qui cache sous la cendre un tison plein de flamme,
C'est attendre à Paris l'enfer tout doucement.

NOTES

(1) *Tallemant écrit en effet : Ninon de Lenclos*
« *luy donna un ruban jaune qu'il porta je ne sçay*
combien de jours à son chapeau. » (Historiettes,
Pléiade, I, p. 142.)

(2) *Voir infra, n. 3.*

(1) *Vauquelin des Yveteaux étant né en 1587, le*
vers de François Ogier suppose que le sonnet fut
écrit en 1647. En fait nous avons vu qu'il est attesté
en 1645.

(2) *L'accusation de mœurs hétérodoxes se retrouve*
chez Balzac et chez Tallemant, en termes d'ailleurs
trop semblables et qui prouvent que nous sommes
en face d'une opinion toute faite et non discutée.
Balzac écrit que Vauquelin pratiquait « l'une et
l'autre Vénus » et qu'il se servait d'un Marotus aussi
bien que d'une Délie. Plus simplement Tallemant
note : « On l'accusait aussy d'aimer les garçons. »

(3) *Vauquelin avait recueilli chez lui le ménage*
Du Puy, et tout le monde disait que la femme,
Jeanne Félix, était sa maîtresse, mais que le mari
fermait les yeux.

(4) *Ces enfants, c'est Marguerite et Nicolas du Puy.*
L'opinion était surtout convaincue que Marguerite
était fille de Vauquelin. Elle était née en 1631.

(5) *Il s'agit probablement de Duverger, valet de*
Vauquelin, qui tua un homme en mars 1645 pour
défendre son maître contre un spadassin.

SARASIN

Le nom de Sarasin est lié surtout à l'histoire de notre poésie galante. Mais il ne se bornait pas à composer des églogues et des rondeaux. Au début de son séjour à Paris, vers 1635, il fut introduit par Ménage chez les frères Dupuy. Il n'est pas douteux qu'il a connu Gassendi. Cet homme, que l'on croirait frivole, a cru un moment qu'il était fait pour les recherches d'érudition, et il lui est arrivé d'écrire sur la philosophie morale.

Au début de 1634, Gassendi avait rédigé une Apologie d'Epicure. Ce n'est donc pas Sarasin qui entreprit le premier l'éloge d'une philosophie habituellement calomniée. Mais il écouta les enseignements de Gassendi, il s'en pénétra fortement, et en 1645-1646 il écrivit son Discours de morale sur Epicure. C'est seulement en 1647 que Gassendi publia son De vita et moribus Epicuri.

On a reproduit ici les pages les plus caractéristiques de ce Discours. Il est en effet d'un haut intérêt d'observer la première forme qu'ait revêtue, dans la littérature du XVIIᵉ siècle, la morale épicurienne. Elle est d'une étrange austérité. Sarasin s'applique à dissiper les critiques qui ont été faites à l'épicurisme. Sans doute maintient-il avec fermeté que la volupté est le souverain bien de l'homme. Il fait la critique des vertus morales et prouve qu'aucune d'elles n'a de sens que par rapport à la volupté. Mais cette volupté n'est pas le plaisir. Elle réside dans une sorte de joie intérieure, qui naît de la paix, de l'équilibre, de la liberté de l'âme. Si nous sommes

*asservis au plaisir, point de volupté. Et s'il nous
apporte le trouble, il ruine cette volupté que tant de
gens semblent confondre avec lui.*

*C'est ce qui permet à Sarasin de repousser une
accusation souvent faite à l'épicurisme. On lui repro-
chait de détourner l'homme du soin des affaires
publiques, et d'être par conséquent dangereux pour
l'Etat. Mais puisque la volupté est liée à la liberté
de l'âme, nous pouvons, sans manquer aux principes
d'Epicure, quitter parfois « le repos et la tranquillité
de la vie pour servir à la république » parce que nous
ferons alors acte de liberté.*

*Qu'il y eût là une interprétation un peu systéma-
tique de l'épicurisme, il était difficile de ne pas le
voir. L'accent était mis avec une insistance excessive
sur l'austérité de la morale épicurienne. A certains
moments on ne discernait plus guère la distance qui
la séparait du stoïcisme. Saint-Evremond, dans une
page que l'on trouvera plus loin, a pris soin de marquer son désaccord.*

BIBLIOGRAPHIE. — Œuvres de J. Fr. Sarasin, p. p.
P. Festugière, 2 vol., Paris, 1926.

DISCOURS DE MORALE SUR EPICURE

Il n'y a point de doute que la plupart des hommes
blasment Epicure et rejettent sa doctrine, non seulement comme indigne d'un philosophe, mais de plus
comme dangereuse à un citoyen. Ils s'imaginent
qu'un homme est vicieux dès qu'il est de ses disciples, ils crient partout que ses opinions sont opposées aux bonnes mœurs, et son nom est tombé dans
l'infamie et dans l'opprobre. Cependant, quelques Stoïciens, qui estoient ses plus grands ennemis, ne l'ont
pas traitté si mal. Leurs éloges ne s'accordent pas

avec les injures publiques; ils l'ont combattu sans
l'outrager, et les livres qu'ils nous ont laissés témoi-
gnent encore en plusieurs endroits qu'ils en faisoient
un fort grand estat.

D'où vient cette extrême différence? Et pourquoy
ne sommes-nous plus de l'opinion des sages? Il est
très aisé d'en donner la raison : c'est que nous ne
faisons plus comme eux. Nous ne nous informons de
rien, nous nous tenons à ce qu'on nous dit. Sans
nous instruire de la nature des choses, nous estimons
que les meilleures sont celles qui ont le plus d'exemples et le plus d'approbateurs; et nous ne suivons
point la raison, mais seulement la ressemblance. Nous
retenons nos erreurs parce qu'elles sont authorisées
de celles des autres, nous aimons mieux croire que
juger, et nous sommes si injustes que nous deffen-
dons contre la raison les mauvaises opinions qui sont
passées jusques à nous.

Ce deffaut donc est un de ceux qui ont fait tomber
Epicure dans la haine publique, et qui ont poussé
presque tous les hommes à l'effacer du nombre des
philosophes. On l'a condamné sans le connoistre, et
on l'a banny sans l'écouter. On n'a pas voulu s'éclair-
cir de son bon droit, et on a, ce semble, craint qu'il
ne s'en justifiast.

Mais, à mon avis, le premier et le plus raisonnable
sujet qu'ont eu les hommes de mépriser sa doctrine,
ç'a esté la vie de quelques vicieux qui, ayant abusé
du nom de ce philosophe, ont corrompu la réputation
de sa secte.

On agiroit très déraisonnablement avec Epicure, et
ses affaires seroient en fort mauvais estat, si quelques-uns n'avoient pris le soin de les reconnoistre et
ne s'estoient séparez de cette multitude, qui a tousjours esté ennemie des sages, qui sur l'opinion d'autruy condamna Socrate, quoyque les dieux l'eussent
approuvé. Il s'est donc trouvé des gens qui se sont
informez de la vie de ce sage, et qui, sans s'arrester
à la croyance du vulgaire ny à l'escorce des choses,
ont voulu pénétrer plus avant et ont, en suite de leur

recherche, rendu des témoignages de sa probité et de la sainteté de sa doctrine.

Ils ont publié, l'ayant connu, que sa volupté estoit aussi sévère que la vertu des Stoïciens, qu'encore que le tiltre en fust délicat, les enseignements en estoient difficiles et que pour estre desbauché comme Epicure, il falloit estre aussi sobre que Zénon (1)...

Au contraire, comme si cet excellent homme avoit appréhendé que le tiltre qu'il donna à sa discipline ne servist aux mauvaises inclinations de plusieurs, et que les hommes ensuite ne calomniassent sa volupté; comme s'il avoit préveu l'injuste aversion des siècles suivants et la mauvaise vie de ceux qui abuseroient de sa doctrine, il a eu le soin luy-mesme d'en faire l'apologie. Il a expliqué combien elle estoit sobre et sèche, et banny du jardin où il philosophoit avec ses amis ceux qui, abusans du nom de la volupté, en seroient les corrupteurs et considéreroient leurs vices comme le souverain bien de l'homme et la tranquillité de la vie.

....

Vivre selon la nature et ne sentir aucune douleur, c'est ce qu'Epicure appelle vivre voluptueusement (2).

Il me semble qu'en cela il n'y a rien à condamner, qu'une semblable vie n'a point besoin de censeurs, et que la sévérité de toutes les républiques ne l'a jamais désapprouvé. Suivre la nature, c'est suivre la raison ; les bornes qu'elles nous a prescrites sont celles de l'innocence (3), il n'y a rien en elle que d'équitable et d'égal. Ce n'est point d'elle que l'avarice est venüe ; elle avoit caché l'or dans les entrailles de l'élément le plus vil : nous l'y avons esté arracher. Elle n'a point esté cause de l'ambition qui nous tourmente ; elle nous met au monde et nous en oste avec égalité. Nous ne différons les uns des autres qu'autant que nous la corrompons. Nous regardons en mesme temps la liberté et le soleil. La servitude a esté introduite par la violence, et les premiers roys ont esté tirans.

Epicure nous enseigne, non à nous abstenir. mais à ne pas être esclaves des biens, des honneurs, des plaisirs.

Ne fuyons donc point le monde, ne fuyons point la cour ; ne nous cachons point au désert, d'où la philosophie retira les premiers hommes. Possédons les richesses ; ne refusons pas d'entrer dans les charges publiques. Si nous sommes sages, nous joüyrons de ces choses sans aucun danger, nous naviguerons heureusement parmy ces écueils, nous regarderons tout cela avec un visage indifférent ; et si l'on nous l'oste, nous témoignerons, en n'y rejettant pas les yeux, que nous les méprisons et que nous n'y étions pas attachez. C'est honte au sage de fuir et d'estre plus foible que des désirs qui, n'estant pas selon la nature, n'ont aucun crédit que celui que l'opinion des hommes leur acquiert.

Voilà quelle est en partie la volupté des Epicuriens. voilà ce qu'ils appellent vivre selon la nature, voilà leur doctrine et leurs sentiments. Voyez maintenant si cette opinion mérite la haine des hommes, et si on a sujet de la mépriser. Voyez si cette volupté donne les mains aux débauches et aux excez, et s'il y a rien de plus sobre et de plus chaste qu'elle est. Demandez-vous à Epicure ce que c'est que vivre voluptueusement ? Il vous répondra *que c'est n'avoir point d'attachement pour les choses du monde, que c'est résister aux mauvais désirs, que c'est mépriser les honneurs, que c'est se rendre maistre de la fortune, que c'est, en un mot, posséder absolument la paix et le repos de l'esprit.* C'est là que tendent tous ses préceptes, c'est là que l'on rencontre la volupté, et c'est là, en effet, que nous la devons chercher, non pas dans la satisfaction des sens, ni dans l'émotion

des appétits. Elle est trop pure pour dépendre du
corps, elle dépend de la partie intellectuelle. La raison
en est la maistresse. Elle en est la règle, les sens n'en
sont que les ministres. Et partant, quelques délices
que nous espérions dans la bonne chère, dans les
plaisirs de la veüe, dans les parfums et dans la musique, si nous n'approchons de ces choses avec une
âme tranquille, nous serons trompez. Nous nous abu-
serons d'une fausse joye, et nous prendrons l'ombre
du plaisir pour son véritable corps. Brûlons, si vous
voulez, tout le bois de l'Arabie heureuse, enfermons-
nous avec Vénus, vivons de nectar et d'ambroisie,
joüissons de la volupté que les poëtes ont imaginée :
tout cela aura de l'amertume pour nous si nous sommes en inquiétude, et nostre chagrin nous forcera de
nous plaindre au milieu de ces douceurs.

Sarasin prend pour exemple d'une fausse volupté la
   fête que Tigellin donna à Néron. La volupté véri-
   table n'est pas dans les excès.

Mais d'autant qu'il est impossible que l'esprit, qui
est l'arbitre de la volupté, la puisse goûter parfaite
si le corps, qui en est le ministre, endure quelque
tourment, Epicure, ou plûtost la vérité, enseigne que
la privation des douleurs du corps, aussi bien que
celle des douleurs de l'âme, est nécessaire pour la
consommation de ce souverain bien que la volupté
des sages produit. Et, à dire le vray, la liaison de
l'esprit et de la chair est si étroite qu'il est bien
difficile de séparer leurs plaisirs et leurs souffrances.

La mort d'Hercule et ses cris de douleur sont la
   meilleure preuve que l'insensibilité des Stoïciens
   est chimérique.

Et certainement bien loin de croire que la félicité
de la vie peust compatir avec la douleur, j'estimerois
que ce seroit l'action d'un homme sage de sortir de

la vie s'il ne pouvoit la séparer de la douleur. Et
parce que la mémoire de Maecène m'est en vénération, et qu'il me semble qu'on n'en doit jamais
parler qu'on ne l'honore, je voudrois, s'il étoit possible, qu'on eust effacé les vers qui nous restent de
luy, et qu'il ne nous eust point appris qu'il étoit plus
attaché à la vie que ne doit estre, je ne dis pas un
philosophe, mais seulement un homme de cœur.

L'école d'Epicure a formé des âmes héroïques. La
mort de Pétrone prouve qu'il était de ce nombre.

Ce fameux Epicurien, bien loin de ressembler à
ces débauchez et à ces yvrognes, qui d'ordinaire man-
gent tout leur bien, faisoit profession d'un luxe poly
et n'avoit que des voluptez étudiées. Et comme l'industrie (4) et le travail donnoient de la réputation au
reste des hommes, il estoit le seul qui en avoit acquis
par son honneste oisiveté. Ses paroles et ses actions
estoient fort libres et fort négligées ; et d'autant
qu'elles monstroient la bonté et la candeur de son
âme, et qu'elles paroissoient sous une apparence de
simplicité, d'autant les recevoit-on avec plus de satisfaction et de plaisir. Cet excellent homme, néantmoins, sçachant bien qu'il est des temps où le sage
doit quitter le repos et la tranquillité de la vie pour
servir à la République, abandonna cette heureuse
façon de vivre lorsqu'il fut éleu proconsul de la
Bithynie, et consul ensuitte. Et s'acquittant dignement de ses illustres emplois, il montra par sa
vigueur et par sa conduite qu'il n'y avoit point d'affaire, si grande qu'elle pût estre, qui fust au-dessus
de luy. Au sortir de ces charges, il rentra dans son
ordinaire façon de vivre ; et puis, estant devenu des
plus grands amis de Néron, quoyque ce prince n'eust
que de mauvaises inclinations, il fut néantmoins si
fort enchanté de son mérite qu'il le fit l'arbitre de
tous ses plaisirs et crut que, parmy l'affluance de ces
voluptez, il n'en estoit point qu'on deust estimer

douces et plaisantes, sinon celles que Pétrone auroit
approuvées. Je veux parler des plaisirs honnestes,
puisque bien loin de participer aux sales débauches
de Néron, ce prince s'étonna comme elles pouvoient
estre venües à la connoissance de Pétrone, qui les luy
reprocha par ses codicilles, et fit punir Silia, parce
qu'il pensoit qu'elle les avoit révélées.

Dès lors Tigellin le regarda comme son compé-
titeur... Il accusa Pétrone d'avoir esté des amis de
Scevinus, qui avoit esté de la conjuration de Pison.
Il corrompit un de ses esclaves pour déposer contre
lui. Il lui osta le moyen de se deffendre, et fit enchais-
ner dans la prison la plus grande partie de ses domestiques. En cet état, un homme moins généreux, ou
se seroit flatté de l'attente de sa grâce, ou auroit pro-
longé sa vie jusques à la dernière extrémité. Pour
luy, il fut d'une contraire opinion. Il crut qu'il y avoit
de la faiblesse et de la honte à supporter davantage
les longueurs de la crainte ou de l'espérance ; et
s'étant résolu de mourir, il chercha de le faire avec
la mesme tranquillité avec laquelle il avoit vécu.
Ainsi, ne voulant point quitter la vie avec précipitation, il se fit ouvrir les veines, et, les faisant bander
ensuitte et puis derechef ostant les compresses, selon
qu'il luy en prenoit envie, il entretenoit ses amis de
choses agréables, sans affecter de leur faire des discours sérieux où il eust pu prétendre à la gloire de
la constance. Il ne voulut point employer les dernières heures de sa vie à parler de l'immortalité de
l'âme ny des opinions des philosophes ; mais ayant
choisi une sorte de mort plus voluptueuse et plus
naturelle, il aima mieux imiter la douceur des cygnes,
et se fit réciter des vers faciles et des mélanges de
poésie. Il se réserva néantmoins quelques moments
pour disposer de ses affaires. Il récompensa beaucoup
de ses esclaves, il en punit quelques-uns. Et voyant
que le temps de sortir de la vie approchoit, après
avoir pris un peu d'exercice, il s'endormit tranquillement afin que sa mort, qui étoit contrainte, semblast
néantmoins fortuite et naturelle. Qu'on aille main-

tenant parler de Socrate, qu'on vante la constance
avec laquelle il beut le poison. Pétrone ne luy cède
point, et même peut prétendre l'avantage d'avoir
abandonné une vie infiniment plus délicieuse que celle
du sage Grec, avec la mesme tranquillité d'esprit et
la mesme égalité de visage.

Sarasin s'attache ensuite à démontrer que la volupté
est le souverain bien, qu'il ne peut y en avoir d'au-
tre, qu'ainsi le veulent la nature et la raison.

Maintenant il est temps d'employer toutes nos
forces pour une entreprise qui en a besoin. C'est à
cette heure qu'il faut combattre généreusement, afin
d'acquérir une victoire illustre. Il ne s'agit plus de
deffendre la volupté, ny de la considérer comme le
souverain bien de la vie. Il faut l'élever sur le throsne
de la vertu qui luy dispute ce tiltre, et, quoyque nous
n'en chassions pas cette vertu de laquelle nous faisons profession, il faut néantmoins la contraindre d'y
céder la première place à la volupté.

Et certes, comme tous les philosophes demeurent
d'accord que la dernière fin que l'homme se doit
proposer en ce monde est la vie tranquille et agréable, beaucoup d'entre eux se trompent de mettre
cette vie dans la vertu et non pas dans la volupté,
et de s'attacher seulement à la splendeur d'un nom
qui leur impose, sans considérer une opinion à
laquelle la nature mesme les force de consentir. Et
de vray, s'ils la veulent consulter et la croire, ils
avoüeront après que ces vertus, qu'ils appellent
magnifiques et précieuses, ne leur semblent estimables
qu'en tant qu'elles contribuent beaucoup à la volupté,
et que, par conséquent, n'estant pas considérées par
elles-mesmes, ils ne les doivent pas aussi préférer à
une chose de laquelle elles reçoivent tout leur prix
et toute leur réputation. Car de la mesme sorte que
nous approuvons la médecine, non pas à cause de
l'art, mais à cause de la santé, et que la science des

pilotes ne mérite d'estre louée que pour l'utilité de
la navigation, de la mesme sorte nous ne souhai-
terions point la sagesse, que nous pouvons appeler
l'art de la vie, si elle nous estoit inutile et qu'elle
ne servist point à nous acquérir la possession de la
volupté.

*Sarasin passe alors en revue les quatre vertus mora-
les, la sagesse, la tempérance, la force, et enfin la
justice, dans leurs rapports avec la volupté.*

La raison donc invite les hommes qui ont le jugement sain à conserver la justice que les loix ont
établie, l'équité qui prend son origine de la nature,
et la foy qui se peut appeler le nœud de la société
civile. Et cette mesme raison fait voir que les actions
injustes ne doivent jamais estre entreprises, ny par
les faibles, qui les tenteroient sans succez, ny par les
puissans, qui, les ayant achevées, n'y rencontreroient
pas ce repos ny cet accomplissement de leurs désirs.
Et enfin elle nous force d'avoüer que la justice n'est
pas souhaitable par elle-mesme, mais parce qu'elle
nous procure beaucoup de contentement, parce
qu'elle nous fait aimer et chérir, qui sont deux choses
délicieuses, et qu'enfin par ces deux moyens elle rend
nostre vie plus assurée et nostre volupté plus accom-
plie.

★

Que si la loüange des vertus mesme, en laquelle
principalement les autres philosophes emploient leurs
discours les plus magnifiques, ne peut trouver aucune
issue que celle qui mène à la volupté, et si cette
volupté, qui est la fin de toutes les vertus, est la
seule qui nous appelle à soy et nous attire par sa
propre nature, il faut conclure hardiment qu'elle est
le souverain bien et le plus parfait de tous les biens
de la vie, et ne plus douter que la vie heureuse ne
soit celle qu'Epicure nous a enseignée.

O volupté sainte et sévère ! O admirable philosophie ! Quel malheur vous a pu décrier parmy les hommes ? Qui vous a fait haïr à beaucoup de vertueux qui ne vous reconnoissoient pas ? Qui les a empeschés de voir, au travers du voile, que leurs vertus vous estoient assujetties et qu'ils vous disoient des injures lorsque vous faisiez leur félicité ? Mais heureux les hommes qui ont esté de la secte du sage qui vous a suivie, heureux ceux qui l'ont imité, heureux même ceux qui estans nez en un siècle où plusieurs croyent que le vice et la volupté d'Epicure ne sont qu'une mesme chose, ont eu assez de lumière pour découvrir le contraire, et au moins assez de force pour la deffendre, s'ils n'ont eu assez de courage pour la pratiquer !

NOTES

(1) *Montaigne*, Essais, *II, 1.*
(2) *Sénèque*, De vita beata. *XIII*.
(3) Ib.. *XIV*.
(4) Industrie, *activité*.

SAINT-EVREMOND

Parce qu'il fut surtout célèbre dans les dernières années de sa vie, après 1670, Saint-Evremond est habituellement rangé parmi les figures les plus notables du libertinage à la fin du XVIIᵉ siècle. Sa pensée s'est en réalité formée beaucoup plus tôt, à l'époque d'Anne d'Autriche et du cardinal Mazarin.

Le jeune officier alliait, comme Cyrano, le goût de la vie militaire et celui des études philosophiques. Comme Cyrano, il fut marqué par la pensée de Gassendi. Il eut même avec le théologal de Digne de longs entretiens. Gassendi lui apprit une méthode de pensée, et le convertit à la philosophie d'Epicure.

Mais Saint-Evremond fréquentait, dans les états-majors, des hommes qui continuaient la tradition du libertinage, tel que nous l'avons observé chez Blot par exemple. Il est vrai que, pour sa part, il n'a rien écrit qui ressemble à un blasphème. Mais la Conversation du maréchal d'Hocquincourt avec le Père Canaye permet d'imaginer jusqu'où il était capable de pousser l'irrévérence pour les valeurs établies.

Il aimait son temps, cette époque de la seconde Régence, tumultueuse, mais où régnaient la liberté, l'élégance, toutes les formes de raffinement. L'épicurisme s'incarna pour lui dans la figure de Pétrone. Il aima celui-ci pour son sens du luxe « ingénieux et délicat ».

Il enseigna donc que la volupté « est la véritable fin où toutes nos actions se rapportent ». Mais il entendit cette maxime autrement que ne faisaient Gassendi et même Sarasin. La volupté ne fut pas seulement pour lui « *l'indolence* », *c'est-à-dire l'absence de douleur. Elle exigea le plaisir.*

Mais ce plaisir n'était pas la grossière débauche. Comme les « généreux » de Sorel, Saint-Evremond voulait des délicatesses, des raffinements. L'amitié même entrait dans son idée de la volupté. « J'ai toujours, a-t-il écrit, admiré la morale d'Epicure, et je n'estime rien tant dans sa morale que la préférence qu'il donne à l'Amitié sur toutes les autres vertus. »

On a reproduit dans cette anthologie la Conversation *du maréchal d'Hocquincourt avec le Père Canaye. Ecrite en 1654, elle annonce, cent ans d'avance, le* Voltaire *de* Candide. *Elle ne serait pas indigne de lui. Saint-Evremond y raille ce qu'a de conventionnel la manière de raisonner des esprits religieux, les habitudes de penser et jusqu'aux tics de conversation des dévots. La* Conversation *ne contient pas un mot qui touche à la vérité de la religion. Mais le lecteur doit raisonnablement penser qu'il n'est pas possible d'être honnête homme et dévot.*

On trouvera aussi, dans les pages qui suivent, deux morceaux que Saint-Evremond a consacrés à Pétrone. Le premier a été vraisemblablement écrit en 1653. Le second est de date inconnue, mais antérieur à 1664. Ils ont été écrits avec des intentions différentes, mais qui n'entrent pas dans notre propos. Ce que nous en retiendrons, c'est que les esprits gagnés à l'épicurisme et qui avaient lu le Discours *de Sarasin continuaient à s'intéresser à la figure de Pétrone. La nouvelle génération, celle de Saint-Evremond, voyait en Pétrone l'image parfaite de l'honnête homme, voluptueux et raffiné, élégant et spirituel, soucieux de rester libre, même en face de soi-même et de son propre plaisir.*

Plus tard, Saint-Evremond est revenu sur la question de l'épicurisme. Ninon de Lenclos lui avait demandé s'il était l'auteur du Discours sur Epicure. *Il lui répondit par une longue lettre. Il avait soin d'y marquer son désaccord avec un traité qui pour défendre la réputation d'Epicure, tirait trop sa morale dans le sens de l'austérité. Le véritable Epicure était à ses yeux un homme capable tour à tour de chercher la volupté dans « l'indolence » et de la prendre dans les plaisirs sensuels, aussi bien que dans les satisfactions de l'esprit. Un sage, indulgent aux mouvements de la nature, et soucieux seulement de ne pas compromettre les joies à venir par l'excès imprudent des plaisirs.*

Faut-il avouer qu'avec tout cela nous ne connaissons pas encore le vrai Saint-Evremond ? C'est pour cette raison qu'on a joint à ces textes la lettre Sur les plaisirs *qu'il adressa au comte d'Olonne en 1657. Il y révèle le fond de son âme. Elle était triste. Lorsqu'il méditait sur notre condition, il éprouvait des sentiments funestes. Il sentait vivement le besoin, pour l'homme, de détourner son regard et de chercher le divertissement. Cette idée que Pascal, vers la même date, a développé de façon bouleversante dans une page célèbre, Saint-Evremond l'expose avec une sérénité qui ne doit pas tromper. Et certes les conséquences qu'il tire de cette vérité ne sont pas celles de Pascal. Il ne nous invite pas au désespoir, un désespoir dont la foi serait l'unique remède. Il nous enseigne à mettre dans notre vie, avec courage et lucidité, l'équilibre, la sérénité, la joie. A le lire, on pense à Giraudoux et à certaines de ses plus belles pages.*

Le libertin Saint-Evremond a peu parlé de religion. Il l'a toujours fait avec un souci évident de ne heurter aucune conscience. Les circonstances de sa mort prouvent pourtant qu'il était très ferme à refuser les rites des confessions religieuses. Mais dans la dernière période de sa vie, il crut à une religion d'amour, étrangère aux diverses orthodoxies, et qui eût rappelé aux hommes que Dieu est leur père. Des diverses formes de religion, le christianisme lui semblait sans doute la meilleure. C'est pourquoi on trouvera dans les pages qui suivent une courte poésie où cette idée se trouve développée.

BIBLIOGRAPHIE. — M. René Ternois a commencé de publier dans la collection des *Textes français modernes*, les *Œuvres en prose* de Saint-Evremond. Par la pureté du texte et la richesse des commentaires, cette édition promet de renouveler notre connaissance de l'écrivain. Le premier volume a paru en 1962.

CONVERSATION
DU MARECHAL D'HOCQUINCOURT
AVEC LE PERE CANAYE (1)

Comme je dînois un jour chés Monsieur le Maréchal d'Hocquincourt, le Père Canaye qui y dînoit aussi, fit tomber la conversation insensiblement sur la soumission d'esprit que la religion exige de nous, et après nous avoir conté plusieurs miracles nouveaux et quelques révélations modernes, il conclut qu'il falloit éviter plus que la peste ces Esprits-forts, qui veulent examiner toutes choses par la raison.

— A qui parlez-vous des Esprits-forts, et qui les a connus mieux que moi? Bardouville et Saint-Ibal (2) ont été les meilleurs de mes amis. Ce furent eux qui m'engagèrent dans le parti de Monsieur le Comte contre le cardinal de Richelieu. Si j'ai connu les Esprits-forts ? Je ferois un livre de tout ce qu'ils ont dit. Bardouville mort et Saint-Ibal retiré en Hollande, je fis amitié avec la Frette et Sauvebœuf (3). Ce n'étoient pas des esprits, mais de braves gens. La Frette étoit un brave homme, et fort mon ami. Je pense avoir assez témoigné que j'étois le sien dans la maladie dont il mourut. Je le voyois mourir d'une petite fièvre, comme auroit pu faire une femme, et j'enrageois de voir la Frette, ce la Frette qui s'étoit battu contre Bouteville, s'éteindre ni plus ni moins qu'une chandelle. Nous étions en peine, Sauvebœuf et moi, de sauver l'honneur à notre ami ; ce qui me fit prendre la résolution de le tuer d'un coup de pistolet, pour le faire périr en homme de cœur. Je lui appuyois le pistolet à la tête, quand un b... de Jésuite, qui étoit dans la chambre, me poussa le bras et détourna le coup. Cela me mit en si grande colère contre lui que je me fis janséniste. »

« Remarquez-vous, Monseigneur, dit le Père Canaye, remarquez-vous comme Satan est toujours aux aguets : *circuit quaerens quem devoret*. Vous concevez un petit dépit contre nos Pères : il se sert de l'occasion pour vous surprendre, pour vous dévorer. Pis que dévorer. Pour vous faire janséniste. *Vigilate, vigilate.* On ne sauroit être trop sur ses gardes contre l'Ennemi du genre humain. »

« Le Père a raison, dit le Maréchal. J'ai ouï dire que le diable ne dort jamais. Il faut faire bonne garde. Bonne garde, bon pied, bon œil. Mais quittons le diable, et parlons de mes amitiés. J'ai aimé la guerre devant toutes choses, Madame de Montbazon (4) après la guerre, et, tel que vous me voyez, la philosophie après Madame de Montbazon. »

« Vous avez raison, reprit le Père, d'aimer la guerre, Monseigneur. La guerre vous aime bien aussi. Elle vous a comblé d'honneur. Savez-vous que je suis homme de guerre aussi, moi ? Le roi m'a donné la direction de l'hôpital de son armée de Flandre.° N'est-ce pas être homme de guerre? Qui eût jamais cru que le Père Canaye eût dû devenir soldat? Je le suis, Monseigneur, et ne rens pas moins de service à Dieu dans le camp que je lui en rendrois au collège de Clermont. Vous pouvez donc aimer la guerre innocemment. Aller à la guerre est servir son Prince, et servir son Prince est servir Dieu. Mais pour ce qui regarde Madame de Montbazon, si vous l'avez convoitée, vous me permettrez de vous dire que vos désirs étoient criminels. Vous ne la convoitiez pas, Monseigneur, vous l'aimiez d'une Amitié innocente. »

« Quoi, mon Père, vous voudriez que j'aimasse comme un sot ? Le maréchal d'Hocquincourt n'a pas appris dans les ruelles à ne faire que soupirer (5). Je voulois, mon Père, je voulois... Vous m'entendez bien. »

« *Je voulois !* Quels *je voulois !* En vérité, Monseigneur, vous raillez de bonne grâce. Nos Pères de Saint-Louis seroient bien étonnés de ces *Je voulois.* Quand on a été longtems dans les armées, on a appris à tout écouter. Passons, passons. Vous dites cela, Monseigneur, pour vous divertir. »

« Il n'y a point là de divertissement, mon Père. Savez-vous à quel point je l'aimois ? »

« *Usque ad aras* (6), Monseigneur. »

« Point d'*aras*, mon Père ! Voyez-vous, dit le maréchal en prenant un couteau dont il serroit le manche, voyez-vous ; si elle m'avoit commandé de vous tuer, je vous aurois enfoncé le couteau dans le cœur. »

Le Père, surpris de ce discours, et plus effrayé du transport, eut recours à l'oraison mentale, et pria Dieu secrettement qu'il le délivrât du danger où il se trouvoit. Mais ne se fiant pas tout à fait à la prière, il s'éloignoit insensiblement du maréchal par un mouvement de fesse imperceptible. Le maréchal le suivoit par un autre tout semblable, et à lui voir le couteau toujours levé, on eût dit qu'il alloit mettre son ordre en exécution.

La malignité de la nature me fit prendre plaisir quelque tems aux frayeurs de la Révérence : mais craignant à la fin que le maréchal, dans son transport, ne rendît funeste ce qui n'avoit été que plaisant, je le fis souvenir que Madame de Montbazon étoit morte, et lui dis qu'heureusement le Père Canaye n'avoit rien à craindre d'une personne qui n'estoit plus (7).

« Dieu fait tout pour le mieux, reprit le maréchal. La plus belle du monde commençoit à me lanterner lorsqu'elle mourut. Il y avoit toujours auprès d'elle un certain abbé de Rancé, un petit Janséniste, qui lui parloit de la grâce devant le monde, et l'entretenoit de tout autre chose en particulier. Cela me fit quitter le parti des Jansénistes. Auparavant je ne perdois point un sermon du Père Desmares (8), et je

ne jurois que par Messieurs de Port-Royal. J'ai toujours été à confesse aux Jésuites depuis ce tems-là.
Et si mon fils a jamais des enfans, je veux qu'ils
étudient au collège de Clermont, sur peine d'être déshérités. »

« Oh ! que les voyes de Dieu sont admirables !
s'écria le Père Canaye. Que le secret de sa justice
est profond ! Un petit coquet de janséniste poursuit
une Dame, à qui Monseigneur vouloit du bien. Le
Seigneur miséricordieux se sert de la jalousie pour
mettre la conscience de Monseigneur entre mes mains.
Mirabilia judicia tua, Domine ! »

Après que le bon Père eut fini ses pieuses réflexions,
je crus qu'il m'étoit permis d'entrer en discours, et
je demanday à Monsieur le Maréchal si l'amour de la
philosophie n'avoit pas succédé à la passion qu'il
avoit euë pour Madame de Montbazon.

« Je ne l'ai que trop aimée, la philosophie, dit le
maréchal, je ne l'ai que trop aimée. Mais j'en suis
revenu, et je n'y retourne pas. Un diable de philosophe m'avoit tellement embrouillé la cervelle de
premiers parens, de *pomme*, de *serpent*, de *paradis
terrestre* et de *chérubins*, que j'étois sur le point de
ne rien croire. Le diable m'emporte si je croyois rien.
Depuis ce tems-là, je me ferois crucifier pour la
religion. Ce n'est pas que j'y voye plus de raison. Au
contraire, moins que jamais. Mais je ne saurois que
vous dire, je me ferois crucifier sans savoir pourquoi.

« Tant mieux, Monseigneur, reprit le Père d'un ton
de nez fort dévot, tant mieux ! Ce ne sont point mouvemens humains, cela vient de Dieu. *Point de raison !*
c'est la vraye religion, cela. *Point de raison !* Que
Dieu vous a fait, Monseigneur, une belle grâce !
Estote sicut infantes. Soyez comme des enfans. Les
enfans ont encore leur innocence. Et pourquoi ? parce
qu'ils n'ont point de raison. *Beati pauperes spiritu.*
Bienheureux les pauvres d'esprit, ils ne pèchent
point.. La raison ? c'est qu'ils n'ont point de raison.
*Point de raison ! Je ne saurois que vous dire. Je ne
sais pourquoi !* Les beaux mots ! Ils devraient être

écrits en lettres d'or. *Ce n'est pas que j'y voye plus
de raison, au contraire, moins que jamais.* En vérité,
cela est divin pour ceux qui ont le goût des choses
du Ciel. *Point de raison !* Que Dieu vous a fait, Monseigneur, une belle grâce. »

Le Père eût poussé plus loin la sainte haine qu'il
avoit contre la raison. Mais on apporta des lettres
de la Cour à Monsieur le Maréchal, ce qui rompit un
si pieux entretien. Le maréchal les lut tout bas, et
après les avoir luës, il voulut bien dire à la compagnie ce qu'elles contenoient. « Si je voulois faire
le politique comme les autres, je me retirerois dans
mon cabinet pour lire les dépêches de la Cour. Mais
j'agis et je parle toujours à cœur ouvert. Monsieur
le cardinal me mande que Stenay est pris (9), que la
Cour sera icy dans huit jours, et qu'on me donne
le commandement de l'armée qui a fait le siège pour
aller secourir Arras avec Turenne et La Ferté. Je me
souviens bien que Turenne me laissa battre par Monsieur le Prince lorsque la Cour étoit à Gien (10). Peut-
être que je trouverai l'occasion de lui rendre la
pareille. Si Arras était sauvé, et Turenne battu, je
serois content. J'y ferai ce que je pourrai. Je n'en
dis pas davantage. »

Il nous eût conté toutes les particularités de son
combat et le sujet de plainte qu'il pensoit avoir contre
Monsieur de Turenne, mais on nous avertit que le
convoi étoit déjà assez loin de la ville. Ce qui nous
fit prendre congé plus tôt que nous n'aurions fait.

Le Père Canaye, qui se trouvoit sans monture, en
demanda une qui le pût porter au camp. « Et quel
cheval voulez-vous, mon Père ? » dit le maréchal.

« Je vous répondrai, Monseigneur, ce que répondit
le bon Père Suarez au duc de Medina Sidonia dans
une pareille rencontre : *Qualem me decet esse, mansuetum.* Tel qu'il faut que je sois, doux, paisible. »

« *Qualem me decet esse, mansuetum !* J'entens un
peu le latin, dit le maréchal. *Mansuetum* seroit meilleur pour des brebis que pour des chevaux. Qu'on

donne mon cheval au Père. J'aime son Ordre, je suis
son ami, qu'on lui donne mon bon cheval. »

J'allai dépêcher mes petites affaires, et ne demeurai
pas longtems sans rejoindre le convoi. Nous pas-
sâmes heureusement, mais ce ne fut pas sans fatigue
pour le pauvre Père Canaye. Je le rencontrai dans la
marche sur le bon cheval de Monsieur d'Hocquincourt.
C'étoit un cheval entier, ardent, inquiet, toûjours
en action. Il mâchoit éternellement son mords, alloit
toûjours de côté, hennissoit de moment en moment.
Et ce qui choquoit fort la modestie du Père, il prenoit indécemment tous les chevaux qui approchoient
de lui pour des cavales. « Et que vois-je, mon Père ?
lui dis-je en l'abordant. Quel cheval vous a-t-on donné
là ? Où est la monture du bon Père Suarez que vous
avez tant demandée ? — Ah ! Monsieur, je n'en puis
plus, je suis roüé... » Il alloit continuer ses plaintes
lorsqu'il part un lièvre. Cent cavaliers se débandent
pour courir après, et on entend plus de coups de
pistolet qu'à une escarmouche. Le cheval du Père,
accoutumé au feu sous le maréchal, emporte son
homme, et lui fait passer en moins de rien tous ces
débandés. C'étoit une chose plaisante de voir le
Jésuite à la tête de tous malgré lui. Heureusement le
lièvre fut tué, et je trouvai le Père au milieu de
trente cavaliers, qui lui donnoient l'honneur d'une
chasse qu'on eût pu nommer une occasion. Le Père
recevoit la louange avec une modestie apparente, mais
en son âme il méprisoit fort le *mansuetum* du bon
Père Suarez, et se savoit le meilleur gré du monde
des merveilles qu'il pensoit avoir faites sur le barbe
de Monsieur le Maréchal.

Il ne fut pas longtems sans se souvenir du beau
dit de Salomon : *Vanitas vanitatum, et omnia vanitas.*
A mesure qu'il se refroidissoit, il sentoit un mal que
la chaleur lui avoit rendu insensible, et la fausse
gloire cédant à de véritables douleurs, il regrettoit
le repos de la Société et la douceur de la vie paisible
qu'il avoit quittée. Mais toutes ses réflexions ne ser-
voient de rien. Il falloit aller au camp, et il étoit si

fatigué du cheval que je le vis tout prêt d'abandonner Bucéphale pour marcher à pied à la tête des fantassins.

Je le consolai de sa première peine, et l'exemptai de la seconde, en lui donnant la monture la plus douce qu'il auroit pu souhaiter. Il me remercia mille fois, et fut si sensible à ma courtoisie qu'oubliant tous les égards de sa profession, il me parla moins en Jésuite réservé qu'en homme libre et sincère. Je lui demandai quel sentiment il avoit de Monsieur d'Hocquincourt. « C'est un bon seigneur, me dit-il, c'est une bonne âme. Il a quitté les Jansénistes. Nos Pères lui sont fort obligés. Mais pour mon particulier je ne me retrouverai jamais à table auprès de lui, et ne lui emprunterai jamais de cheval. »

Content de cette première franchise, je voulus m'en attirer encore une autre. « D'où vient, continuai-je, la grande animosité qu'on voit entre les Jansénistes et vos Pères ? Vient-elle de la diversité des sentiments sur la grâce ? »

« Quelle folie ! quelle folie, me dit-il, de croire que nous nous haïssons pour ne penser pas la même chose sur la grâce ! Ce n'est ni la grâce, ni les Cinq Propositions qui nous ont mis mal ensemble. La jalousie de gouverner les consciences a tout fait. Les Jansénistes nous ont trouvés en possession du gouvernement, et ils ont voulu nous en tirer. Pour parvenir à leurs fins, ils se sont servis de moyens tout contraires aux nôtres. Nous employons la douceur et l'indulgence ; ils affectent l'austérité et la rigueur. Nous consolons les âmes par des exemples de la miséricorde de Dieu ; ils les effrayent par ceux de sa justice. Ils portent la crainte où nous portons l'espérance, et veulent s'assujettir ceux que nous voulons nous attirer. Ce n'est pas que les uns et les autres n'ayent dessein de sauver les hommes ; mais chacun se veut donner du crédit en les sauvant ; et à vous parler franchement, l'intérêt du directeur va presque toujours devant le salut de celui qui est sous sa direction. Je vous parle tout autrement que

je ne parlois à Monsieur le maréchal. J'étois purement Jésuite avec luy, et j'ay la franchise d'un
homme de guerre avec vous. »

Je le louai fort du nouvel esprit que sa dernière
profession lui avoit fait prendre, et il me sembloit
que la loüange lui plaisoit assez. Je l'eusse continuée
plus longtems ; mais comme la nuit approchoit, il
fallut nous séparer l'un de l'autre, le Père aussi
content de mon procédé que j'étois satisfait de sa
confidence.

DE PETRONE (11)

I. Pour juger du mérite de Pétrone, je ne veux que
voir ce qu'en dit Tacite ; et sans mentir, il faut bien
que ç'ait été un des plus Honnestes hommes du
monde, puisqu'il a obligé un historien si sévère de
renoncer à son naturel et de s'estendre avec plaisir
sur les loüanges d'un voluptueux. Ce n'est pas qu'une
volupté si exquise n'allât autant à la délicatesse de
l'esprit qu'à celle du goust. Cet *erudito luxu*, cet
arbiter elegantiarum, est le caractère d'une politesse
ingénieuse, fort esloignée des sentimens grossiers
d'un vicieux : aussi n'estoit-il pas si possédé de ses
plaisirs qu'il fût devenu incapable des affaires ; et la
douceur de sa vie ne l'avoit pas rendu ennemi des
occupations. Il eut le mérite d'un gouverneur dans
son gouvernement de Bithinie, la vertu d'un consul
dans son consulat. Mais au lieu d'assujettir sa vie
à sa dignité, comme font la pluspart des hommes,
et de rapporter là tous ses chagrins et ses joyes,
Pétrone, d'un esprit supérieur à ses charges, les rame-
noit à soy-mesme ; et à prendre en quelque sorte
l'air de Montagne, il ne renonçoit pas à l'homme
en faveur du magistrat.

Pour sa mort, après l'avoir bien examinée, ou je
me trompe, ou c'est la plus belle de l'Antiquité.

Dans celle de Caton, je trouve de la colère et du chagrin. Le désespoir des affaires de la République, la perte de la liberté, la haine de César, aidèrent au moins sa résolution, et je ne sçay si son naturel farouche n'alla pas jusqu'à la fureur quand il deschira ses entrailles.

Socrate est mort véritablement en homme sage et avec assez d'indifférence. Cependant il cherchoit à s'asseurer de sa condition en l'autre monde. Il en raisonnoit sans cesse dans la prison avec ses amis, et pour tout dire, la mort lui fut un object considérable. Pétrone seul a fait venir la mollesse et la nonchalance dans la sienne. *Audiebatque referentes, nihil de immortalitate animae et sapientium placitis, sed levia carmina et faciles versus* (12). Il n'a pas seulement continüé ses fonctions ordinaires, donner la liberté à des esclaves, en faire chastier d'autres. Il s'est laissé aller aux choses qui le flatoient, et son âme, au poinct d'une séparation si fascheuse, étoit plus touchée de la douceur et de la facilité des vers que de tous les sentimens des philosophes.

Pétrone, à sa mort, ne nous laisse qu'une image de la vie. Nulle action, nulle parole, nulle circonstance qui marque l'embarras d'un mourant. C'est pour lui proprement que mourir est cesser de vivre, et le *vixit* des Romains justement lui appartient.

SUR PETRONE (13)

Je ne suis pas de l'opinion de ceux qui croyent que Pétrone a voulu reprendre les vices de son temps, et qu'il a composé une satyre avec le mesme esprit qu'Horace escrivoit les siennes. Je me trompe, ou les bonnes mœurs ne lui ont pas tant d'obligation. C'est plustost un courtisan délicat qui trouve le ridicule, qu'un philosophe utile au public qui s'attache à blasmer la corruption. Et pour dire vray, si

Pétrone avoit voulu nous laisser une morale ingénieuse dans la description des voluptez, il auroit tasché de nous en donner quelque dégoust. Mais c'est là que paroist le vice avec toutes les grâces de l'autheur ; c'est là qu'il fait voir avec plus de soin l'agrément et la politesse de son esprit.

Davantage, s'il avoit eu dessein de nous instruire par une voye plus fine et plus cachée que celle des préceptes, pour le moins verrions-nous quelque exemple de la justice humaine ou divine sur un de ses débauchés. Tant s'en faut, le seul homme de bien qu'il introduise, le pauvre Licas, marchand de bonne foy, craignant bien les dieux, périt malheureusement dans la tempeste, au milieu de tous ces corrompus, qui sont conservez. Encolpin et Giton s'attachent l'un avec l'autre, pour mourir plus estroitement unis ensemble, et la mort n'ose toucher à leurs plaisirs. La voluptueuse Triphina se sauve dans un esquif avec toutes ses hardes. Eumolpus est si peu esmeu du danger qu'il a le loisir de faire quelque épigramme. Licas, le misérable Licas appelle inutilement les dieux à son secours, et à la honte de leur Providence, le seul innocent paye ici pour tous les coupables. Si l'on voit quelquefois Encolpin dans les douleurs, elles ne lui viennent pas de son repentir. Il a tué son hoste, il est fugitif, il n'y a sorte d'impureté qu'il n'ait pratiqué. Grâce à la bonté de sa conscience, il vit sans remords. Ses larmes, ses regrets ont une cause bien différente. Il se plaint de l'infidélité de Giton, qui l'abandonne, et son désespoir est de se l'imaginer dans les bras d'un autre, qui se mocque de sa solitude. *Jacent nunc amatores obligati noctibus totis, et forsitan mutuis libidinibus attriti, derident solitudinem meam* (14).

Tous les crimes lui ont succédé (15) heureusement, à la réserve d'un seul qui lui a véritablement attiré une punition fâcheuse ; mais c'est un péché pour qui les loix divines et humaines n'ont point ordonné de chastiment. Il avoit mal répondu aux caresses de Circé, et à la vérité son impuissance est la seule faute qui lui a fait de la peine. Il avoüe qu'il a failli plusieurs fois, mais qu'il n'a jamais mérité la mort qu'en cette occasion. Enfin, sans m'attacher au détail de toute l'histoire, il retombe dans le même crime, et reçoit le supplice mérité avec une parfaite résignation. Alors il rentre en lui-même et connoist la colère des Dieux :

Hellespontiaci sequitur gravis ira Priapi (16).

Il se lamente du pitoyable état où il se trouve, *Funerata est pars illa corporis, qua quodam Achilles eram* (17). Et pour en recouvrer la vigueur, il se met entre les mains d'une prêtresse de Priape avec de très bons sentimens de religion, mais en effet les seuls qu'il paroisse avoir dans toutes ses avantures. Je pourrois dire encore que le bon-homme Eumolpus est couru des petits Enfans quand il récite ses vers. Mais quand il corrompt son disciple, la mère le regarde comme un philosophe, et, couchez dans une mesme chambre, le père ne s'esveille pas. Tant le ridicule est puni sévèrement chez Pétrone, et le vice heureusement protégé. Jugez par là si la vertu n'a pas besoin d'un autre orateur pour être persuadée. Je pense qu'il estoit du sentiment de Bautru : « Qu'honnête-homme et bonnes mœurs ne s'accordent pas ensemble. » *Si ergo Petronium adimus, adimus virum ingenio vere aulico, Elegantiae arbitrum, non Sapientiae* (18).

SUR LA MORALE D'EPICURE
A LA MODERNE LEONTIUM (19)

Vous voulez savoir si j'ai fait ces réflexions sur la doctrine d'Epicure, qu'on m'attribue (20). Je pourrois m'en faire honneur : mais je n'aime pas à me donner un mérite que je n'ai point ; et je vous dirai ingénûment qu'elles ne sont pas de moi. J'ai un grand désavantage en ces petits traités qu'on imprime sous mon nom. Il y en a de bien faits que je n'avoue pas, parce qu'ils ne m'appartiennent pas ; et parmi les choses que j'ai faites, on a mêlé beaucoup de sottises que je ne prends pas la peine de désavouer. A l'âge où je suis, une heure de vie bien ménagée m'est plus considérable que l'intérêt d'une médiocre réputation. Qu'on se défait de l'amour-propre difficilement ! Je le quitte comme auteur, je le reprends comme philosophe, sentant une volupté secrète à négliger ce qui fait le soin de tous les autres.

Le mot de volupté me rappelle Epicure ; et je confesse que, de toutes les opinions des philosophes touchant le souverain bien, il n'y en a point qui me paroisse si raisonnable que la sienne. Il serait inutile d'apporter ici des raisons cent fois dites par les Epicuriens ; que l'amour de la volupté et la fuite de la douleur sont les premiers et les plus naturels mouvements qu'on remarque aux hommes, que les richesses, la puissance, l'honneur, la vertu peuvent contribuer à notre bonheur ; mais que la seule jouissance du plaisir, la volupté pour tout dire, est la véritable fin où toutes nos actions se rapportent. C'est une chose assez claire d'elle-même, et j'en suis pleinement persuadé. Cependant je ne connois pas bien quelle étoit la volupté d'Epicure ; car je n'ai jamais vu de sentiments si divers que ceux qu'on a eus sur les mœurs de ce philosophe. Des philosophes, et de ses disciples même, l'ont décrié comme un sensuel et un paresseux, qui ne sortoit de son oisiveté que par la débauche. Toutes les sectes se sont opposées à la sienne. Des magistrats ont considéré sa doctrine comme pernicieuse au public. Cicéron, si juste et si sage dans ses opinions ; Plutarque, si estimé par ses jugements, ne lui ont pas été favorables ; et pour ce qui regarde les chrétiens, les Pères l'ont fait passer pour le plus dangereux de tous les impies. Voilà ses ennemis, voici ses partisans.

Métrodore, Hermachus, Ménécée, et beaucoup d'autres qui philosophoient avec lui, ont eu autant de vénération que d'amitié pour sa personne. Diogène Laerce ne pouvoit pas écrire sa vie plus avantageusement pour sa réputation. Lucrèce a été son adorateur. Sénèque, tout ennemi de la secte qu'il étoit, a parlé de lui avec éloge. Si des villes l'ont eu en horreur, d'autres lui ont érigé des statues ; et parmi les chrétiens, si les Pères l'ont décrié, M. Gassendi et M. Bernier le justifient.

Au milieu de toutes ces autorités opposées les unes aux autres, quel moyen y a-t-il de décider ? Dirai-je qu'Epicure est un corrupteur des bonnes mœurs, sur la foi d'un philosophe jaloux, ou d'un disciple mécontent, qui aura pu se laisser aller au ressentiment de quelque injure ? D'ailleurs, Epicure ayant voulu ruiner l'opinion qu'on avoit de la providence et de l'immortalité de l'âme, ne puis-je pas me persuader raisonnablement que le monde s'est soulevé contre une doctrine scandaleuse ; et que la vie du philosophe a été attaquée pour décréditer plus facilement ses opinions ?

Mais si j'ai de la peine à croire ce que ses ennemis et ses envieux en ont publié, aussi ne croirai-je pas aisément ce qu'en osent dire ses partisans. Je ne crois pas qu'il ait voulu introduire une volupté plus dure que la vertu des Stoïques. Cette jalousie d'austérité me paroît extravagante dans un philosophe voluptueux, de quelque manière qu'on tourne sa volupté. Beau secret de déclamer contre une vertu qui ôte le sentiment au Sage, pour établir une volupté qui ne lui souffre point de mouvement ! Le Sage des Stoïciens est un vertueux insensible, celui des Epicuriens un voluptueux immobile. Le premier est dans les douleurs, sans douleurs ; le second goûte la volupté sans volupté.

Quel sujet avoit un philosophe qui ne croyoit pas l'immortalité de l'âme, de mortifier ses sens ? Pourquoi mettre le divorce entre deux parties composées de même matière, qui devoient trouver leur avantage

dans leur concert et l'union de leurs plaisirs ? Je
pardonne à nos religieux la triste singularité de ne
manger que des herbes, dans la vue qu'ils ont d'acquérir par là une éternelle félicité. Mais qu'un philosophe, qui ne connoît d'autres biens que ceux de ce
monde ; que le docteur de la volupté se fasse un
ordinaire de pain et d'eau pour arriver au souverain
bonheur de la vie, c'est ce que mon peu d'intelligence ne comprend point.

Je m'étonne qu'on n'établisse pas la volupté d'un
tel Epicure dans la mort. Car à considérer la misère
de sa vie, son souverain bien devoit être à la finir.
Croyez-moi, si Horace et Pétrone se l'étoient figuré
comme on le dépeint, ils ne l'auroient pas pris pour
leur maître dans la science des plaisirs. La piété
qu'on lui donne pour les dieux n'est pas moins ridicule que la mortification de ses sens. Ces dieux
oisifs, dont il ne voyoit rien à espérer ni à craindre,
ces dieux impuissants ne méritoient pas la fatigue de
son culte. Et qu'on ne me dise point qu'il alloit au
temple de peur de mécontenter les magistrats et de
scandaliser les citoyens. Car il les eût bien moins
scandalisés pour n'assister pas aux sacrifices, qu'il
ne les choqua par des écrits qui détruisoient des
dieux établis dans le monde, ou ruinoient au moins
la confiance qu'on avoit en leur protection.

Mais quel sentiment avez-vous d'Epicure, me dira-
t-on ? Vous ne croyez ni ses amis, ni ses ennemis ;
ni ses adversaires, ni ses partisans. Quel peut être le
jugement que vous en faites ?

Je pense qu'Epicure étoit un philosophe fort sage,
qui, selon les temps et les occasions, aimoit la volupté
en repos, ou la volupté en mouvement ; et de cette
différence de volupté est venue celle de la réputation
qu'il a eue. Timocrate et ses autres ennemis l'ont
attaqué par les plaisirs sensuels : ceux qui l'ont
défendu n'ont parlé que de sa volupté spirituelle.
Quand les premiers l'ont accusé de la dépense qu'il
faisoit à ses repas, je me persuade que l'accusation
étoit bien fondée. Quand les autres ont fait valoir

ce petit morceau de fromage qu'il demandoit pour faire meilleure chère que de coutume, je crois qu'ils ne manquoient pas de raison. Lorsqu'on dit qu'il philosophoit avec Leontium, on dit vrai ; lorsqu'on soutient qu'il se divertissoit avec elle, on ne ment pas. Il y a temps de rire, et temps de pleurer, selon Salomon, temps d'être sobre, et temps d'être sensuel, selon Epicure. Outre cela, un homme voluptueux l'est-il également toute sa vie ? Dans la religion, le plus libertin devient quelquefois le plus dévot ; dans l'étude de la sagesse, le plus indulgent aux plaisirs se rend quelquefois le plus austère. Pour moi, je regarde Epicure autrement dans la jeunesse et la santé que dans la vieillesse et la maladie.

L'indolence et la tranquillité (ce bonheur des malades et des paresseux) ne pouvoit pas être mieux exprimé qu'il l'est dans ses écrits : la volupté sensuelle n'est pas moins bien expliquée dans ce passage formel qu'allègue Cicéron expressément. Je sais qu'on n'oublie rien pour le détruire, ou pour l'éluder. Mais des conjectures peuvent-elles être comparées avec le témoignage de Cicéron, qui avoit tant de connoissance des philosophes de la Grèce et de leur philosophie ? Il vaudroit mieux rejeter sur l'inconstance de la nature humaine l'inégalité de notre esprit. Où est l'homme si uniforme qui ne laisse voir de la contrariété dans ses discours et dans ses actions ? Salomon mérite le nom de sage autant qu'Epicure pour le moins, et il s'est démenti également dans ses sentiments et dans sa conduite. Montaigne, étant jeune encore, a cru qu'il falloit penser éternellement à la mort pour s'y préparer. Approchant de la vieillesse, il chante, dit-il, la palinodie, voulant qu'on se laisse conduire doucement à la nature, qui nous apprendra assez à mourir.

M. Bernier, ce grand partisan d'Epicure (20), avoue aujourd'hui qu'après avoir philosophé cinquante ans, il doute des choses qu'il avait cru les plus assurées. Tous les objets ont des faces différentes, et l'esprit, qui est dans un mouvement continuel, les envisage

différemment selon qu'il se tourne ; en sorte que
nous n'avons, pour ainsi parler, que de nouveaux
aspects, pensant avoir de nouvelles connoissances.
D'ailleurs, l'âge apporte de grands changements dans
notre humeur, et du changement de l'humeur se
forme bien souvent celui des opinions. Ajoutez que
les plaisirs des sens font mépriser quelquefois les
satisfactions de l'esprit, comme trop sèches et trop
nues ; et que les satisfactions de l'esprit délicates et
raffinées font mépriser à leur tour les voluptés des
sens, comme grossières. Ainsi l'on ne doit pas s'étonner que dans une si grande diversité de vues
et de mouvements, Epicure, qui a plus écrit qu'aucun
philosophe, ait traité différemment la même chose,
selon qu'il peut l'avoir différemment pensé ou senti.

Quel besoin y a-t-il de ce raisonnement général
pour montrer qu'il a pu être sensible à toutes sortes
de voluptés ? Qu'on le considère dans son commerce
avec les femmes, on ne croira pas qu'il ait passé
tant de temps avec Leontium et avec Temista à ne
faire que philosopher. Mais s'il a aimé la jouissance
en voluptueux, il s'est ménagé en homme sage. Indulgent aux mouvements de la nature, contraire aux
efforts ; ne prenant pas toujours la chasteté pour
une vertu, comptant toujours la luxure pour un
vice ; il vouloit que la sobriété fût une économie de
l'appétit, et que le repas qu'on faisoit ne pût jamais
nuire à celui qu'on devoit faire. *Sic praesentibus
voluptatibus utaris ut futuris non noceas* (22). Il
dégageoit les voluptés de l'inquiétude qui les précède
et du dégoût qui les suit. Comme il tomba dans les
infirmités et dans les douleurs, il mit le souverain
bien dans l'indolence : sagement, à mon avis, pour
la condition où il se trouvoit. Car la cessation de la
douleur est la félicité de ceux qui souffrent. Pour la
tranquillité de l'esprit, qui faisoit l'autre partie de
son bonheur, ce n'est qu'une simple exemption de
trouble. Mais celui qui ne peut plus avoir de mouvements agréables est heureux de pouvoir se garantir
des impressions douloureuses.

Après tant de discours, je conclus que l'indolence et la tranquillité devoient faire le souverain bien d'Epicure infirme et languissant. Pour un homme qui est en état de pouvoir goûter les plaisirs, je crois que la santé se fait sentir elle-même par quelque chose de plus vif que l'indolence ; comme une bonne disposition de l'âme veut quelque chose de plus animé qu'un état tranquille.

Nous vivons au milieu d'une infinité de biens et de maux, avec des sens capables d'être touchés des uns, et blessés des autres. Sans tant de philosophie, un peu de raison nous fera goûter les biens aussi délicieusement qu'il est possible, et nous accommoder aux maux aussi patiemment que nous le pourrons.

SUR LES PLAISIRS
A MONSIEUR LE COMTE D'OLONNE (23)

Vous me demandez ce que je fais à la campagne. Je parle à toutes sortes de gens, je pense sur toutes sortes de sujets, je ne médite sur aucun. Les vérités que je cherche n'ont pas besoin d'être approfondies ; d'ailleurs je ne veux avoir sur rien un commerce trop long et trop sérieux avec moi-même. La solitude nous imprime je ne sçay quoi de funeste, par la pensée ordinaire de notre condition, où elle nous fait tomber.

Pour vivre heureux, il faut faire peu de réflexions sur la vie, mais sortir souvent comme hors de soi, et, parmi les plaisirs que fournissent les choses étrangères, se dérober la connoissance de ses propres maux. Les divertissements ont tiré leur nom de la diversion qu'ils font faire des objets fâcheux et tristes sur les choses plaisantes et agréables. Ce qui montre assez qu'il est difficile de venir à bout de la dureté de notre condition par aucune force d'esprit, mais que par adresse on peut ingénieusement s'en détourner.

Il n'appartient qu'à Dieu de se considérer et de trouver en lui-même sa félicité et son repos. A peine saurions-nous jeter les yeux sur nous sans rencontrer mille défauts qui nous obligent à chercher ailleurs ce qui nous manque.

La gloire, les fortunes, les amours, les voluptés, bien entendues et bien ménagées, sont de grands secours contre les rigueurs de la nature, contre les misères attachées à notre vie. Aussi la sagesse nous a été donnée principalement pour ménager nos plaisirs. Toute considérable qu'est la sagesse, on la trouve d'un foible usage parmi les douleurs et dans les approches de la mort.

La philosophie de Posidonius lui fit dire, au fort de sa goutte, que la goutte n'étoit pas un mal. Mais il n'en souffroit pas moins. La sagesse de Socrate le fit raisonner beaucoup à sa mort. Mais ses raisonnements incertains ne persuadèrent ni ses amis, ni lui-même, de ce qu'il disoit.

Je connois des gens qui troublent la joie de leurs plus beaux jours par la méditation d'une mort concertée ; et, comme s'ils n'étoient pas nés pour vivre au monde, ils ne songent qu'à la manière d'en sortir. Cependant il arrive que la douleur renverse leurs belles résolutions au besoin, qu'une fièvre les jette dans l'extravagance, ou que faisant toutes choses hors de saison, ils ont des tendresses pour la lumière quand il faut se résoudre à la quitter.

> *Oculisque errantibus alto*
> *Quaesivit Coelo lucem, ingemuitque reperta* (24)

Pour moi, qui ai toujours vécu à l'aventure, il me suffira de mourir de même. Puisque la prudence a eu si peu de part aux actions de ma vie, il me fâcheroit qu'elle se mêlât d'en régler la fin.

A parler de bon sens, toutes les circonstances de la mort ne regardent que ceux qui restent. La foiblesse, la résolution, tout est égal au dernier moment et il est ridicule de penser que cela doive

être quelque chose à des gens qui vont n'être plus.
Il n'y a rien qui puisse effacer l'horreur du passage que la persuasion d'une autre vie attendue avec
confiance, dans une assiette à tout espérer et à ne
rien craindre. Du reste, il faut aller insensiblement
où tant d'honnêtes gens sont allés devant nous et
où nous serons suivis de tant d'autres.

Si je fais un long discours sur la mort, après
avoir dit que la méditation en étoit fâcheuse, c'est
qu'il est comme impossible de ne faire pas quelque
réflexion sur une chose si naturelle ; il y auroit
même de la mollesse à n'oser jamais y penser.
Mais quoi qu'on dise, je ne puis en approuver
l'étude particulière. C'est une occupation trop
contraire à l'usage de la vie. Il en est ainsi de
la tristesse et de toutes sortes de chagrins. On
ne sauroit s'en défaire absolument. D'ailleurs ils
sont quelquefois légitimes. Je trouve raisonnable
qu'on s'y laisse aller en certaines occasions. L'indifférence est honteuse en quelques disgrâces, la
douleur sied bien dans les malheurs de nos vrais
amis. Mais l'affliction doit être rare et bientôt finie,
la joie fréquente et curieusement entretenue.

On ne sauroit donc avoir trop d'adresse à ménager les plaisirs. Encore les plus entendus ont-ils
de la peine à les bien goûter. La longue préparation, en nous ôtant la surprise, nous ôte ce qu'ils
ont de plus vif. Si nous n'en avons aucun soin, nous
les prendrons mal à propos, dans un désordre ennemi
de la politesse, ennemi des goûts véritablement délicats.

Une jouissance imparfaite laisse du regret : quand
elle est trop poussée, elle apporte le dégoût. Il y a
un certain temps à prendre, une justesse à garder,
qui n'est pas connue de tout le monde. Il faut jouir
des plaisirs présents sans intéresser les voluptés
à venir.

Il ne faut pas aussi que l'imagination des biens
souhaités fasse tort à l'usage de ceux qu'on possède.
C'est ce qui obligeoit les plus honnêtes gens de

l'antiquité à faire tant de cas d'une modération,
qu'on pouvoit nommer économie dans les choses
désirées ou obtenues.

Comme vous n'exigez pas de vos amis une régu-
larité qui les contraigne, je vous dis les réflexions
que j'ai faites sans aucun ordre, selon qu'elles
viennent dans mon esprit.

La nature porte tous les hommes à rechercher
leurs plaisirs ; mais ils les recherchent différemment selon la différence des humeurs et des génies.
Les sensuels s'abandonnent grossièrement à leurs
appétits, ne se refusant rien de ce que les animaux
demandent à la nature.

Les voluptueux reçoivent une impression sur les
sens, qui va jusqu'à l'âme. Je ne parle pas de cette
âme purement intelligente, d'où viennent les lumières
les plus exquises de la raison. Je parle d'une âme
plus mêlée avec le corps, qui entre dans toutes les
choses sensibles, qui connoît et goûte les voluptés.

L'esprit a plus de part au goût des délicats qu'à
celui des autres. Sans les délicats, la galanterie seroit
inconnue, la musique rude, les repas malpropres et
grossiers. C'est à eux qu'on doit l'*erudito luxu* de
Pétrone, et tout ce que le raffinement de notre siècle
a trouvé de plus poli et de plus curieux dans les
plaisirs.

J'ai fait d'autres observations sur les objets qui
nous plaisent, et il me semble avoir remarqué des
différences assez particulières dans les impressions
qu'ils font sur nous.

Il y a des impressions légères, qui ne font
qu'effleurer l'âme, pour le dire ainsi, éveiller son
sentiment, la tenir présente aux objets agréables, où
elle s'arrête avec complaisance, sans soin, sans beaucoup d'attention.

Il y en a de molles et voluptueuses, qui viennent
comme à se fondre et à se répandre délicieusement
sur l'âme ; d'où naît cette douce et dangereuse nonchalance qui fait perdre à l'esprit sa vivacité et sa
vigueur.

Il y a des objets touchants, qui font leur impression sur le cœur et y remuent ce qu'il y a de sensible. Il y en a qui, par un charme secret, difficile à exprimer, tiennent l'âme dans une espèce d'enchantement. Il y en a de piquants, dont elle reçoit une atteinte qui lui plaît, une blessure qui lui est chère. Au-delà, ce sont les transports et les défaillances, qui arrivent manque de proportion entre le sentiment de l'âme et l'impression de l'objet. Aux premiers, l'âme est enlevée par une espèce de ravissement ; aux autres, elle succombe sous le poids de son plaisir, si on peut parler de la sorte.

Voilà ce que j'avois à vous dire sur les plaisirs. Il me reste à toucher quelque chose de l'esprit revenu chez soi et remis, comme on dit, dans son assiette.

Comme il n'y a que les personnes légères et dissipées qui ne se possèdent jamais, il n'y a que les rêveurs, les esprits sombres, qui demeurent toujours avec eux-mêmes ; et il est à craindre qu'au lieu de goûter la douceur d'un véritable repos, l'inutilité de ce grand attachement ne les jette dans l'ennui. Cependant le temps qu'on se rend ennuyeux par son chagrin ne se compte pas moins que le plus doux de la vie. Ces heures tristes, que nous voudrions passer avec précipitation, contribuent autant à remplir le nombre de nos jours, que celles qui nous échappent à regret. Je ne suis point de ceux qui s'amusent à se plaindre de leur condition au lieu de songer à l'adoucir.

Fâcheux entendement, tu nous fais toujours craindre ;
Malheureux sentiment, tu nous fais toujours plaindre ;
Funeste souvenir dont je me sens blessé,
Pourquoy rappelles-tu le mal déjà passé ?
Faut-il rendre aux malheurs ce pitoyable hommage,
De sentir leur atteinte, ou garder leur image,
De nourrir ses douleurs et toujours se punir
D'une peine passée ou d'un mal à venir ?

Je laisse volontiers ces messieurs dans leurs murmures, et tâche à tirer quelque douceur des mêmes choses dont ils se plaignent. Je cherche dans le passé des souvenirs agréables, et des idées plaisantes dans l'avenir.

Si je suis obligé de regretter quelque chose, mes regrets sont plutôt des sentiments de tendresse que de douleur. Si pour éviter le mal il faut le prévoir, ma prévoyance ne va pas point jusqu'à la crainte. Je veux que la connoissance de ne rien sentir qui m'importune, que la réflexion de me voir libre et maître de moi me donne la volupté spirituelle du bon Epicure ; j'entends cette agréable indolence qui n'est pas un état sans douleur et sans plaisir ; c'est le sentiment délicat d'une joie pure, qui vient du repos de la conscience et de la tranquillité de l'esprit.

Après tout, quelque douceur que nous trouvions chez nous-mêmes, prenons garde d'y demeurer trop longtemps. Nous passons aisément de ces joies secrètes à des chagrins intérieurs ; ce qui fait que nous avons besoin d'économie dans la jouissance de nos propres biens, comme dans l'usage des étrangers.

Qui ne sait que l'âme s'ennuie d'être toujours dans la même assiette, et qu'elle perdroit à la fin toute sa force si elle n'étoit réveillée par les passions ?

Pour vivre heureux, il faut faire peu de réflexions sur la vie, mais sortir souvent comme hors de soi ; et parmi les plaisirs que fournissent les choses étrangères, se dérober la connoissance de ses propres maux.

Voilà ce que la philosophie d'Epicure et celle d'Aristippe peuvent donner à leurs sectateurs. Mais

> Les vrais chrétiens, plus heureux mille fois
>   Dans la pureté de leurs lois,
> Goûteront les douceurs d'une innocente vie
> Qui d'une plus heureuse encor sera suivie.

SUR LA VANITÉ DES DISPUTES DE RELIGION ET LE FAUX ZÈLE DES PERSÉCUTEURS

STANCES IRRÉGULIÈRES

Claude (25) le protestant allègue l'Ecriture,
Dont le sens par Nicole (26) est toujours contesté.
Dans la tradition, que Nicole tient sûre,
Claude ne reconnoît aucune vérité.

Toutes ces belles controverses
Sur les religions diverses
N'ont jamais produit aucun bien,
Chacun s'anime pour la sienne,
Et que fait-on pour la chrétienne ?
On dispute et l'on ne fait rien.

Comment ! on ne fait rien pour elle ?
On condamne les Juifs au feu !
On extermine l'infidèle !
Si vous jugez que c'est trop peu,
On fera pendre l'hérétique,
Et quelquefois le catholique
Aura même peine à son tour.

Non, non, tu travailles contre elle.
Tout supplice, gêne, tourment,
Tient d'un noir et funeste zèle
Que ton humanité dément.

Tu combats sa propre nature,
Sous prétexte de l'honorer,
Quand pour elle tu fais l'injure
Qu'elle t'ordonne d'endurer !

Notes

(1) *Charles de Monchy, maréchal d'Hocquincourt en 1651, fut gouverneur de Péronne et grand prévôt de l'Hôtel. Il finit par prendre le parti de Condé et alla le rejoindre aux Pays-Bas espagnols. Il fut tué le 13 juin 1658, au cours d'une escarmouche contre les troupes françaises. D'après Tallemant, il n'avait pas le sens commun. Le P. Canaye avait été professeur de rhétorique au collège de Clermont.*

(2) *Bardouville fut, d'après le Valesiana, disciple de Théophile et ami de Des Barreaux. C'était, au dire de Tallemant, un gentilhomme de Normandie, homme d'esprit et libertin. — Henri d'Escars de Saint-Bonnet, seigneur de Saint-Ibar, affichait le stoïcisme et la haine des tyrans.*

(3) *Pierre de Gruel, marquis de La Ferté, était de l'entourage de Gaston d'Orléans. Charles-Antoine de Ferrières, marquis de Sauvebeuf, maréchal de camp, combattit sous Condé à Fribourg.*

(4) *Marie de Bretagne, duchesse de Montbazon, fut une des beautés du temps. Tallemant a parlé de la passion du maréchal d'Hocquincourt pour elle. Elle mourut le 28 avril 1657.*

(5) *Tallemant nous raconte que le maréchal déclara à la duchesse « qu'il ne sçavoit ce que c'estoit que de faire l'amant transy, qu'il falloit conclure ou qu'il chercheroit fortune ailleurs ».*

(6) Jusques aux autels, *c'est-à-dire apparemment en vue d'un légitime mariage. En réalité, Mme de Montbazon n'était pas encore veuve quand le maréchal lui faisait la cour. Le duc Hercule de Rohan, son mari, ne mourut que le 16 octobre 1654. Il est vrai que sa mort était prévisible. Il était né en 1568.*

(7) *En réalité, comme on le verra bientôt, la conversation est censée avoir lieu au mois d'août 1654. Mme de Montbazon, à cette date, était vivante.*

(8) *Le P. Desmares, né en 1599, avait été formé par Bérulle. Il prit vivement parti pour l'augustinisme, au point qu'en 1648 il fut interdit de prêcher. Il ne remonta en chaire qu'en 1668. Il mourut en 1687. Prédicateur fort renommé, il était considéré comme une des têtes du parti janséniste.*

(9) *Pendant que les Espagnols investissaient Arras, une petite armée française avait marché sur Stenay, petite place de la Meuse, qui était le centre des possessions de Condé en France. La place se rendit le 6 août 1654, et les troupes ainsi libérées furent envoyées sur Arras, que les Espagnols menaçaient.*

(10) *Il s'agit du combat de Bléneau, près de Gien, le 7 avril 1652. Condé surprit les cantonnements trop étalés du maréchal d'Hocquincourt. Si l'on se tient au récit du duc d'Aumale (Histoire des Princes de Condé, VI), il semble que Turenne ait fait tout ce qu'il fallait pour tirer le maréchal d'Hocquincourt du mauvais pas où il s'était mis.*

(11) *Ce fragment appartient à un ensemble intitulé :* Sur Sénèque, Plutarque et Pétrone. *Il a paru d'abord en 1664. Mais René Ternois, dans son édition des Œuvres en prose de Saint-Evremond, l'a donné d'après le ms. f. fr. 14956, texte meilleur que celui de l'imprimé. C'est lui que l'on trouvera ici.*

(12) Dans les répliques de ses amis, il ne voulait rien entendre qui touchât à l'immortalité et aux opinions des philosophes. Il n'écoutait que des poèmes légers et des vers badins (Annales, *XVI, 19*).

(13) *Ce fragment appartient à une étude consacrée à Pétrone et formée de trois chapitres. On l'a reproduit ici, à la suite de René Ternois, d'après le ms. f. fr. 14956.*

(14) Les deux amants sont couchés, liés l'un à l'autre, pendant des nuits entières, et peut-être qu'épuisés de volupté ils se moquent de ma solitude.

(15) Succédé, *réussi.*

(16) La colère de Priape me poursuit, qui règne en Hellespont (Satiricon, *cap. CXXXIX*).

(17) Elle est morte, cette partie de moi-même qui jadis faisait de moi un Achille.

(18) Si donc nous abordons Pétrone, c'est un homme de cour que nous abordons, arbitre des élégances et non de la sagesse.

(19) *Cette lettre à Ninon a été écrite après que Bernier fut venu à Londres, en 1685. Comme d'autre part Bernier mourut en 1688, cette lettre a été écrite entre ces deux dates.*

(20) *Saint-Evremond veut parler du* Discours de Sarasin *dont a vu plus haut des extraits.*

(21) *Bernier vint à Londres en 1685. Il dit alors à*

Saint-Evremond « *que l'abstinence des plaisirs* »
lui paraissait « *un grand péché* ».

(22) Use des plaisirs présents de manière à ne pas
nuire aux plaisirs à venir.

(23) *Louis de la Trémouille, comte d'Olonne, fut
parmi les raffinés de l'époque de Mazarin. Comme
Saint-Evremond, il appartint à la petite société des
Côteaux, gourmets fameux. En 1652, il épousa Cathe-
rine-Henriette d'Angennes, qui se rendit célèbre par
ses déportements.*

(24) De ses yeux égarés elle chercha la lumière
dans la profondeur du ciel. Elle la trouva et en gémit
(*Enéide, IV, vers 691-692*).

(25) *Le pasteur Claude succéda à Du Moulin comme
défenseur des croyances protestantes. Il fut amené,
en 1671, à écrire une réponse aux ouvrages de Nicole.*

(26) *Nicole s'était acharné contre les Protestants
pour bien convaincre la hiérarchie de son zèle pour
l'orthodoxie. En 1664, il avait écrit la* Perpétuité de
la Foi. *En 1671, il écrivit les* Préjugés légitimes contre
les Calvinistes. *Il s'attira une réponse du pasteur
Claude.*

CHAPELLE

Comme Cyrano, comme Sarasin et Saint-Evremond, Chapelle avait suivi les leçons de Gassendi. Il était le bâtard du conseiller François Luillier, qui avait offert l'hospitalité au philosophe quand celui-ci était venu à Paris. Puis François Luillier avait confié son fils à Gassendi, et Chapelle était allé dans le Midi avec son maître. Il avait participé à ses recherches sur l'astronomie.

A vingt ans, nous le retrouvons à Paris, dans un groupe où figure le fils de La Mothe le Vayer, et deux ans plus tard dans la compagnie de Dassoucy, Tristan et Scarron. Il était bienvenu à l'académie putéane.

Les libertés de sa conduite inquiétaient son père, qui pourtant n'était pas d'une excessive austérité, et François Luillier écrivait un jour : « J'ai bien reçu du desplaisir de ce que l'on m'a mandé de la desbauche et libertinage de Chapelle. » Deux tantes qu'il avait prirent sur elles de le faire enfermer à Saint-Lazare, où l'on mettait les fils de famille quand ils n'étaient pas sages.

Il était libertin aussi dans l'autre sens du mot. Si nous en croyons Dassoucy, qui fut son intime avant de devenir son ennemi, il dogmatisait qu'il n'existe aucune puissance au-dessus de la nature, que le monde est composé d'atomes, que son organisation est l'effet du hasard. Une pièce de vers l'accuse de prêcher au milieu des repas contre l'immortalité de l'âme.

En fait, il n'a rien écrit contre les croyances reli-

*gieuses, rien du moins que nous sachions. On ne
peut cependant l'omettre tout à fait dans une anthologie des libertins. On trouvera donc ici la pièce
de vers amusante, non pas impie mais seulement
indévote, qu'il a composée pendant son séjour à
Saint-Lazare, un sonnet contre ses deux tantes, et
un autre d'où il ressort qu'il n'observait pas volontiers la règle de l'abstinence.*

BIBLIOGRAPHIE. — *Œuvres de Chapelle et de
Bachaumont,* p. p. Tenant de la Tour, 1854. Sur Chapelle avant 1655, voir R. Pintard, *Le libertinage
érudit.*

DESCRIPTION DE SAINT-LAZARE

Toi qui nous fais voir la sagesse
Jointe avec la vivacité,
Toi qui ravis la liberté
Aux dames par ta gentillesse,
Comme aux hommes par ta bonté,

Moreau (1), le pauvre solitaire
Qui, sans ta consolation,
Seroit mort dans la Mission,
En ce peu de mots te va faire
Une triste description.

Dans une froide plaine assise,
Est une chétive maison
Où jamais ne fut vu tison,
Et qui ne peut parer la bise
Que par quelque foible cloison.

Ceux qui ce logement bâtirent,
Désirant s'y mortifier
Et n'y rien faire que prier,
Une grande église ils y firent,
Et pas une cave ou grenier.

Je puis dire que rien ne fume
Jamais en ce funeste lieu,
Et qu'on n'y voit jamais de feu
Que quand aux vêpres on allume
L'encensoir pour honorer Dieu.

Là de pauvres gens pâles, blêmes,
Secs, tout meurtris et décharnés
Par les coups qu'ils se sont donnés,
Disent qu'assurément eux-mêmes
Et tous les autres sont damnés.

Nuit et jour ils sont en prières,
Tant ils ont crainte de l'enfer,
Et pour mieux surmonter la chair,
Se donnent cent coups d'étrivières,
Ce qui s'appelle en triompher.

Ces lieux où sans sonner sonnette,
Personne n'entre ni n'en sort,
Sont les lieux d'où, moins vif que mort,
Je t'écris que cette retraite
Commence à me déplaire fort.

Mais afin qu'on ne puisse dire
Que pour peu de difficultés
Mes semblables sont rebutés,
Mon dessein est de te décrire
Mes moindres incommodités.

Ma chambre, ou plutôt une armoire
Qu'on a faite pour me serrer,
D'abord qu'on me la vint montrer,
Me fit rire, et j'eus peine à croire
Que j'y pusse jamais entrer.

Dans ce lieu moins chambre que cage,
Un aquilon froid et mutin
Me fait trembler soir et matin,
Car pour me parer de sa rage,
Mon plus gros mur est de sapin.

Apprens maintenant la structure
De nos misérables grabats:
Deux ais servent de matelas,
Un tapis vert de couverture
Et deux serviettes de deux draps.

Dès que j'abaisse les paupières
Sur mes yeux du sommeil battus,
Un claustral *Benedicamus*
M'éveille et m'envoie aux prières
Qui durent trois heures et plus.

Le dîner, ou plutôt dinette,
Que sans déjeuner on attend,
N'est rien qu'un petit plat, moins grand
Que la plus petite palette
Dont on use à tirer le sang.

A ce plat on proportionne
Un peu de vache et de brebi,
Si peu même qu'une fourmi
N'auroit pas, à ce qu'on nous donne,
De quoi se saouler à demi.

Le vin, grossier, rouge, insipide,
Ne peut qu'avec peine couler,
Et je ne saurois avaler
Ce vilain cotignac liquide (2)
Sans avoir peur de m'étrangler.

Ce petit dîner, je t'assure,
Nous tient demi-heure pourtant ;
Mais ne t'en étonne pas tant :
C'est que *Benedicite* dure
Un quart d'heure, et Grâces autant.

Après dîner, c'est l'ordinaire,
Pour aider la digestion,
Il y a récréation,
Où l'on emploie une heure entière
En quelque conversation.

Ces conversations chrétiennes,
Vraiment dignes de ces oisons,
Sont, par mille sottes raisons,
De me prouver que les antiennes
Valent mieux que les oraisons.

Que tous les jours ma faim soit grande,
Mon dîner te le fait juger.
Cependant, pour ne point charger
Mon estomac de trop de viande,
Mon souper n'est pas moins léger.

Enfin, Moreau, quoi que j'en dise,
J'en dis bien moins qu'il n'y en a.
Mais il faut finir, car voilà
L'heure qui m'appelle à l'église,
Où les autres chantent déjà.

SONNET IRRÉGULIER

CONTRE SES PARENTS

A MONSIEUR MOREAU

Oui, Moreau, ma façon de vivre
Est de voir peu d'honnêtes gens
Et prier Dieu qu'il me délivre
Surtout de messieurs mes parents.

Ce que j'ai souffert avec eux
Surpasse même la souffrance
De celui qui, pour sa constance,
Dans l'Ecriture est si fameux.

Hélas ! ce sage misérable
N'eut jamais affaire qu'au diable
Qui le mit nu sur un fumier.

Pour voir sa patience entière,
Il falloit que Job eût affaire,
Aux deux sœurs de Monsieur Luillier (3).

SONNET

A MONSIEUR LE MARQUIS DE JONZAC (4)

Que dans une petite ville
Le saint père est bien obéi,
Et qu'en carême il est facile
Qu'un honnête homme y soit haï !

Le chevalier (5) eût dans sa bile
Bien juré contre Adonaï,
Et par l'âcreté de son style
Rendu Cognac bien ébahi.

Mais ce n'est pas là la manière,
Cher marquis, dont j'use pour faire
Que personne ne dise mot.

Quoique ta puissance y soit grande.
Il me faut faire le dévot
Pour pouvoir manger de la viande.

NOTES

(1) *Michel-Jérôme Moreau était le cousin de Chapelle. Il était fils du lieutenant civil Moreau et
d'Elisabeth Luillier. Conseiller au Grand Conseil, il
fut l'ami de Scarron. Il mourut à vingt-deux ans, en
1655.*
(2) *Furetière :* « *Quelques-uns disent* codignac.
*Confiture ou pâte faite de jus de coing, de sucre
royal et de vin blanc. le meilleur qu'on trouve.* »

Mais il est clair que le mot évoque autre chose dans l'esprit de Chapelle, une sorte de mélasse.

(3) Ces deux sœurs de M. Luillier, ce sont Elisabeth et Marie-Madeleine Luillier, tantes de Chapelle. Elisabeth Luillier avait épousé le lieutenant civil Michel Moreau. Elle était donc la mère de Michel-Jérôme Moreau, à qui Chapelle adresse ces vers impertinents.

(4) Léon de Sainte-Maure, comte de Jonzac, avait épousé Marie d'Esparbès de Lussan. Maître de camp d'infanterie en 1627, il fut nommé gouverneur de Cognac en 1633. Il mourut le 22 juin 1671.

(4) Le chevalier d'Aubeterre était le beau-père du marquis de Jonzac. Marie d'Esparbès de Lussan était sa sœur.

MADAME DESHOULIÈRES

Si pour figurer dans une anthologie des libertins du XVIIᵉ siècle, il fallait avoir composé des poèmes irréligieux, Mme Deshoulières n'aurait pas de titre à y être reçue. Mais elle eut la réputation d'être étrangère à toute croyance, et ses vers semblent en effet porter le reflet de cette incrédulité.

Elle était née en 1637. Mariée à un officier de l'état-major de Condé, elle fut mêlée très jeune aux troubles de la guerre civile et étrangère. Elle vécut deux ans à Rocroi, sur la frontière de Belgique, et fut un moment prisonnière à Bruxelles. Elle revint en France en 1657, et sa vie fut désormais sans histoire.

Elle avait reçu une très solide culture. On prétend qu'avant même le séjour à Rocroi, elle étudiait déjà la philosophie de Gassendi. On prétend aussi qu'elle était alors entourée de plusieurs gens d'esprit, qui étaient aussi des esprits forts, Des Barreaux, Saint-Pavin et Dehénault. Mais comme à cette époque elle n'avait pas dix-sept ans, tant de précocité étonne un peu.

Rentrée en France après la captivité de Bruxelles, elle se mêla à la société parisienne. Lignières était de ses amis les plus attentifs. Il la louait d'avoir libéré son esprit des préjugés :

C'est un esprit guéri des erreurs populaires,

écrit-il, et sous sa plume cette formule donne à penser. De façon plus nette, l'abbé de Saint-Pierre a écrit : elle ne croyait pas à l'immortalité et avait la réputation flétrie « *parmi les personnes les plus sages et les plus sensées* ».

Pour présenter ses poésies comme si elles étaient « *libertines et philosophiques* », il faut n'avoir ni précision dans l'esprit, ni sentiment des nuances. Mais il est vrai qu'elles ne sont pas chrétiennes. Certaines semblent même supposer davantage. On a reproduit ici deux des plus caractéristiques de ces pièces, pour que le lecteur puisse en juger.

Prise à la lettre, l'idylle intitulée : Les Fleurs signifie que la mort est pour l'homme la destruction définitive et totale, le retour au néant d'où nous sommes sortis. Il est difficile d'admettre que les formules si fortes dont se sert Mme Deshoulières n'avaient pas exactement dans son esprit le sens que tout lecteur de bonne foi devait y trouver.

Lorsqu'elle disait que la mort est la fin de tout, Mme Deshoulières ne faisait que répéter une idée commune à toute la tradition libertine. Elle lui a empruntée aussi l'image qu'elle se fait de l'homme. Non pas supérieur au reste de la nature. Mais plus vulnérable à la douleur, aux passions, plus déchiré qu'aucun être. Déjà Théophile, on l'a vu, avait développé dans son Elégie à M. de Candale cette vue pessimiste de la condition humaine.

Chez Mme Deshoulières, elle s'affirme avec une insistance qui donne le ton à toute l'œuvre. On s'en persuadera en lisant, ici, les Fleurs et les Oiseaux. La vie est belle lorsqu'elle est jaillissement et fraîcheur, lorsqu'elle s'offre sous les apparences du Printemps ou de l'Amour. Mais l'homme a appris à contraindre la nature. Il obéit à des usages, à des devoirs, à des bienséances qu'il a inventés. Et surtout il a reçu le don fatal de la raison, c'est-à-dire de la pensée réfléchie. Nos plaisirs même en sont gâtés, et l'amour chez les hommes n'est plus que jalousie et inquiétude.

Avec Mme Deshoulières, la tradition libertine prenait l'aspect d'un véritable quiétisme. Ses poésies nous invitaient à éteindre en nous le désir et la pen-

*sée, à demeurer dans un état de passivité heureuse.
Elles recommandaient l'ignorance de l'esprit et le
silence des passions. Elles évoquaient un monde antérieur au péché, où régnait une innocence sans lutte et
sans effort. La chimère de l'âge d'or était, chez
Mme Deshoulières, le dernier mot de la pensée libertine. Mais ne savons-nous pas qu'elle en avait été
aussi le premier ?*

BIBLIOGRAPHIE. — Les poésies de Mme Deshoulières
qui pouvaient éclairer sa pensée ont été rassemblées
par Fr. Lachèvre dans *Les derniers libertins*, Paris,
1924. On les trouve d'ailleurs aussi bien dans n'importe quelle édition des *Poésies*.

LES FLEURS (1)

IDYLLE

Que vostre éclat est peu durable,
Charmantes fleurs, honneur de nos jardins !
Souvent un jour commence et finit vos destins
    Et le sort le plus favorable
Ne vous laisse briller que deux ou trois matins.
Ah ! consolez-vous-en, joncquilles, tubéreuses,
Vous vivez peu de jours, mais vous vivez heureuses.
    Les médisans, ni les jaloux
    Ne gesnent point l'innocente tendresse
Que le printemps fait naistre entre Zéphire et vous.
    Jamais trop de délicatesse
Ne mesle d'amertume à vos plus doux plaisirs.
Que pour d'autres que vous il pousse des soûpirs,
    Que loin de vous il folâtre sans cesse,
Vous ne ressentez point la mortelle tristesse

Qui dévore les tendres cœurs,
Lorsque pleins d'une ardeur extrême.
On voit l'ingrat objet qu'on aime
Manquer d'empressement, ou s'engager ailleurs.
Pour plaire, vous n'avez seulement qu'à paraistre,
Plus heureuses que nous, ce n'est que le trépas
Qui vous fait perdre vos appas.
Plus heureuses que nous, vous mourez pour renaistre.
Tristes réflexions, inutiles souhaits,
Quand une fois nous cessons d'estre,
Aimables fleurs, c'est pour jamais !
Un redoutable instant nous détruit sans réserve,
On ne voit au-delà qu'un obscur avenir.
A peine de nos noms un léger souvenir
Parmi les hommes se conserve.
Nous rentrons pour toujours dans le profond repos
D'où nous a tirez la nature,
Dans cette affreuse nuit qui confond les héros
Avec le lâche et le parjure,
Et dont les fiers destins, par de cruelles loix,
Ne laissent sortir qu'une fois.
Mais, hélas, pour vouloir revivre,
La vie est-elle un bien si doux ?
Quand nous l'aimons tant, songeons-nous
De combien de chagrins sa perte nous délivre ?
Elle n'est qu'un amas de craintes, de douleurs,
De travaux, de soucis, de peines.
Pour qui connoît les misères humaines
Mourir n'est pas le plus grand des malheurs.
Cependant, agréables fleurs,
Par des liens honteux attachez à la vie,
Elle fait seule tous nos soins,
Et nous ne vous portons envie
Que par où nous devons vous envier le moins.

LES OISEAUX (2)

IDYLLE

L'air n'est plus obscurci par des broüillards épais,
Les prez font éclater les couleurs les plus vives,
    Et dans les humides palais
L'hyver ne retient plus les Nayades captives.
Les Bergers, accordant leur musette à leur voix,
    D'un pied léger foulent l'herbe naissante :
Les troupeaux ne sont plus sous leurs rustiques toits :
    Mille et mille oiseaux à la fois
    Ranimant leur voix languissante,
Réveillent les échos endormis dans ces bois :
Où brilloient les glaçons, on voit naistre les roses.
Quel Dieu chasse l'horreur qui régnoit en ces lieux ?
Quel Dieu les embellit ? Le plus petit des Dieux
    Fait seul tant de métamorphoses ;
Il fournit au printemps tout ce qu'il a d'appas.
    Si l'Amour ne s'en mesloit pas,
    On verroit périr toutes choses.
    Il est l'âme de l'Univers.
    Comme il triomphe des hivers
Qui désolent nos champs par une rude guerre,
D'un cœur indifférent il bannit les froideurs.
    L'indifférence est pour les cœurs
    Ce que l'hyver est pour la terre.
Que nous servent, hélas, de si douces leçons ?
Tous les ans la Nature en vain les renouvelle.
    Loin de la croire, à peine nous naissons
    Qu'on nous apprend à combattre contre elle.
    Nous aimons mieux, par un bizarre choix,
    Ingrats, esclaves que nous sommes,
Suivre ce qu'inventa le caprice des hommes
    Que d'obéir à nos premières loix.
    Que vostre sort est différent du nostre,
    Petits oiseaux qui me charmez !
    Voulez-vous aimer ? Vous aimez.

Un lieu vous desplaist-il ? Vous passez dans un autre.
On ne connoist chez vous ni vertus, ni défauts.
Vous paroissez toûjours sous le mesme plumage,
Et jamais dans les bois on n'a vu les corbeaux
    Des rossignols emprunter le ramage.
   Il n'est de sincère langage,
Il n'est de liberté que chez les animaux.
L'usage, le devoir, l'austère bienséance,
Tout exige de nous des droits dont je me plains ;
Et tout enfin, du cœur des perfides humains
    Ne laisse voir que l'apparence.
Contre nos trahisons la Nature en courroux
    Ne nous donne plus rien sans peine.
    Nous cultivons les vergers et la plaine
Tandis, petits oiseaux, qu'elle fait tout pour vous.
Les filets qu'on vous tend sont la seule infortune
    Que vous avez à redouter :
      Cette crainte nous est commune.
Sur nostre liberté chacun veut attenter.
Par des dehors trompeurs on tasche à nous
                  [surprendre.
    Hélas, pauvres petits oiseaux,
Des ruses du chasseur songez à vous défendre.
Vivre dans la contrainte est le plus grand des maux.

NOTES

(1) *Cette pièce a paru d'abord dans le* Nouveau
Mercure Galant *en novembre 1677. Elle a été recueillie
dans le volume des* Œuvres *dès la première édition,
en 1688.*
(2) *Cette pièce a paru d'abord dans le* Nouveau
Mercure Galant *en mai 1679. Elle figure dans les
éditions des* Œuvres *depuis 1688.*

DEHÉNAULT

L'histoire a conservé le nom d'un libertin qui fut ami de Chapelle. Il s'appelait Jean Dehénault. Nous ne savons de lui que bien peu de chose, et des confusions se produisirent de bonne heure à son propos. Ce que nous savons de sérieux sur lui se réduit presque à quelques lignes du *Patiniana*. Il était fils d'un boulanger de la rue Saint-Honoré. Deux reçus retrouvés par Frédéric Lachèvre aux Pièces originales de la Bibliothèque Nationale nous apprennent qu'en 1661 il signait : conseiller du roi et receveur ancien des aides et tailles en l'élection de Saint-Etienne. Il figure sur un état de 1656 d'où il résulte qu'il était alors à Saint-Etienne et qu'il y remplissait ses fonctions de receveur.

On représente habituellement Dehénault comme l'ami de Mme Deshoulières, un ami qui était aussi un amoureux. En fait, c'est encore le *Patiniana* qui nous informe le mieux. Les principales relations de Dehénault étaient Molière et Chapelle. Et le *Patiniana* ajoute que ces deux hommes ne sont pas plus chargés d'articles de foi que lui.

Il était en effet libertin. Il avait des curiosités de philosophe. Au dire de l'abbé Dubos, il était même allé en Hollande rendre visite à Spinoza. Une longue pièce de vers, conservée par le *Furetiriana* nous instruit de ses croyances. Le monde est livré à l'opinion, puissance d'erreur, reine des Fanatiques. C'est elle qui inspire la soif de la gloire, l'ambition, l'avidité. C'est elle qui a fait construire

Ces temples, ces autels, si riches, si parez,
Où les dieux cependant sont si mal adorez.

*Il est difficile de ne pas reconnaître dans ces idées
une profession de foi déiste, toute proche de celle
de Vauquelin des Yveteaux par exemple. Mais le
Furetiriana va plus loin et prétend que Dehénault dogmatisait avec fureur l'athéisme.*

*On attribue traditionnellement à Dehénault un petit
volume d'Œuvres meslées, paru en 1670, et qui porte
simplement les initiales J.D.H. Ce n'est pas ici le lieu
de décider dans quelle mesure cette tradition est bien
fondée. Il est inquiétant d'observer que l'auteur du
recueil présente ces vers comme « les fruits de ses
premières études » alors que Dehénault, en 1670, était
âgé de cinquante-neuf ans au moins. Mais quel qu'en
soit l'auteur, il était nécessaire de mettre dans cette
anthologie deux très belles pièces des Œuvres mêlées.
Ce ne sont, il est vrai, que des adaptations en vers
de deux chœurs tirés des tragédies de Sénèque. Mais
précisément ces chœurs étaient admirés des libertins. Le premier surtout est une audacieuse négation
de l'immortalité de l'âme. Le second méritait aussi,
semble-t-il, d'être reproduit. Les libertins du XVII*e* siècle ne sont pas de vulgaires blasphémateurs. Ils
affirment un idéal de vie innocente, qui demeure
étranger aux ambitions et aux cupidités du vulgaire.
Et c'est ce que le poète développe avec une force
singulière.*

BIBLIOGRAPHIE. — *Les œuvres de Jean Dehénault,*
p. p. Fr. Lachèvre, Paris, 1922.

IMITATION DU CHŒUR DE L'ACTE SECOND
DE LA TROADE DE SÉNECQUE

Lorsque dans les yeux des humains
Une éternelle nuit succède à la lumière
Et que les conjugales mains
Baissent notre foible paupière ;

Que nos corps entrent au tombeau,
  Ou que l'Urne en reçoit la cendre,
Est-il vray qu'aux Enfers il nous faille descendre,
Et que nostre Ombre passe en un monde nouveau ?
    Ou n'est-ce qu'une histoire feinte
Que mettent en crédit l'Ignorance et la Crainte ?

    Quand par un trépas généreux
Un malheureux s'arrache au pouvoir de l'Envie.
    Cet héroïque mal-heureux
    Perd-il sa mort avec sa vie ?

    Rencontre-t-il encor ailleurs
    Les mal-heurs dont il se délivre ?
Ou mourant une fois pour jamais ne revivre,
Dans le sein du Néant porte-t-il ses malheurs ?
    Et son âme en l'air échappée,
Avec le dernier souffle est-elle dissipée ?

    Tout ce qu'environne la mer,
Ce que voit le Soleil de ses routes sublimes,
    Le Temps d'un pied viste et léger
    L'emportera dans ses abismes.

    Ces errans Ministres du sort
    Dont la course règle la nostre,
Les Astres sans repos tournent d'un Pôle à l'autre,
Sans repos tous leurs pas nous mènent à la mort ;
    Et sur la redoutable rive
On fond dans le Néant aussi-tost qu'on arrive.

    Comme se perd en un moment
Cette portion d'air dans les corps enfermée,
    Que le plus actif élément
    Développe et pousse en fumée :

    Comme au souffle des aquilons,
    On voit bien-tost évanoüie
Une grosse nuée, ou de gresle, ou de pluye,
Qui d'un déluge affreux menaçoit les valons ;

Ainsi s'épand cette âme vaine
Qui meut tous les ressorts de la machine humaine.

Tout meurt en nous quand nous mourons
La mort ne laisse rien, et n'est rien elle-mesme ;
Du peu de temps que nous durons
Ce n'est que le moment extrême.

Cesse de craindre ou d'espérer
Cet avenir qui la doit suivre.
Que la peur d'estre esteint, que l'espoir de revivre,
Dans ce sombre avenir cessent de t'égarer ;
L'estat dont la mort est suivie,
Est semblable à l'estat qui précède la vie.

Nous sommes dévorez du temps,
La Nature au Chaos sans cesse nous rappelle ;
Elle entretient à nos dépens
Sa vicissitude éternelle.

Comme elle nous a tout donné,
Elle aussi reprend tout nostre Estre ;
Le mal-heur de mourir égale l'heur de naistre,
Et l'homme meurt entier, comme entier il est né.
La mort, sans souffrir de partage,
Confond l'âme et le corps, et leur fait mesme outrage.

Tout ce qu'on nous dit des Enfers,
Et du Tyran qui règne en ces Royaumes sombres,
Ces cachots, ces feux et ces fers
Où sont les criminelles Ombres ;

Ce Monstre si prodigieux
Et ce Portier si redoutable,
Qui rend du noir Palais l'entrée épouvantable,
Et qui fait fuir bien loin les mortels curieux ;
Tout cela n'est, ou qu'un mensonge,
Ou qu'un discours en l'air, ou que l'horreur d'un
[songe.

IMITATION DU SECOND CHŒUR
DU THYESTE DE SÉNECQUE

La nature à la fin fait cesser nos allarmes,
Aux enfants d'Inachus elle arrache les armes ;
Nous n'aurons plus à craindre en nos rois des Tyrans.
    O dieux ! quelle fureur anime
    Les parens contre les parens,
Et les pousse à gagner un Sceptre par un crime ?

Que vous connoissez mal, ambitieux Esprits,
En quoy doit consister la puissance suprême !
Ce n'est point le Palais, ce n'est point le lambris,
    Ny la Pourpre, ny le Diadème,
Qui font, et qu'on paroist, et qu'on est un grand Roy,
    C'est l'empire qu'on a sur soy.

    On est Roy quand on se maistrise,
    Quand on soûmet ses passions,
    Quand des folles ambitions
    On ne se sent point l'âme éprise ;
    Et quand d'un vain peuple on méprise
    Les vaines acclamations.

    On est Roy lorsque du mesme œil
    On regarde et l'or, et l'argile ;
    Lorsque content de son soleil
On voit sans l'envier un climat plus fertile,
Lorsque riche au dedans de ses propres trésors,
On sait compter pour rien tous les biens du dehors.

On est Roy quand on peut, sans craindre pour sa
                             [teste,
Voir serpenter en l'air la foudre menaçant ;
Quand, comme un roc battu d'un orage impuissant,
On est inébranlable aux coups de la tempeste ;
Et quand dans un vaisseau que disputent les flots,
On ne connoist la peur qu'au front des matelots.

On est Roy quand on voit sans crainte pour sa
[teste
Esclatter du soldat le fer et la fureur ;
Quand on s'est mis si haut au-dessus du mal-heur
    Que l'on n'en reçoit plus d'atteinte ;
    Et quand, sans quereller son sort,
On va d'un pas égal au devant de la mort.

Disputez de grandeur, ô Rois de l'univers,
Vous, Rois, qui poursuivez en de vastes déserts
Des Daces dispersez la nation sauvage :
Ou vous qui d'une mer dont les flots sont rougis
    Par l'éclat d'un lit de rubis
    Possédez le riche rivage.

    Disputez, Rois Arméniens,
    Qui faites des Monts Caspiens,
Aux Sarmates vaillants des forts inaccessibles ;
Riches Rois d'Orient, Rois du Nort invincibles,
Disputez entre vous qui tient le plus haut rang
Et qui voit sous ses Loix l'Empire le plus grand.

Mais que disputez-vous, et quelle est vostre ardeur ?
Si toute grandeur cède à la grandeur de l'âme.
Connoissez mieux, ô Rois ! l'objet qui vous enflamme,
    Sçachez, vains spectres de Grandeur,
Qu'à l'empire du monde en vain une âme aspire :
Et que la plus grande âme a le plus grand empire.

Pour estre riche et grand, pourquoy vivre en
[allarmes ?
Pourquoy s'embarrasser et de chevaux, et d'armes ?
On est grand sans Estat ; on est riche sans bien.
On n'a qu'à ne rien craindre et ne désirer rien,
C'est là l'Empire seur ; on ne l'oste à personne,
    Et chacun, s'il veut, se la donne.

Affecte qui voudra la grandeur souveraine,
C'est un puissant appas pour une âme hautaine ;
Mais il est dangereux autant qu'il est puissant :

Le chemin au trône est glissant,
Il est penchant en précipice,
Et malheur à quiconque y glisse.

Pour moy je mets ma seureté
Dans une heureuse obscurité ;
J'évite en me cachant, et la haine et l'envie ;
Je gouste le repos et l'honneste loisir
Et je passe la vie
Dans l'innocence et le plaisir.

Puissé-je ainsi couler le reste de mon âge,
Sans estre connu par les Grands :
Puissé-je ainsi dans le village,
Sans éclat et sans bruit atteindre mes vieux ans,
Et mourir enfin sans disgrâce
Au milieu de la populace.

Heureux est l'Inconnu qui s'est bien sceu connaistre
Il ne voit pas de mal à mourir plus qu'à naître,
Il s'en va comme il est venu.
Mais hélas ! que la mort fait une horreur extrême
A qui meurt, de tous trop connu,
Et trop peu connu de soy-mesme.

CHAULIEU

Chaulieu avouait Chapelle pour son maître et c'est de lui qu'il recueillit la tradition libertine. Il la transmit à son tour au très grand monde où il avait accès. Il s'était attaché à la duchesse de Bouillon, au duc de Vendôme et à son frère le Grand Prieur. Il fut l'animateur de la société d'Anet et du Temple.

De la tradition libertine, il avait tout accueilli, et d'abord son hostilité pour les confessions religieuses et les théologies. Mais il n'était pas athée, et le matérialisme lui était étranger. Sa religion était celle des plus authentiques libertins. C'était le déisme. Il a célébré la Sagesse infinie, le maître et le créateur du monde. Il adorait l'Etre suprême.

Comme les libertins encore, il considérait l'au-delà comme un impénétrable mystère. Il ne croyait pas que l'immortalité de l'âme fût une certitude. Il savait seulement que l'enfer était un dogme affreux et qui blessait l'image que nous nous faisons de la souveraine bonté de Dieu. Il imaginait l'au-delà comme les Champs-Elysées de Virgile : des fleurs, des ombrages peuplés de ses amis.

Il était épicurien, mais de cet épicurisme que nous avons rencontré chez Mme Deshoulières, et qui invite l'homme à chercher la joie dans ce qui est en lui le plus profond, au-delà de l'intelligence et de la volonté, dans ces sentiments doux et vrais que l'esprit est seulement capable de corrompre.

Il n'était sans doute pas plus gai que Saint-Evremond, et cachait avec courage une grande mélancolie. Comme Mme Deshoulières, et plus que Saint-

Evremond, il avait présents à l'esprit l'écoulement
de toutes choses, et la destruction qui en est l'aboutissement. S'il est épicurien, c'est peut-être surtout
lorsqu'il prétend extraire la joie même de nos faiblesses et de l'idée de la mort.

Il eut aussi, en vrai libertin, le culte de l'amitié.
Elle le consola des intrigues de ses ennemis. C'est
par elle qu'il échappa à la tentation d'une sagesse
trop attentive à soi-même. Il n'épargnait pas ses
peines pour ses amis, et la joie qu'il y trouvait était
pour lui la preuve que la volupté est liée à la vertu.

Ses poésies ont été plusieurs fois éditées. La meilleure de ces éditions est celle de 1774. Mais il ne
faut pas se faire illusion. Si même elle reproduit
l'œuvre de Chaulieu dans l'état qu'il voulait faire
connaître à la postérité, elle trompe plus d'une fois
le lecteur. C'est ainsi que Chaulieu ayant écrit trois
pièces sur la mort à des dates éloignées et avec des
préoccupations différentes, l'édition de 1774 les
groupe sous des titres qui feraient croire à une
construction systématique.

C'est pourtant, faute de mieux, cette édition que
l'on a utilisée pour les présents extraits. On y a joint
des variantes tirées des éditions de 1733 et de 1750.
La première offre des mutilations qui permettent de
mesurer à quel point le souci d'orthodoxie pouvait
transformer le sens d'un poème. La seconde, procurée par Saint-Marc, s'appuie sur des copies que
nous ne possédons plus.

BIBLIOGRAPHIE. — Sur la poésie de Chaulieu et sa
place dans son temps, voir A. Adam, *Histoire de la
littérature française au XVII siècle*, V, pp. 304-309.

AU MARQUIS DE LA FARE

QUI M'AVAIT DEMANDÉ MON PORTRAIT, EN 1703

O toi, qui de mon âme es la chère moitié,
    Toi qui joins la délicatesse
    Des sentimens d'une maîtresse
A la solidité d'une sûre amitié,
La Fare, il faut bientôt que la Parque cruelle
    Vienne rompre de si doux nœuds,
    Et malgré nos cris et nos vœux,
Bientôt nous essuirons une absence éternelle.
    Chaque jour je sens qu'à grands pas.
J'entre dans ce sentier obscur et difficile
    Par où j'irai dans peu, là-bas,
    Rejoindre Catulle et Virgile.
    Là, sous des berceaux toujours verts,
    Assis à côté de Lesbie,
    Je leur parlerai de tes vers
    Et de ton aimable génie.
    Je leur raconterai comment
    Tu recueillis si galamment
    La muse qu'ils avaient laissée,
    Et comme elle sut sagement,
    Par ta paresse autorisée,
    Préférer avec agrément
    Au tour brillant de la pensée
    La vérité du sentiment (1),
    Et l'exprimer si tendrement
    Que Tibulle, encor maintenant,
    En est jaloux dans l'Elysée.
    Mais avant que de mon flambeau
    La lumière me soit ravie,
Je veux te crayonner un fantasque tableau
    De ce que je fus en ma vie.
    Puisse à ce fidèle portrait
    Ta tendre amitié reconnoître,
    Dans un homme très imparfait,
Un homme aimé de toi, qui mérita de l'être !

Avec quelques vertus j'eus maint et maint défaut.
Glorieux, inquiet, impatient, colère,
Entreprenant, hardi, très souvent téméraire,
Libre dans mes discours, peut-être un peu trop haut,
Confiant, naturel, et ne pouvant me taire
Des erreurs qui blessoient devant moi la raison.
     J'ai toujours traité de chimère
     Et les dignités, et le nom.
     Ainsi, je pardonne à l'envie
     De s'élever contre un mortel
     Qui ne respecte dans sa vie
     Que le mérite personnel.
Quels maux ne m'a point faits cette sage folie
     Qui mériteroit un autel !
Pour réparer ces torts la prudente nature
     En moi par bonheur avoit mis
     L'art de me faire des amis
     Dont le mérite avec usure
     Me dédommagea de l'injure
Que me fit un fatras d'indignes ennemis (2),
Qui n'employa jamais contre moi qu'imposture.
Malgré tous mes défauts, qui ne m'auroit aimé ?
     J'étais pour mes amis l'ami le plus fidèle
     Que nature eût jamais formé ;
Plein pour leurs intérêts, et d'ardeur, et de zèle,
Je n'épargnai pour eux périls, peine, ni soin ;
J'entrai dans leurs projets, j'épousai leur querelle,
Et je n'eus rien à moi dont ils eurent besoin.
Toujours hors de l'état de la triste indigence,
Je n'ai jamais connu celui de l'abondance.
J'ai prêté cependant, et j'ai donné mon bien.
Mais l'obligation en étoit fort légère,
Je ne l'ai de mes jours encor compté pour rien,
Et les trésors qu'on croit chose si nécessaire
     N'ont jamais fait ma passion.
     Content d'avoir une ressource
Dans la fertilité de mon invention,
     Pour pouvoir remettre à ma bourse
Ce qu'en avoit ôté ma dissipation.

Ainsi rempli de confiance
Que rarement je pris en vain,
J'ai cru que c'est assez donner à la prudence
De garder pour le lendemain
Un peu de savoir-faire et beaucoup d'espérance.
Tout cela, soutenu d'assez de fermeté,
A fait, sur la simple apparence,
Que ma stoïque indifférence
Passe chez quelques gens souvent pour dureté.
C'est à cette férocité (3)
Que je dois, tu le sais, le calme de ma vie,
Et cette longanimité
Dont j'ai lutté contre l'envie
Et su braver l'adversité.
Ta tendre amitié m'a flatté
Que j'eus en mes beaux jours quelques talents de
[plaire.
Libertin et voluptueux,
Avide de projets, cependant paresseux,
Noyé dans les plaisirs, mais capable d'affaire,
Accort, insinuant, et quelquefois flatteur,
J'ai su d'un discours enchanteur
Tout l'usage que pouvoit faire
Beaucoup d'imagination
Qui rejoignît avec adresse
Au tour précis, à la justesse,
Le charme de la fiction.
Heureux si, détrompé d'une erreur qui m'abuse,
J'avais pu résister au séducteur plaisir
De pouvoir quelquefois occuper le loisir
Des héros que souvent a divertis ma muse!

AU MARQUIS DE LA FARE
SUR LA MORT

Conformément aux principes du christianisme
1695 (4)

J'ai vu de près le Styx, j'ai vu les Euménides ;
Déjà venoient frapper mes oreilles timides
Les affreux cris du chien de l'empire des morts ;
Et les noires vapeurs et les brûlants transports
Alloient de ma raison offusquer la lumière.
C'est lors que j'ai senti mon âme tout entière,
Se ramenant à soi, faire un dernier effort
Pour braver les erreurs que l'on joint à la mort.
Ma raison m'a montré (tant qu'elle a pû paroître)
Que rien n'est en effet de ce qui ne peut être,
Que ces fantômes vains sont enfants de la peur
Qu'une foible nourrice imprime en notre cœur,
Lorsque de loups-garoux, qu'elle-même elle pense,
De démons et d'enfer elle endort notre enfance.

Dans ce pénible état, mon esprit abattu
Tâchoit de rappeler sa force et sa vertu,
Quand du bord de mon lit une voix menaçante,
Des volontés du ciel interprète effrayante,
Tremble, m'a-t-elle dit, redoute, malheureux,
Redoute un Dieu vengeur, un juge rigoureux :
Tes crimes ont déjà lassé sa patience.
Mais ce Dieu vient enfin, et tes égarements
        Mis dans son austère balance
Vont bientôt éprouver, sans grâce et sans clémence,
        La rigueur de ses jugements.

Mon cœur à ce portrait ne connoît pas encore
Le Dieu que je chéris, ni celui que j'adore,
Ai-je dit. Eh ! mon Dieu n'est point un Dieu cruel ;
On ne voit point de sang ruisseler son autel.
C'est un Dieu bienfaisant, c'est un Dieu pitoyable,
Qui jamais à mes cris ne fut inexorable.

Pardonne alors, Seigneur, si, plein de tes bontés,
Je n'ai pu concevoir que mes fragilités,
Ni tous ces vains plaisirs qui passent comme un
[songe,
Puissent être l'objet de tes sévérités,
Et si j'ai pu penser que tant de cruautés
Puniroient un peu trop la douceur d'un mensonge.

Et quoi ! disois-je, hélas ! au fort de mes misères,
Ce Dieu dont on me peint les jugements sévères,
C'est le Dieu d'Israël, c'est le Dieu de nos pères,
Qui toujours envers eux si prodigue en bienfaits.
A pour les secourir oublié leurs forfaits ;
C'est ce Dieu qui pour eux renversa la nature,
        Et qui, pour leurs soulagemens,
        Força même les élémens
        A rompre cet ordre qui dure
Depuis la naissance des tems ;
Et c'est ce même Dieu de qui la main puissante
De ma frêle machine ajuste les ressorts,
        Et, dès lors qu'elle est chancelante,
Rallume mon esprit et ranime mon corps !
Son souffle m'a tiré du sein de la matière ;
C'est lui qui chaque jour me prête sa lumière ;
Lui dont, malgré mes maux et l'état où je suis,
Je compte les bienfaits par les jours où je vis.
En ce Dieu de pitié j'ai mis ma confiance ;
Trop sûr de ses bontés, je vis en assurance
Qu'un Dieu, qui par son choix au jour m'a destiné
A des feux éternels ne m'a pas condamné.
Voilà par quels secours mon âme défendue
A banni les terreurs dont on l'a prévenue,
Et sans vouloir braver le céleste pouvoir,
A fait céder la crainte aux douceurs de l'espoir.

Ami de qui pour moi l'amitié tendre et sûre
Fit que pour toi mon cœur n'eut jamais de détours,
J'ai voulu te tracer la fidèle peinture
        Des mouvements de la nature,
Au moment que j'ai cru voir terminer mes jours.

A ne rien déguiser cet instant nous convie,
Et j'ai cru que c'étoit, ami, te faire tort,
Si, ne t'ayant jamais rien caché de ma vie
J'avois pu te cacher mes pensers sur la mort.

AU MÊME
SUR LA MORT

Conformément aux principes du déisme
1708 (5)

Plus j'approche du terme, et moins je le redoute ;
Sur des principes sûrs mon esprit affermi,
Content, persuadé, ne connoît plus le doute.
Je ne suis libertin, ni dévot à demi (6).

Exempt de préjugés, j'affronte l'imposture
        Des vaines superstitions,
        Et me ris des préventions
De ces faibles esprits dont la triste censure
        Fait un crime à la créature
De l'usage des biens que lui fit son auteur,
        Et dont la pieuse fureur
        Ose traiter de chose impure
        Le remède que la nature
        Offre à l'ardeur des passions,
        Quand d'une amoureuse piqure
        Nous sentons les émotions (7).

D'un Dieu maître de tout j'adore la puissance,
La foudre est en sa main, la terre est à ses pieds,
        Les éléments humiliés
M'annoncent sa grandeur et sa magnificence
        Mer vaste, vous fuyez !
Et toi, Jourdain, pourquoi dans tes grottes profondes,
Retournant sur tes pas, vas-tu cacher tes ondes ?
Tu frémis à l'aspect, tu fuis devant les yeux
D'un Dieu qui sous ses pas fait abaisser les cieux !

Mais s'il est aux mortels un maître redoutable,
Est-il pour ses enfans de père plus aimable ? (8)
C'est lui qui, se cachant sous cent noms différens,
S'insinuant partout, anime la nature,
     Et dont la bonté sans mesure
Fait un cercle de biens de la course des ans (9).
     Lui de qui la féconde haleine
Sous le nom de zéphirs rappelle le printemps,
Ressuscite les fleurs et dans nos bois ramène
Le ramage et l'amour de cent oiseaux divers
Qui de chantres nouveaux repeuplent l'univers.

De Mercure tantôt empruntant le symbole
     Il dicte en ses instructions
     L'art d'entraîner les nations
     Par le charme de la parole.
Sous le nom d'Apollon il enseigne les arts ;
Pour assurer nos biens et défendre nos villes
Il emprunte celui de Bellone et de Mars ;
     Et pour rendre nos champs fertiles
     Et faire jaunir les guérets,
Il se sert des présents et du nom de Cérès.
Après tant de bienfaits, quoi ! j'aurai l'insolence,
Dans une mer d'erreurs plongé dès mon enfance
Par l'imbécile amas de femmes, de dévots (10),
A cet Etre parfait d'imputer mes défauts ?
D'en faire un Dieu vindicatif, colère,
Capable de fureur, et même sanguinaire,
Changeant de volonté, réprouvant aujourd'hui
Ce peuple qui jadis seul par lui fut chéri ! (11)
Je forme de cet être une plus noble idée ;
Sur le front du soleil lui-même il l'a gravée (12).
Immense, Tout-puissant, Equitable, Eternel ;
Maître de tout, a-t-il besoin de mon autel ?
S'il est juste, faut-il, pour le rendre propice,
     Que j'aille teindre les ruisseaux,
     Dans l'offrande d'un sacrifice,
     Du sang innocent des taureaux ?
Dans le fond de mon cœur je lui bâtis un temple.
Prosterné devant lui j'adore sa bonté,

Et ne vais pas suivre l'exemple
Des mortels insensés de qui la vanité
Croit rendre assez d'honneurs à la divinité
Dans ces grands monuments de leur magnificence,
     Témoins de leur extravagance
     Bien plus que de leur piété.
     Un esprit constant d'équité
     Bannit loin de moi l'injustice ;
     Et jamais ma noire malice
     N'a fait pâlir la vérité,
     Ou par quelque indigne artifice
     Rompu les doux liens de la société.

Ainsi je ne crains point qu'un Dieu dans sa colère
Me demande les biens ou le sang de mon frère,
Me reproche la veuve ou l'orphelin pillé,
Le pauvre par ma main de son champ dépouillé,
Le viol du dépôt ou l'amitié trahie,
Ou par quelques forfaits la fortune envahie.

Ainsi, dans le moment qui finira mes jours,
Qu'il faudra te quitter, La Fare, et mes amours,
Mon âme n'ira pas, flottante, épouvantée,
     Peu sûre de sa destinée
D'Arnauld ou d'Escobar implorer le secours (13).
     Mais plein d'une douce espérance (14),
     Je mourrai dans la confiance
De trouver, au sortir de ce triste lieu.
Un asile assuré dans le sein de mon Dieu (15).

A MADAME LA DUCHESSE DE BOUILLON
SUR LA MORT

Conformément aux principes des Epicuriens
1700 (16)

     Princesse, en qui l'art de plaire
     Est un talent naturel,
     Toi, dont le nom immortel

Dans le temple de Cythère
Aura toujours un autel,
Tant qu'on y célèbrera
L'esprit, la grâce et les charmes,
Et qu'Ovide y chantera
Les beautés à qui Rome avoit rendu les armes,
Bouillon, je veux que ma muse,
Philosophe en ses chansons,
De ses morales leçons
Et t'instruise et t'amuse,
Surtout que leur vérité
Quoique parfois renfrognée
Semble parfois être née
Du sein de la volupté.

Apprends à mépriser le néant de la vie.
Songe qu'au moment que je veux
Enseigner l'art de vivre heureux
Elle s'en va m'être ravie.
Les dieux sans m'appeler ont commencé son cours,
Ils ont fixé sans moi le nombre de mes jours,
Et quand leur haine m'a fait naître,
Leur pitié ne me laisse maître
Que de l'instant présent dont j'ai droit de jouir.
Tandis que je m'en plains, il va s'évanouir
Mais bien loin que la vitesse
Dont s'écoulent nos beaux ans
Soit un sujet de tristesse,
Il faut que notre sagesse
Tire de la fuite du temps,
De la mort, de nos maux et de notre faiblesse,
Les raisons de nous réjouir.

Aux pensers de la mort accoutume ton âme,
Hors son nom seulement elle n'a rien d'affreux.
Détachez-en l'horreur d'un séjour ténébreux
De démons, d'enfer et de flamme,
Qu'aura-t-elle de douloureux ?
La mort est simplement le terme de la vie,
De peines ni de biens elle n'est point suivie,

C'est un asile sûr, c'est la fin de nos maux,
C'est le commencement d'un éternel repos ;
Et pour s'en faire encore une plus douce image,
    Ce n'est qu'un paisible sommeil
    Que par une conduite sage,
    La loi de l'univers engage
    A n'avoir jamais de réveil.

Nous sortons sans effort du sein de la nature ;
Par le même chemin retournons sur nos pas :
Eh ! pourquoi s'aller faire une affreuse peinture
D'un mal qu'assurément on ne sent point là-bas ?
    Que ces sages réflexions
    Soient le principe de ta joie ;
    Goûte l'erreur des passions,
    Mais n'en deviens jamais la proie.
    Prends-les pour des amusements
    Dont il faut égayer le temps
    Que nous demeurons sur la terre.
    Ce sont de secrets ennemis
    Que la nature en nous a mis
    Exprès pour nous faire la guerre.
    Défendons-nous sans la finir ;
    Ce sont des sujets peu fidèles,
    Mais ce sont des sujets rebelles
Que le bien de l'Etat empêche de punir.
    Tranquille, attends que la Parque
    Tranche d'un coup de ciseau
    Le fil du même fuseau
Qui dévide les jours du peuple et du monarque.
Alors, contents du temps que nous aurons vécu,
    Rendons grâces à la nature,
    Et remettons-lui sans murmure
    Ce que nous en avons reçu (19).
Princesse, puissiez-vous comprendre par ma voix
    Un léger crayon des lois
    Que la prudente nature
    Dictait en Grèce autrefois
    Par la bouche d'Epicure,
Cet esprit élevé qui, dans sa noble ardeur,

S'envola par delà les murailles du monde,
Affranchit les mortels d'une indigne terreur,
Et bannit, le premier, de la machine ronde
Les enfants de la peur, le mensonge et l'erreur.

NOTES

(1) *Dans une autre pièce, Chaulieu a attribué, non à La Fare, mais à Chapelle, l'influence qui devait décider de lui et fixer pour toujours son idée de la poésie.*

> *Cet esprit délicat, comme moi libertin,*
> *Entre les amours et le vin,*
> *M'apprit, sans rabot et sans lime,*
> *L'art d'attraper facilement,*
> *Sans être esclave de la rime,*
> *Ce tour aisé, cet enjouement,*
> *Qui seul peut faire le sublime.*

(2) *Chaulieu fait ici allusion à un événement qui marqua profondément sa vie. En 1699, le roi obligea le duc de Vendôme à se séparer de son ami. La raison donnée fut que Chaulieu dilapidait la fortune des Vendômes, et le grief pouvait être exact. Mais Chaulieu y vit une intrigue de ses ennemis.*

(3) *Férocité veut dire seulement caractère peu liant et qui préfère la solitude à la société des indifférents.*

(4) *Le texte reproduit ici est celui de l'édition de 1774. Le sous-titre :* Conformément aux principes du christianisme, *appartient bien à Chaulieu, mais n'a pu être ajouté que plus tard, lorsqu'il eut l'idée de rapprocher, fort artificiellement, les trois pièces qu'il avait écrites sur la mort.*

(5) *Le texte reproduit ici est celui de l'édition de 1774 qui est sans aucun doute le texte authentique. On a mis en note les importantes variantes de 1763 pour que le lecteur puisse se rendre compte des mutilations auxquelles une pièce de vers pouvait être soumise afin de lui enlever tout caractère scandaleux.*

(6) *1733. Des suites de ma fin je n'ai jamais frémi.*

(7) *Ces douze vers disparaissent en 1733 et sont remplacés par deux lignes de points.*

(8) *Tout le passage, depuis :* La foudre est en sa main, *c'est-à-dire dix vers, est remplacé en 1733 par ces trois vers :*

Tout m'annonce son être, et la terre et les cieux :
    Mais sa bonté frappe mes yeux
    Autant du moins que sa puissance.

(9) *1733 :*

    Et qui, sans borne, et sans mesure,
En un cercle de biens partage tous les ans.

(10) *1733 :*

Par un peuple égaré de femmes, de dévots.

(11) *En 1750, ces cinq vers sont remplacés par ceux-ci :*

    D'en faire un Dieu plein de colère,
    Un Dieu cruel et sanguinaire
Qui ne vous a formés d'après ses propres traits
    Que pour l'offenser, lui déplaire,
    Et pour nous punir à jamais.

En 1733, ils avaient été remplacés par une ligne de points.

(12) *1733 :*

Je me fais de cet Estre une image plus juste,
Sur le front du Soleil j'en vois l'empreinte auguste,
Immense, Tout-puissant, Immuable, Eternel.

Toute la suite est supprimée jusqu'au vers :

    Mais plein d'une douce espérance.

(13) *L'édition de 1750 remplace ces cinq vers par ceux-ci :*

Tu ne me verras point à la fin de mes jours,
    Incertain de ma destinée
    Pour calmer mon âme étonnée
D'Arnaud ou d'Escobar implorer le secours.

(14) *C'est ici seulement que cesse la lacune de 1733.*

(15) *L'édition de 1750 donne, au lieu de ces trois derniers vers :*

    Je mourrai dans la confiance,
    Au sortir de ce triste lieu,
De trouver un azile, une retraite sûre,
    Ou dans le sein de la Nature,
    Ou bien dans les bras de mon Dieu.

(16) *Cette pièce est donnée dans le texte de 1774.*

(17) *L'édition de 1774 ajoute ici un passage de vingt et un vers qui se lisent aussi dans l'édition de 1733, mais avec des variantes, et dans un ensemble différent, à la suite de la pièce* Plus j'approche du

terme... *Ces vers semblent aussi mal placés d'un
côté que de l'autre. Comme, de toute façon, ils n'ont
rien à voir avec la philosophie de Chaulieu, on ne
les a pas reproduits.*

(18) *Frédéric-Jules de la Tour d'Auvergne, né en
1672, fut chevalier de Malte par la volonté de sa
famille et porta le nom de chevalier de Bouillon.
Il réussit en 1717 à quitter l'Ordre et prit le titre
de prince d'Auvergne. Il mourut en 1733. Il fit plusieurs fois parler de lui. Il appartenait à la société
des Vendômes.*

DENIS VEIRAS

L'HISTOIRE DES SÉVARAMBES

En 1675 parut à Londres un roman intitulé The
history of the Sevarites. *C'était l'œuvre d'un aventurier français, Denis Veiras, et parce qu'il contenait
des vues contraires aux confessions chrétiennes, on
le range communément dans la littérature des libertins du XVIIᵉ siècle.*

*Denis Veiras, dont le nom est plus souvent, mais
moins exactement écrit Vairasse, était né à Allais,
à une date inconnue. Il fut d'abord soldat, puis avocat. Nous le trouvons, en 1665, en Angleterre. A cette
date, il est en relations habituelles avec le duc de
Buckingham, avec Locke, avec Samuel Pepys. En
1672, il est en Hollande, avec l'ambassade anglaise.
Deux ans plus tard, il habite Paris et se fait appeler
le sieur d'Allais. Il vit en enseignant l'anglais, le
français et la géographie. Il s'est assuré la bienveillance de quelques personnages considérables, l'amiral
Duquesne, l'intendant Riquet, et, parmi les gens de
lettres, l'abbé de la Roque, qui dirige le Journal des
Savants. Nous ignorons la suite de sa vie, le lieu et
la date de sa mort.*

*A Paris, il avait publié une version française de
son roman et l'avait intitulé l'Histoire des Sévarambes. Le premier volume parut en 1677, muni d'un
privilège en bonne forme et précédé d'une longue
dédicace à Riquet. La suite et la conclusion, formant
quatre volumes, parurent dans les deux années qui
suivirent.*

L'Histoire des Sévarambes *appartenait à cette
sorte particulière de roman qui avait inspiré dans
le passé l'Utopie de Thomas Morus et la Civitas
Solis de Campanella. C'était le récit d'un voyage
imaginaire, la description d'un pays où les croyances,
les mœurs, les institutions étaient conformes aux
exigences de la pure Raison. Il est curieux d'observer que l'ami de Denis Veiras, le très philosophe
John Locke, commençait, vers cette époque précisément, un roman utopique intitulé Atlantis.*

Mais faut-il vraiment parler d'utopie ? John Locke
était le secrétaire d'une société anglaise créée pour
l'exploitation de la Caroline, et il avait, en 1669-1670,
rédigé un projet de constitution pour le nouvel Etat.
On parlait beaucoup aussi de la république commu-
niste des Guaranis, que les Jésuites du Paraguay
avaient construite de toutes pièces. On rappelait
la constitution des Incas. L'idée se faisait jour qu'il
pouvait exister, ou que l'on pouvait créer, hors
d'Europe, des sociétés d'un type radicalement différent des vieilles sociétés européennes. Et l'on se
plaisait à imaginer que nos préjugés, et les abus
qui en sont la conséquence, disparaîtraient dans
un monde que la Raison seule aurait façonné.

C'est ce qui explique que l'Histoire des Sévarambes
ait paru avec privilège du roi et que Veiras ait
pu l'offrir à Riquet. Bien loin de voir dans cette
« utopie » des vues dangereuses pour l'ordre politique, les esprits clairvoyants devaient y retrouver
les plus importantes de leurs préoccupations : un
gouvernement fort et puissamment centralisé, l'utilité sociale considérée comme la seule valeur authentique, le travail exalté, les traditions tolérées dans
la mesure où elles ne heurtent pas la raison, les
privilèges de classe abolis, l'enseignement considéré
comme un service public et qui ne peut être confié
qu'à l'Etat.

Il n'en est pas moins vrai que pour justifier ces
vues, Denis Veiras faisait appel à une idée qui
était, nous l'avons plusieurs fois constaté, au cœur

de la tradition libertine. Il s'agissait pour lui de
construire une société d'où seraient bannies l'ambition et l'avarice, c'est-à-dire ces passions où, depuis
Théophile de Viau, les libertins ne cessaient de
dénoncer l'origine de tous nos maux. C'est parce
qu'elles règnent parmi nous que certains « regorgent
de biens et de richesses », vivent dans la fainéantise
et la volupté, tandis que d'autres manquent de tout
et s'épuisent pour gagner leur misérable vie. Parce
qu'ils ont réussi à éteindre ces passions, les Sévarambes ont créé une société où personne n'est
pauvre, où chacun a sa part aux plaisirs et aux
divertissements publics.

Libertin, Denis Veiras l'était encore, et surtout,
lorsqu'il abordait le problème religieux. Il intro-
duisait dans son roman un épisode, celui de l'imposteur Omigas, et il était difficile de n'y pas reconnaître des allusions blasphématoires. Cet Omigas se
vantait d'être le fils du Soleil, comme Jésus fils
de Dieu. Il savait rendre son visage radieux au
point d'éblouir les yeux, et l'on pense aussitôt à
la Transfiguration. Il faisait des miracles comme
le Christ, guérissait des aveugles et des boiteux,
mais c'étaient de faux infirmes et des gens qu'il
avait subornés. Des femmes le suivaient, car il
était bel homme, comme les Saintes femmes avaient
suivi Jésus, et celui-ci n'était-il pas, selon la tradition chrétienne, le plus beau des enfants des
hommes ? Il fallait être aveugle pour ne pas
discerner l'intention secrète de Veiras.

Dans une autre partie de son roman, celui-ci
confiait au sage Scroménas le soin d'exposer sa
philosophie. On y reconnaissait sans peine le naturalisme de la Renaissance italienne, un mélange de
conceptions où Pythagore et Platon se trouvaient
associés aux systèmes de l'Arabie et de l'Inde. Le
monde était formé d'un nombre infini de soleils
et de globes. La matière et l'esprit étaient inséparablement unis. L'esprit, émané du Grand Tout,
était la vertu formatrice qui animait le corps jus-

qu'au moment où elle se séparait de lui pour
passer en d'autres corps, et la naissance et la mort
n'étaient rien d'autre que la suite de ces éternelles
migrations. Mais rien ne périssait jamais, ni de
la matière, ni de l'esprit.

Les Sévarambes admettaient la nécessité d'une
religion et d'un culte. L'Etre suprême a droit à
nos adorations. Il est naturel que notre respect
et notre reconnaissance aient produit un culte rendu
à Dieu, ou plutôt au Soleil son ministre. Ce culte
primitivement était simple. Il consistait en quelques
sacrifices de fruits que le soleil mûrit pour notre
nourriture. C'est plus tard, dans la suite des siècles,
que l'ambition et l'avarice ont corrompu cette religion naturelle, y ont introduit des erreurs, des
doctrines impies et cruelles, des cérémonies superstitieuses et ridicules. Toute la fin du discours du sage
Scromenas est consacrée à décrire les malheurs
qu'entraîne pour l'humanité l'existence des confessions religieuses, avec leur fanatisme et leur attachement aux plus absurdes préjugés.

BIBLIOGRAPHIE. — L'édition anglaise, la première
en date, porte ce titre :

The history of the Sevarites or Sevarambi, a nation
inhabiting a part of the third Continent, communly
called Terrae Australes Incognitae. With an account
of their admirable Government, Religion, Customs
and Language. Written by one Captain Siden. Printed
for Henry Brome at the Gun at the West End of
St Pauls Church Yard, Londres, 1675. In-12.

Ce volume contient la première partie seulement
du roman.

L'édition française a paru de 1677 à 1679, en parties successives.

I. L'Histoire des Sévarambes, peuples qui habitent
une partie du troisième continent communément
appelé la Terre australe. Contenant un compte exact
du Gouvernement, des Mœurs, de la Religion et du

*Langage de cette Nation, jusques aujourd'huy incon-
nuë aux peuples de l'Europe. Traduit de l'anglais.
Première partie. A Paris, chez Claude Barbin, au
Palais, sur le second perron de la Sainte Chapelle,
1677. Avec Privilège du Roy. In-12.*

Le privilège porte la date du 13 février 1676.
L'achevé d'imprimer est du 26 janvier 1677.

II. Le volume suivant porte le même titre, avec
la date de 1677. Il se présente comme étant la
Seconde partie du roman, mais la véritable seconde
partie ne parut qu'à la fin de 1677, sous la présen-
tation suivante :

III. *Histoire des Sévarambes, peuples... inconnuë
aux peuples de l'Europe. Seconde partie. Tome I.
A Paris, chez l'autheur, ruë de Bussi, Faux-bourg
S. Germain, proche le petit marché, entre un Apo-
tiquaire et un Pâtissier. Et chez Estienne Michallet,
rue Saint Jacques, à l'image S. Paul, proche la fontaine S. Severin, 1678. Avec privilège du Roy.*

Le privilège du roi porte la date du 20 août 1677.
L'achevé d'imprimer est du 18 décembre 1677.

IV. Le tome II de la *Seconde partie* porte le même
titre, avec la date de 1677.

V. Le tome III de la *Seconde partie* porte le titre
suivant :

*Conclusion de l'Histoire des Sévarambes, peuples
qui... aux peuples de l'Europe. Seconde partie.
Tome III. A Paris. Chez l'autheur, au bas de la ruë
du Four, proche le petit marché, Faux-bourg Saint-
Germain, attenant un Boisselier. Chez Estienne
Michallet, rue Saint-Jacques, à l'image Saint Paul,
proche la Fontaine Saint-Séverin. Et au Palais, 1679.*

Il y eut des éditions de Bruxelles (1682), d'Amster-
dam (1702, 1716, 1734).

L'édition des *Voyages imaginaires*, tome V, 1787,
est tronquée et sans valeur.

Sur Denis Veiras, voir la très bonne étude de
E. von der Mühl, *Denis Veiras et son Histoire des
Sévarambes*, Paris, 1938.

Une société sans classe.

Nous avons parmi nous des gens qui regorgent de biens et de richesses, et d'autres qui manquent de tout. Nous en avons qui passent leur vie dans la fainéantise et dans la volupté, et d'autres qui suent incessamment pour gagner leur misérable vie. Nous en avons qui sont élevés en dignité et qui ne sont nullement dignes ni capables d'exercer les charges qu'ils possèdent. Et nous en avons enfin qui ont beaucoup de mérite, mais qui manquant des biens de la fortune croupissent misérablement dans la boüe et sont condamnez à une éternelle bassesse.

Mais parmi les Sévarambes, personne n'est pauvre, personne ne manque des choses nécessaires et utiles à la vie, et chacun a sa part aus plaisirs et aus divertissemens publics, sans que, pour jouïr de tout cela, il ait besoin de se tourmenter le corps et l'âme par un travail dur et accablant. Un exercice modéré de huit heures par jour lui procure tous ces advantages, à lui, à sa famille et à tous ses enfans, quand il en auroit mille. Personne n'a le soin de payer la taille, ni les imposts, ni d'amasser des sommes d'argent pour enrichir ses enfans, pour dotter ses filles, ni pour acheter des héritages. Ils sont exems de tous ces soins, et sont tous riches dès le berceau. Et si tous ne sont pas élevez aus dignités publiques, du moins ont-ils cette satisfaction de n'y voir que ceus que le mérite et l'estime de leurs concitoyens y ont élevé. Ils sont tous nobles et tous roturiers et nul ne peut reprocher aus autres la bassesse de leur naissance, ni se glorifier de la splendeur de la sienne. Personne n'a ce déplaisir de voir vivre les autres dans l'oisiveté, pendant qu'il travaille pour nourrir leur orgueil et leur vanité. Enfin, si l'on considère le bonheur de ce peuple, on trouvera qu'il est aussi parfait qu'il le puisse estre en ce monde, et que toutes les autres nations sont très mal-heureuses au prix de celle-là.

Sévarias le législateur (1).

Dans cette recherche il reconnut que les mal-heurs des Sociétez dérivent principalement de trois grandes sources, qui sont l'orgueil, l'avarice et l'oisiveté.

L'orgueil et l'ambition portent la plûpart des hommes à vouloir s'élever au-dessus des autres pour les maistriser, et rien ne nourrit tant cette passion que les avantages d'une extraction illustre dans les lieus où la Noblesse est héréditaire. L'éclat d'une haute naissance éblouït si fort ceus qui l'ont reçu des mains de la fortune qu'il leur fait oublier leur condition naturelle pour n'attacher leur esprit qu'à ce bien extérieur qu'ils ne doivent qu'à leurs ancestres et non à leur propre vertu. Ils s'imaginent le plus souvent que les autres hommes leur doivent estre soumis en toutes choses, et qu'ils sont nés pour leur commander, sans considérer que la nature nous a faits tous égaus, et qu'elle ne met point de différence entre le noble et le roturier ; qu'elle nous a tous assujetis aus mêmes infirmitez ; que nous entrons dans la vie les uns comme les autres ; que les richesses ni la qualité ne sçauroient ajouter un moment aus jours des Souverains, non plus qu'à ceus de leurs sujets ; et qu'enfin la plus belle distinction qu'il y puisse avoir entre les hommes est celle qu'ils tirent des avantages de la vertu. Pour donc remédier aus désordres que produit l'iné-galité de la naissance, Sevari[a]s ne voulut pas qu'il y eût d'autre distinction entre ses peuples que celle des magistrats et des personnes privées, et que parmi ces derniers, l'inégalité de l'âge déci-dast seule de l'inégalité du rang.

La communauté des biens.

Et parce que les richesses et la propriété des biens font une grande différence dans la société civile, et que de là viennent l'avarice, l'envie, les extorsions

et une infinité d'autres maus, il abolit cette propriété de biens, en priva les particuliers et voulut
que toutes les terres et les richesses de la nation
appartinssent proprement à l'Etat, pour en disposer
absolument, sans que les sujets en peussent rien
tirer que ce qu'il plairoit au Magistrat de leur en
départir. De cette manière il banit tout à fait la
convoitise des richesses, les tailles, les imposts, la
disette et la pauvreté, qui causent tant de mal-heurs
dans les diverses sociétés du monde. Depuis l'établissement de ces lois, tous les Sévarambes sont
riches, encore qu'ils n'ayent rien de propre. Tous
les biens de l'Etat leur appartiennent, et chacun
d'eus se peut estimer aussi heureux que le monarque
du monde le plus opulent. Si dans cette nation un
sujet a besoin de quelque chose nécessaire à la
vie, il n'a qu'à la demander au Magistrat, et il
est assuré de l'obtenir sans peine. Il n'est jamais
en souci pour sa nourriture, pour ses habits, ni
pour son logement, pendant les divers degrez de
son âge ; ni même pour l'entretien de sa femme
et de ses enfans, quand il en auroit des centaines
et des milliers. L'Etat pourvoit à tout cela sans
exiger des tailles ni des imposts, et toute la nation
vit dans une heureuse abondance et dans un repos
assuré sous la conduite du souverain.

Une société fondée sur le travail.

Mais parce que le Magistrat, qui est la teste du
corps politique, a besoin des autres membres pour
en tirer de l'aide et du secours, et que d'ailleurs
il est bon de les exercer de peur qu'ils ne se
rebellent dans l'aise et les plaisirs, ou ne s'amo-
lissent dans l'oisiveté, Sévarias voulut donner de
l'occupation à tous ses sujets et les tenir toujours
en haleine par un travail utile et modéré.

Pour cet effect, il partagea le jour en trois parties
égales, et destina la première de ces trois parties

au travail, la seconde au plaisir, et la troisième au repos. Il voulut que tous ceus qui seroient parvenus jusques à un certain âge, et que les maladies, la vieillesse ou d'autres accidens ne pourroient justement exempter de l'obligation des lois, travaillassent chacun huit heures du jour, et qu'ils employassent le reste du tems, ou dans les divertissements honnestes et permis, ou dans le sommeil et le repos.

Ainsi toute la vie se passe avec beaucoup de douceur, les corps sont exercez par un travail médiocre, et ne sont pas usez par une fatigue immodérée. Les esprits sont agréablement occupez par un exercice raisonnable, sans estre accablez par les soins, les chagrins et les soucis. Les divertissemens et les plaisirs qui succèdent au travail récréent et raniment le corps et l'esprit, et le repos les rafraichit et les délasse.

De cette manière les hommes étant occupez au bien, n'ont pas le tems de songer au mal, et ne tombent guères dans les vices où les porteroit l'oisiveté s'ils ne la chassoient par des occupations honnestes. L'envie qui vient des trois sources dont nous avons parlé exerce rarement sa rage parmi ces peuples, et leur cœur n'est ordinairement échaufé que d'une noble émulation qui naît de l'amour de la vertu, et du juste désir des loüanges que méritent les bonnes actions.

Un programme d'enseignement public.

C'est ce que comprit fort bien le grand Sévarias, et c'est pour cette raison qu'il fit plusieurs ordonnances pour l'éducation des enfans. Car premièrement ayant reconnu que leurs pères et leurs mères les gastent le plus souvent, ou par une folle indulgence, ou par une trop grande sévérité, il ne voulut pas laisser ces jeunes plantes entre les mains de personnes si peu capables de les cultiver.

Pour cet effet, il institua des écoles publiques pour les y faire élever parmi leurs égaux et sous la conduite de personnes choisies et habiles, qui n'estant préoccupés, ni d'amour, ni de haine, instruiroient indifféremment tous les enfans par préceptes, par corrections et par exemples, pour les porter à la haine du vice et à l'amour de la vertu. Mais afin que les parens ne pussent les contrarier dans l'exercice de leurs charges, il voulut qu'après qu'ils auroient rendu à leurs enfans les premiers soins paternels et témoigné leurs premières tendresses à ces précieus fruits de leur amour, il voulut, dis-je, qu'ils se dépoüillassent de leur authorité paternelle pour en revestir l'Estat et les Magistrats, qui sont les pères politiques de la Patrie.

Selon cette ordonnance, dès que les enfans ont atteint leur septième année, à de certains jours réglez, et quatre fois tous les ans, le père et la mère sont obligez de les mener au temple du Soleil, où après qu'on les a dépoüillés des habits blancs qu'ils portoient depuis leur naissance, on les lave, on leur rase la teste, on les oint d'huile, on leur donne une robe jaune, et puis on les consacre à la divinité. Le père et la mère se démettent entièrement de l'empire que la nature leur avoit donné sur eux, ne se réservant que l'amour et le respect, et dès ce moment ils deviennent enfans de l'Estat. Incontinent après, on les envoye à des écoles publiques, où pendant quatre ans entiers on les accoutume à l'obéïssance des Loix, on leur enseigne à lire et à écrire, on les forme à la danse et à l'exercice des armes.

Quand ils ont ainsi demeuré quatre ans dans ces écoles, et que leur corps s'est fortifié, on les envoye à la campagne, où ils apprennent pendant trois ans à cultiver la terre, à quoy on les fait travailler quatre heures par jour, et on les fait exercer les quatre autres heures aux choses qu'ils avoient déjà aprises dans les écoles. On élève les filles de la mesme manière que les garçons, sans beaucoup de diffé-

rence, mais c'est en des lieux séparez, car on a
des osmasies (2) pour les deux sexes, et d'ordinaire
celles de la campagne sont éloignées les unes des
autres.

Lorsqu'ils sont parvenus à leur quatorzième année,
on leur fait changer de demeure et d'habit... Alors
on leur enseigne les principes de la grammaire, et
on leur donne le choix d'un mestier, auquel quand
ils ont fait quelque temps d'épreuve, si l'on void
qu'ils y soient fort propres, on les donne à des
maistres qui ont soin de les leur enseigner. Mais
s'ils n'y ont pas de fort grandes dispositions, on
leur donne le choix d'estre laboureurs ou massons,
qui sont les deux plus grands exercices de la Nation.

Pour les filles, on les élève à des métiers affectés
à leur sexe, qui ne sont pas si pénibles que ceux
des garçons. Elles s'occupent à filer, à coudre, à
faire de la toile, et à plusieurs autres exercices,
où la force du corps n'est pas si nécessaire qu'à
ceux des hommes.

Histoire d'un imposteur.

Lorsque Sévarias et ses Parsis arrivèrent aux
terres Australes, ils virent bien que les habitans
de ce continent étoient adorateurs du Soleil, mais
ils ne trouvèrent pas qu'ils fussent tous d'accord
dans la manière de le servir. Au contraire ils étoient
divisez par des opinions différentes qui avoient été
cause de longues guerres que les Stroukarambes
avoient fait aux Prestarambes. Ces derniers se van-
toient d'avoir retenu l'ancien culte du Soleil dans
sa pureté, et accusoient les autres d'avoir innové
et mêlé dans la religion les rêveries d'un faus prophète nommé des siens Omigas, et par eux Stroukaras, c'est-à-dire Imposteur. Ils disoient que cet
Omigas se vantoit d'être fils du Soleil, et qu'il avoit
séduit presque tous les habitans de ces païs à plus

de cent lieues autour de Sévarinde. Selon le rapport des Prestarambes il s'étoit attiré un renom de divinité par diverses ruses et par plusieurs faux miracles..

Plusieurs se laissoient d'autant plus facilement persuader à ses paroles, qu'ils croyoient qu'après avoir été pendant quelque temps dans un profond assoupissement, à son réveil son visage devenoit si radieux que personne ne pouvoit le regarder sans en être ébloüi. Cette lumière faisoit encore un d'autant plus grand effet qu'il étoit fort bel homme, et qu'il avoit le don de bien parler et de dire les choses avec un air et une grâce qui charmoient tous ceux qui l'écoutoient.

Par de telles et semblables ruses, cet Imposteur s'acquit dans peu de tems beaucoup de réputation parmi la populace grossière qui le suivoit partout et qui lui rendoit une obéissance aveugle. Il subornoit de tems en tems des gens qui contrefesoient les aveugles et les boiteux, et qui se disoient atteints de diverses maladies dont il prétendoit les guérir au nom du Soleil. Et pour se mieux faire valoir parmi le peuple, il s'associa quelques-uns d'entre eux qui alloient parlant de ses miracles et de sa sainteté et qui ne manquoient pas d'exagérer toutes choses à son avantage. Plusieurs femmes le suivoient aussi, car il étoit bel homme, et il fesoit dire à quelques-unes qu'il avoit corrompües qu'il parloit familièrement avec le Soleil du sommet d'une haute montagne où il alloit quelquefois passer des mois entiers.

Par ces artifices Omigas (Stroukaras) établit son empire sur ces peuples.

Cependant Stroukaras régnoit absolument, fesoit accroire tout ce qu'il vouloit à ses sujets et leur persuadoit, par ses artifices et ses faux prodiges, qu'il étoit fils du Soleil et le seul interprète de ses volontés.

Cela lui attira une opinion de divinité, et même avant sa mort on commença de lui addresser des vœux, comme à la seule personne au moyen de laquelle on pouvoit obtenir la faveur du Ciel. Il ne se montroit plus au peuple, et depuis que l'âge eut terni sa beauté et affoibli son corps, il ne leur parloit que par ses ministres. Enfin, après avoir longtemps régné, quand il se sentit vieux et cassé, et qu'il vit qu'il n'avoit pas longtemps à vivre, il fit courir le bruit qu'il devoit bien-tost monter au Soleil, son père, et qu'il ne converseroit plus visiblement avec ses sujets. Que néanmoins il ne laisseroit pas de venir souvent au temple du bocage, et que là il leur déclareroit la volonté de son père et leur donneroit des témoignages du soin perpétuel qu'il vouloit prendre de ceux qui auroient recours à lui. Que cependant, pour suppléer à cette absence, il leur donneroit son fils et ses ministres pour les commander, jusqu'à ce qu'il les auroit plus pleinement instruits de sa volonté.

Peu de temps après que ces discours eurent couru parmi les peuples et les eurent préparez à la soumission, il leur donna son fils, qu'ils reçurent pour leur chef après lui avoir témoigné le regret et la douleur que leur causoit son éloignement, mais il les consola par l'espérance d'un prompt retour.

Cependant il ordonna à son fils et à ses disciples de creuser le grand arbre qui étoit au milieu du bocage et d'y ensevelir son corps dès qu'il auroit rendu l'âme, ce qui arriva dans peu de jours après. Mais on ne fit pas savoir sa mort ni son départ au peuple, jusques à un certain jour qu'il fit des éclairs et des tonnerres épouvantables. L'on prit ce temps-là pour faire accroire à ses sujets que Stroukaras étoit monté au ciel, mais qu'il en descendroit de temps en temps, comme il l'avoit promis, pour leur déclarer la volonté du Soleil, son père. Dès ce temps-là, on le révéra comme un Dieu, on lui offrit des sacrifices, et lorsqu'on trouvoit quel-

que grande difficulté, soit dans la religion ou dans
le gouvernement de l'Etat, on le prioit de descendre
du Ciel pour déclarer la voie qu'on devoit prendre.

La philosophie de Scroménas.

Durant cette solennité, il se fait en divers endroits
de la ville des assemblées de sçavans qui parlent
de la Divinité chacun selon ses sentimens, et souvent on y fait des controverses fameuses, où les
beaus esprits ont de belles occasions pour faire voir
au public les fruits de leurs études et la beauté
de leurs génies.

Je me trouvay un jour à l'une de ces assemblées,
où un homme fort sçavant et fort éloquent nommé
Scroménas fit un long et grave discours touchant
la constitution du monde universel, la naissance de
nostre globe, l'origine des animaux, les progrez des
sciences humaines, et touchant le culte religieus
que les hommes ont établi parmi eus.

Pour le premier chef il dit que le grand monde
étoit éternel et infini, et qu'on le devoit considérer
comme matériel ou comme spirituel ; que la matière
et l'esprit qui l'anime étoient inséparablement unis
ensemble, quoique ce fussent deux choses distinctes,
comme le corps et l'âme dans les animaux. Que
cet esprit avoit une vertu formatrice par laquelle
il opéroit perpétuellement dans tous les corps en
mille façons différentes, et se peignoit en racourci
dans toutes les créatures ; qu'il agissoit avec intelligence, que tous ses ouvrages particuliers avoient
un rapport merveilleus à l'idée du Grand-Tout, et
qu'il ne fesoit rien en vain quoiqu'il semblast à
nostre foible raison que quelques-unes de ses pro-
ductions fussent vicieuses, irrégulières et mons-
trueuses. Il ajouta que la vertu formatrice de cet
esprit étant répanduë par tous les corps, elle y
agissoit diversement, et qu'elle se plaisoit à une
admirable variété. Que selon ce principe elle aimoit

à quitter des corps pour passer dans d'autres, et
que cela étoit la cause de la destruction et de
la naissance de certains composez, de la mort et
de la vie. Que ses ouvrages avoient des proportions
différentes puisque quelquefois elle formoit des
globes tout entiers, et qu'ensuite elle agissoit dans
chacun de ces globes et s'y peignoit en racourci de
mille manières. Que dans la dissolution des corps il
n'y avoit que leur forme qui périst pour en prendre
une nouvelle, sans qu'il se perdist rien de leur
matière. Que l'esprit qui l'abandonnoit ne périssoit
point non plus, mais qu'il alloit opérer dans d'autres
sujets.

Ce Docteur appuyoit son raisonnement de l'authorité de Pythagore, de Platon et de plusieurs grands
philosophes, tant Grecs, Arabes qu'Indiens, qu'il
disoit avoir été de son opinion, du moins dans la
plus grande partie. Il ajoûta que le monde universel étoit composé d'un nombre infini de globes
différens dans leur proportion, leur mouvement, leur
situation, leur usage et leur fin. Qu'il y avait aussi des
Soleils à l'infini qui étoient comme autant de sources
de vie et de lumière pour éclairer et pour animer
les globes que la Providence avoit placez dans
l'étenduë de leur sphère, et qu'ils étoient comme
ses lieutenans dans la conduite du Grand-Tout. Que
nul de ces globes n'étoit éternel, quoyqu'ils fussent
d'une très longue durée avec la différence du plus
ou du moins selon le degré de leur excellence et
de leur solidité, même que tous, sans exception,
avoient eu un commencement et devoient avoir une
fin comme les autres corps inférieurs. Que la Providence ne souffroit la dissolution des uns et la
naissance des autres que dans les divers tems qu'elle
avoit ordonnés, afin que le Grand-Tout ne fît aucune
perte et ne souffrît aucune violence. Enfin, qu'il
en étoit de même à l'égard des globes que les
diverses espèces des animaus, dans lesquelles on
void tous les jours périr les individus, sans que
pour cela l'espèce périsse, parce qu'il en naist

d'autres pour remplir la place de ceux qui meurent.

Après avoir ainsi parlé du monde universel, il tomba sur le discours de nostre globe en particulier, et dit qu'il avoit eu un commencement comme tous les autres, et que comme eus il auroit une fin, mais que les termes de sa durée n'étoient connus d'aucun homme mortel, que les opinions des hommes étoient partagées touchant le tems de sa naissance, les uns le faisant plus ancien et les autres plus nouveau : que les Egyptiens lui avoient donné de leur tems jusques à quatorze ou quinze mille ans d'antiquité ; que les Braméens des Indes orientales lui en donnoient près de trente mille, et que les Chinois comptoient quatorze ou quinze mille ans dans l'ordre de la succession de leurs rois, mais que pour lui il ne croyoit pas que nostre globe fût si ancien. Qu'il trouvoit la computation des Juifs plus plausible, en ce qu'elle s'accordoit mieux avec les progrès des sciences et des arts, et que bien qu'il y eust sur la terre des peuples présentement aussi barbares que leurs ancêtres le pouvoient estre il y a quatre mille ans, néanmoins il ne laissoit pas d'estimer cette dernière computation comme la plus probable parce qu'il semblait que le corps des animaux alloit toujours en diminuant, soit à l'égard de la stature, soit à l'égard de la force et de la santé. Il dit que cela se remarquoit principalement dans les nations malignes et dissoluës comme étoient la pluspart des peuples de l'Asie, de l'Europe et de l'Amérique, qui à la vérité étoient des gens fort barbares, quoiqu'ils se crussent fort polis, parce qu'ils faisoient consister la politesse en des apparences extérieures en quoi elle ne consiste pas en effet ; que la véritable politesse ne consiste pas dans quelques discours affectez, dans quelques modes bizarres et dans quelques simagrées extérieures, mais dans la justice, dans le bon gouvernement, dans l'innocence des mœurs, dans la tempérance et dans l'amour et la charité que les hommes doivent avoir mutuelle-

ment les uns pour les autres. Que le plus souvent
le plus habile et le plus adroit de tous les hommes
étoit un barbare s'il n'étoit juste, bien-faisant, charitable et modéré, et que les lumières de son esprit
n'étoient qu'une fausse lueur qui ne servoit qu'à
l'éblouir et à le faire tomber dans le précipice.
Que les nations mal gouvernées étoient aveugles,
et que la véritable gloire des Princes et des Magistrats consiste dans la bonne conduite et dans le
bon gouvernement de leurs sujets, dans une juste
distribution des récompenses et des peines.

Pour ce qui est de l'origine des animaux, Scroménas dit qu'elle étoit inconnuë aus hommes aussi
bien que le tems de la naissance des globes ; que
néanmoins, si l'on pouvoit se fonder sur des conjectures vraisemblables, il y avoit lieu de croire qu'au
commencement de chaque globe la Providence avoit
créé une couple de tous les animaux parfaits dont elle
le vouloit remplir, et que de cette couple, comme
d'une source, des espèces s'étoient accruës par les
voyes de la génération. Qu'il estimoit beaucoup en
cela l'opinion de Moïse, et qu'il la regardoit comme
la plus probable et la mieux fondée en raison. Que
pour les autres globes qui font partie du Monde
universel comme le nostre, personne ne sçavoit
quelle étoit l'œconomie de la nature dans ces grands
corps, et qu'ainsi on n'en pouvoit parler sans témérité ; qu'il nous suffisoit de raisonner sur les choses
que nous voyons sur nostre terre, et d'y admirer
en mille endroits les merveilles de la sagesse divine.
Que comme il y avoit diverses espèces d'animaux
dans les différens élémens et dans les divers climats
de nostre globe, il se pouvoit faire aussi que Dieu
eût peuplé les divers globes particuliers d'animaus
de différentes espèces qui n'auroient rien de commun avec ceux que nous voyons parmi nous. Qu'il
faisoit toutes choses pour sa gloire, et que ce n'étoit
pas à nous à vouloir témérairement pénétrer dans
les secrets de sa Providence. Qu'entre tous les animaus qu'il avoit créés icy-bas, il avoit donné à

l'homme de grands avantages qu'il n'avoit pas voulu
départir aux autres et que ces dons et ces grâces
étoient différens et dans leur mesure, et dans leur
espèce. Que néanmoins l'homme étoit un animal
mortel et périssable comme les autres, et qu'il ne
devoit pas s'enorgueillir de biens dont la possession
est courte et incertaine.

Il ajouta que c'étoit une haute folie en plusieurs
personnes de s'imaginer que le ciel, la terre et tous
les astres lumineus que nous voyons briller sur
nos têtes, n'ayent été créés que pour l'usage particulier des hommes, comme si la Providence
n'avoit pas de fin plus noble ni plus relevée que
celle de plaire à de misérables vers de terre. Enfin
il dit sur la vanité de ces sortes de gens des choses
si mortifiantes que le plus habile de nos prédicateurs
n'en auroit pû dire davantage pour humilier un
pécheur superbe qui oseroit s'élever contre Dieu.

De là il passa au discours de l'origine et des
progrès des sciences et des arts, sur quoi il dit
des choses fort curieuses, en faisant voir histori-
quement tout ce que les écrivains les plus célèbres
de diverses nations en ont écrit. Il cita plusieurs
Autheurs Chinois et Braméens, comme aussi les
Juifs, les Grecs et les Arabes, et fit voir que plusieurs belles connoissances qu'on avoit autrefois
s'étaient perduës, mais qu'il espéroit qu'elles
seroient rétablies avec le tems par le soin et par
l'industrie des Sévarambes, qui en avoient déjà réta-
bli quelques-unes et qui pouvoient réüssir dans ce
dessein beaucoup mieus qu'aucune autre nation du
monde, à cause de leur excellent gouvernement et
du soin qu'on prenoit d'envoyer de tems en tems
un nombre suffisant de personnes habiles pour voya-
ger dans les nations les plus polies de nostre continent, et pour y apprendre tout ce qu'ils jugeroient
dignes de la curiosité de leur nation.

Il finit par un discours sur la religion et le culte
qu'on doit à la Divinité suprême, et dit beaucoup
de choses assez étranges qu'il n'est pas convenable

de rapporter icy. Je me contenteray de dire seulement qu'il tascha de faire voir que naturellement
les hommes n'ont pas plus de religion que les bestes,
et que si ce n'estoit l'usage de la parole, ils n'auroient guères plus de lumière. Mais que par le
moyen du discours ils s'entrecommuniquent leurs
pensées, et que la pluspart des sciences et des arts
doivent leur origine et leurs progrès à l'art de
s'expliquer en parlant. Il ajouta que la religion
devoit sa naissance à la curiosité et à la contemplation. Qu'avant que les hommes eussent établi
aucun culte religieux ils vivoient comme les bêtes,
et que les méditations de quelques personnages
contemplatifs, qui par la considération de l'ordre
de la Providence s'étoient peu à peu élevez à la
pensée d'un être suprême et indépendant, avoit
produit les premiers mouvemens de dévotion. Qu'ensuite des sentimens de respect et de reconnoissance
avoient produit le culte extérieur qu'on avoit pratiqué à l'égard de Dieu et du Soleil son grand ministre, qui est la créature la plus glorieuse et la
plus bienfaisante que nos yeux puissent découvrir.
Que c'étoit pour cette raison que l'adoration du
Soleil étoit la plus ancienne, la plus générale et la
plus plausible de toutes les adorations, et que bien
que la raison plus épurée portast l'esprit à l'idée
d'un Etre supérieur, néanmoins ses premiers mouvemens et le témoignage des sens se bornoient à
l'adoration de ce grand Astre.

Il dit que les premières cérémonies qu'on avoit
instituées étoient fort simples et qu'elles n'avoient
consisté pendant les premiers siècles qu'en quelques sacrifices des fruits que le Soleil meurit pour
la nourriture des hommes. Que dans la suite l'ambition et l'avarice venant à s'y mêler, on avoit
farci la religion de mille cérémonies superstitieuses
et ridicules qui s'étoient établies par le tems et la
coutume, malgré l'évidence de la raison et de la
vérité. Que ces erreurs avoient été suivies de doctrines impies, cruelles et tyranniques, par le moyen

desquelles on avoit tâché de captiver les esprits.
Que les hommes s'étant ainsi détournez du droit
chemin, il ne faloit pas s'étonner s'ils passoient de
plus en plus d'erreur en erreur, d'idolâtrie en idolâtrie, et s'ils s'accordoient si mal dans l'objet de
leur adoration et dans la manière de leur culte
religieus. Que leur aveuglement dans une matière
si importante remplissoit leur esprit de mille faus
préjugez qui les empeschoient de voir la lumière
de la vérité, quelque éclatante qu'elle fût d'elle-
même. Que l'habitude qu'ils s'étaient faite dans
l'erreur avoit tellement corrompu les affections de
leur cœur qu'elle offusquoit toutes les lumières de
la raison, et ne leur permettoit pas d'agir librement
dans le chois du bien et du mal, du vrai et du faus.
Que de là étoit venu ce zèle inconsidéré des peuples
de tous les tems et de tous les lieus, qui pour maintenir ou pour augmenter leur parti, avoient souvent
violé toutes les lois de la justice et de l'humanité,
sous prétexte de soutenir leurs opinions et de rendre
vénérables les idoles foibles et impuissantes dont
ils avoient fait l'objet de leur adoration. Que l'opiniâtreté de ces différens partis avoit souvent été
cause des guerres, des massacres et enfin de la
ruine de puissans Empires. Que pour éviter tous
ces malheurs, il étoit nécessaire qu'un Etat bien
ordonné laissast vivre chacun dans sa liberté naturelle puisqu'il étoit injuste de la violer et que
cette violence ne pouvoit produire que de mauvais
effets. Qu'il n'est pas au pouvoir des gens de croire
tout ce qu'ils voudroient bien croire, que la foy
est toujours fondée sur quelque raison précédente
qui persuade le croyant et sans laquelle il lui est
impossible d'embrasser aucune profession, quelque
semblant qu'il puisse faire de l'avoir embrassée. Que
tous ceus qui abandonnent la religion dans laquelle
ils ont été élevez pour en choisir une autre, doivent
démontrer par des preuves évidentes les motifs qui
les ont portez à ce changement, et justifier par de
bonnes raisons que la seule force de la vérité les

a obligez à renoncer à l'erreur. Que sans cela toutes
ces conversions étoient feintes, et tous les Prosélites
des trompeurs ou des insensez, qui ne sçavoient ce
qu'ils fesoient, ou qui se proposant des avantages
mondains plutôt que le salut de leur âme, cou-
vroient leur apostasie du voile spécieus de la piété
et tâchoient impudemment de tromper Dieu et les
hommes. Qu'on pouvoit, par la force de la raison,
vaincre les préjugez de l'éducation et descendre de
certaines religions superstitieuses à d'autres plus
épurées, mais qu'il étoit impossible de monter et
d'embrasser sincèrement des croyances contraires à
la raison et au témoignage des sens. Qu'il en étoit
en cela comme d'un arbre, dont on peut bien couper
et émonder les branches superflues, mais auquel on
ne sçauroit en ajoûter de nouvelles. Que selon cette
vérité incontestable on pouvoit sincèrement et raisonnablement abandonner toutes sortes de religions
pour embrasser celle des Sévarambes, comme étant
la plus raisonnable et la moins chargée de superstitions ; et que bien que tous les partis disent la
même chose pour leurs propres croyances, néanmoins tous ne pouvoient pas également les soutenir
par des raisons fortes et évidentes.

Scromenas finit ainsi son discours, qui dura plus
d'une heure, et auquel tout le monde prêta une
attention très favorable, et j'eus la joye de voir
qu'un payen eust en tant de choses une si bonne
opinion de Moïse et de quelques croyances dont
les Chrétiens font profession, quoique je n'approu-
vasse pas beaucoup ce qu'il avoit dit touchant la
religion. Mais ma joye ne fut pas de longue durée
et elle se convertit bientost en tristesse, quand, un
moment après que ce Docteur eut parlé, j'entendis
un de mes gens qui dit tout haut que luy et cinq
ou six de ses compagnons, étant convaincus de
la force du raisonnement de Scroménas, ils vouloient embrasser la religion des Sévarambes. Celui
qui parla ainsi étoit Morton l'Anglois, esprit changeant et factieus. Il s'étoit préparé à me faire

cet affront pour se venger de quelque châtiment
que je lui avois fait souffrir avec justice, et pour
cet effet il avoit obligé Scroménas à composer ce
long discours pour pouvoir renoncer à la religion
chrétienne avec plus d'éclat, et sous une belle
apparence de piété. Je m'opposai tant que je pus
à ce changement, je lui représentai son devoir,
à lui et à ses compagnons, avec toute la douceur
imaginable, mais toutes mes raisons et mes remon-
trances ne purent amolir leur cœur endurci et
infidèle à leur Dieu et à leur religion.

Ils renoncèrent publiquement au christianisme
pour embrasser la religion des Sévarambes et
tâchèrent par beaucoup de vains raisonnemens de
justifier leur infidélité. Je fis tous mes efforts pour
les ramener et pour empescher le mauvais effet
que leur exemple pourroit produire, mais lorsque
je vis qu'il n'y avoit rien à espérer de leur part,
je ne pus m'empescher de m'emporter contre eus,
et de leur dire que c'étoit une malédiction de Dieu
tombée sur leur teste, qui leur avoit ôté l'entendement. Que leur opiniâtreté et celle de leurs
ancestres leur avoit attiré ce malheur, et qu'il n'y
avoit pas lieu de s'étonner de voir que les enfans
de ceus qui s'étoient élevez contre la sainte Eglise
catholique tombassent dans un sens réprouvé et
renonçassent enfin au Christianisme, que leurs pères
avoient partagé en plusieurs sectes envenimées
contre la religion ancienne, orthodoxe, catholique et
romaine, hors de laquelle il n'y a point de salut.
Ils se moquèrent de mes reproches comme ils
avoient fait de mes exhortations, et je fus enfin
contraint de me taire et de les laisser vivre à leur
mode. Mais je me conservai entièrement, par la
grâce de Dieu, dans la foi de l'Eglise, et j'espère
d'y vivre et d'y mourir, sans que rien soit capable
de me détourner de la foi de Jésus-Christ, ni de
l'obéissance que tous les vrais Chrétiens doivent
à son Vicaire.

Notes

(1) *Sévarias est l'anagramme de Vairasse, comme Siden est l'anagramme de Denis.*
(2) *Les osmasies sont de grands bâtiments carrés entre lesquels les Sévarambes sont répartis. Elles ont chacune un chef.*

GABRIEL DE FOIGNY

LA TERRE AUSTRALE CONNUE

L'utopie de Gabriel de Foigny a paru un an après l'édition anglaise des Sévarambes de Denis Veiras, un an avant leur édition française.

Né en 1630 à Foigny près de Rethel, Gabriel de Foigny avait commencé par être moine. Il était entré chez les Cordeliers. Il était alors, nous dit-on, un prédicateur estimé. Mais en 1666, il passa en Suisse. Il se fixa d'abord à Lausanne. Puis il fut « régent d'école » à Morges, et passa enfin à Genève. Il s'était marié et avait fondé une famille. Il avait naturellement adhéré à la Réforme mais il parlait de l'Eglise romaine sans passion, au point de scandaliser parfois les protestants.

A Genève, il vivait en donnant des leçons de latin. Il publia même, en 1673, un traité qui expliquait conjointement les beautés du français et du latin en quatre-vingt-onze leçons.

En 1676 il publia un autre ouvrage, la Terre australe connue. C'étaient, à l'en croire, les souvenirs d'un certain Jacques Sadeur, et le récit de ses navigations. Mais cette fiction contenait des pages audacieuses où les usages et les croyances de l'Europe chrétienne n'étaient pas épargnés. Les théologiens de Genève y dénoncèrent aussitôt « plusieurs faussetés, impertinences, diverses fables, impietez et autres sottises ». Foigny fut invité à se justifier devant la Vénérable Compagnie. Il y réussit mal, et le Conseil ordonna qu'il serait incarcéré (28 février 1677). L'ordre ne fut d'ailleurs pas exé-

*cuté, et Foigny fut simplement invité à quitter
le territoire de Genève (14 mars 1677). Cette mesure
même, il réussit à l'éluder, grâce à d'efficaces interventions de ses protecteurs. Il demeura à Genève,
et il distribuait lui-même des exemplaires de sa
Terre australe. Le 15 septembre 1677, une décision
fut prise qui ajournait* sine die *son expulsion.*

*En 1683, il s'attira d'autres ennuis et décida de
quitter la Suisse. Il s'agissait d'une servante à
laquelle il avait fait, disait-on, un enfant. Il sentit
de fortes raisons de revenir à la foi de ses pères
et trouva refuge, en territoire français, au séminaire
de l'évêque de Genève. Il abjura le protestantisme.
La fin de sa vie n'a pas laissé de trace. D'où l'on
pourra conclure qu'elle fut vraisemblablement sans
histoire.*

La Terre australe connue *n'apportait pas le programme d'une révolution dans l'ordre social. C'était
le rêve d'une humanité chimérique, libérée des
passions de l'ambition, de la cupidité, de la luxure.
Le pays des Australiens pouvait* « passer pour une
image parfaite de l'état de l'homme jouissant de la
béatitude naturelle sur la terre ». *Entre eux régnait
une union inaltérable. S'il fallait donner un nom
à cette forme de société idéale, ce serait l'Anarchie.
Car elle était* « sans règle et sans précepte », *fondée
sur la liberté. Elle était aussi sans caste et sans
classe, et tous les Australiens étaient égaux. Ils ne
connaissaient que la communauté des biens. C'était
la conséquence naturelle d'un état de l'humanité où
l'amour-propre était inconnu.*

*Le livre de Foigny ne pouvait donc inquiéter rai-
sonnablement ses premiers lecteurs pour le tableau
qu'il offrait d'une société si évidemment chimérique.
S'ils furent scandalisés, ce fut pour les opinions
religieuses qui s'y trouvaient insinuées ou affirmées.*

*A coup sûr, ce n'est pas l'athéisme que professait
Foigny. Il avait soin, au contraire, d'affirmer l'existence de Dieu. Il le faisait avec des précisions qui
ne peuvent tromper. Contre la tradition matérialiste,*

il affirmait que les mondes ont eu un commencement, que le hasard et le mouvement local ne peuvent rendre compte de l'ordre de l'univers. Il s'en
prenait à la théorie des « petits corps » éternels,
qui se trouvait au centre du matérialisme contemporain.

Mais la religion qu'insinuait Gabriel de Foigny,
c'était évidemment le déisme. Dieu était « le grand
Architecte ». Mais il était l'Incompréhensible. Il
agissait « universellement », c'est-à-dire par les
lois de la nature, et non pas par des interventions
particulières. Dans un long développement, Foigny
démontrait que c'est faire injure à l'Etre suprême
que de lui adresser nos prières, puisqu'elles supposent que Dieu peut changer ses desseins et les
accommoder à nos demandes.

Les Australiens ont donc une religion. Ils adorent
l'Incompréhensible. Mais c'est à condition de « n'en
parler jamais ». C'est parce que les Européens
parlent de Dieu qu'ils sont déchirés par les conflits
religieux. Comment pourraient-ils être d'accord entre
eux sur Celui que l'esprit humain ne peut comprendre ? Il est vrai qu'à les en croire, l'Estre suprême
s'est fait connaître par des révélations particulières.
Mais l'idée même d'une révélation faite à quelques-
uns est injurieuse à Dieu et contredit cette universalité, qui est son essence.

Les confessions religieuses fondées sur une prétendue révélation contredisaient sur un autre point
encore l'idée que les Australiens se faisaient de la
véritable religion. Celle-ci doit naître d'une lumière
tout intérieure, elle doit être une évidence de cette
« raison » qui est la seule loi de l'homme. Mais
une confession particulière s'appuie nécessairement
sur des traditions, c'est-à-dire sur des affirmations
aveuglément transmises et docilement acceptées.
Seule la religion de l'Incompréhensible est conforme
à la raison.

Nous voudrions savoir quelle image Gabriel de
Foigny se faisait de l'univers créé, et découvrir

*auquel des grands systèmes de son temps il emprun-
tait ses opinions sur la nature. Il s'est volontairement dérobé. Il ignorait probablement le cartésia-
nisme. Quelques phrases obscures nous invitent à
soupçonner qu'il imaginait, en chaque chose, une
âme vivante, et que cette âme survivait aux des-
tructions pour passer ensuite en d'autres êtres et
s'y rallumer. Comme l'ensemble de la tradition déiste,
Foigny ne parvenait pas à croire fermement à l'immortalité de l'âme humaine, dans le sens chrétien
ou spiritualiste du mot. Il s'interdisait seulement
les négations péremptoires, et s'inclinait devant le
mystère.*

BIBLIOGRAPHIE.

L'ouvrage de Foigny a eu, au XVIIe siècle, deux
éditions :

I. *La Terre australe connue : c'est-à-dire la description de ce pays inconnu jusqu'ici, de ses mœurs
et de ses coutumes. Par M. Sadeur. Avec les avantures qui le conduisirent en ce Continent, et les
particularitez du séjour qu'il y fit durant trente-
cinq ans et plus, et de son retour. Réduites et mises
en lumière par les soins et la conduite de G. de
F. A Vannes. Par Jacques Verneuil, rue Saint-Gilles,
1676.*

Il s'agit ici de l'édition donnée par Gabriel de
Foigny lui-même, et imprimée à Genève par La
Pierre. Les indications de Vannes et de Jacques
Verneuil sont des feintes.

II. *Les Avantures de Jacques Sadeur dans la découverte et le voiage de la Terre Australe. Contenant
les coutumes et les mœurs des Australiens, leur
religion, leurs exercices, leurs études, leurs guerres,
les animaux particuliers à ce païs, et toutes les
raretez curieuses qui s'y trouvent. A Paris, chez
Claude Barbin, au Palais, sur le second perron de
la Sainte-Chapelle. 1692.*

Cette édition a été procurée par l'abbé François

Raguenet. Elle est munie d'un privilège, en date du 29 mai 1692. De nombreuses et considérables suppressions ont enlevé au texte de Foigny tout ce qui pouvait inquiéter l'orthodoxie politique ou religieuse. D'autre part les corrections de langue et de style sont innombrables.

Frédéric Lachèvre a réimprimé le texte authentique de l'édition de 1676 dans *Les successeurs de Cyrano de Bergerac*, 1922. Il a mis en note les variantes de l'édition de 1692.

Les extraits donnés dans la présente anthologie reproduisent, il va de soi, le texte de 1676.

Jacques Sadeur rapporte la conversation qu'il eut avec un sage vieillard sur la liberté originelle.

Je lui dis qu'on étoit persuadé en notre pays qu'une multitude ne pouvoit pas être sans ordre qu'elle ne fût en confusion, et que l'ordre supposoit par nécessité un premier, à qui les autres fussent obligés de se soumettre. Le vieillard, sans pénétrer plus avant dans les diverses façons de supériorité qui sont parmy nous, prit sujet de m'expliquer une doctrine dont je conceus effectivement le sens, mais que je ne saurois expliquer de la force qu'il la débita.

Il me fit comprendre que c'étoit de la nature de l'homme de naître libre, qu'on ne pouvoit l'assujettir sans le faire renoncer à soy-même ; qu'en l'assujettissant il devenoit pis que la bête, parce que la bête n'étant que pour le service de l'homme, la captivité luy est en quelque sorte naturelle. Mais l'homme ne peut naître pour le service d'un autre homme, parce que la fin doit toujours être plus noble que son effet. Il s'étendit avec des propositions dignes d'admiration, pour me faire comprendre qu'assujettir un homme à un autre homme, c'étoit l'assujettir à sa propre nature et le faire aucunement esclave de soy-même, ce qui ne

peut être sans contradiction et sans une violence
extrême. Il me prouva que l'essence de l'homme
consistoit en sa liberté et que la lui vouloir ôter
sans la détruire, c'étoit le vouloir faire subsister
sans son essence. Que s'il arrive qu'on le lie et qu'on
le captive, il perd bien le mouvement extérieur de
sa liberté, mais l'intérieur ne diminuë point. Comme
la pierre ne perd rien de sa pesanteur, bien qu'on
l'élève ou la retienne, parce qu'elle pèse toujours
et retient toujours sa gravité puisqu'elle se porte
en bas aussitost qu'on cesse de lui faire violence,
de même l'homme ne souffre sa captivité que parce
qu'on le tourmente. Aussitost que la force cesse, il
fait paroistre ce qu'il est, et sa gloire est de mourir
plutôt que d'être contraint.

Ce n'est pas qu'il ne fasse souvent ce que d'autres
désirent, mais il n'agit pas parce qu'on lui dicte ou
commande. Le mot de commandement lui est odieux,
il fait ce que sa raison lui dicte de faire ; sa
raison, c'est la loy, c'est la règle, c'est son unique
guide. Il y a cette différence entre les vrais hommes
et les demi-hommes, que toutes les pensées et
toutes les volontez de ceux-là, étant parfaitement
unies, sont les mêmes sans différence. C'est assez
de les expliquer pour les faire embrasser sans
opposition, comme les personnes raisonnables suivent avec plaisir le vray chemin aussitost qu'il est
marqué. Mais parce que les demi-hommes n'ont que
des commencements de connoissance et de foibles
lumières, il arrive par nécessité que l'un pense une
chose et l'autre une autre ; et que l'un agrée un
chemin pendant que l'autre le fuit avec des oppo-
sitions et des répugnances presque continuelles. La
preuve en est claire puisque celuy qui ne fait
qu'entrevoir ne peut éviter les dangers de se
tromper et de prendre souvent l'un pour l'autre.

De la religion des Australiens.

C'est le sujet le plus délicat et le plus caché qui soit parmy les Australiens que celuy de la religion. C'est un crime inouï que d'en parler, soit par dispute, soit par forme d'éclaircissement. Il n'est que les mères qui, leur donnant les premières connoissances, leur inspirent celle du Haab, c'est-à-dire de l'Incompréhensible. On le suppose et on l'honore partout avec tous les respects imaginables. Mais on élève la jeunesse à l'adorer sans en parler, et on la persuade qu'elle ne sauroit discourir de ses perfections sans l'offenser. D'où suit qu'on pourroit dire que leur grande religion est de ne point parler de religion.

Comme j'ay toujours conservé de grands respects pour la religion, j'ay vécu fort longtemps avec beaucoup d'inquiétude de n'y voir aucune cérémonie et de n'y entendre aucun discours de Dieu. Je découvris mes peines à mon vieux philosophe, qui, m'ayant oüy, me tira par la main, me conduisit dans une allée et me dit de fort bonne grâce : « Seroit-il vray que vous fussiez plus hommes en la connoissance du Haab qu'en vos autres actions ? Ouvre-moy ton cœur, et je ne te céleray rien de mes conceptions. » Je fus ravy d'avoir rencontré une occasion si favorable pour donner des lumières de ma croyance, et je me flattois que Dieu peut-être m'avoit conduit en ce pays pour se servir de moy afin d'éclairer un peuple qui ne manque de rien en ce monde que de sa connoissance parfaite.

Je dis, le mieux qu'il me fut possible, que nous avions deux sortes de connoissance de Dieu en nos quartiers : l'une naturelle, et l'autre, qui surpassoit la nature. La nature nous enseigne un Etre souverain, l'Autheur et le Conservateur de toutes choses. Cette vérité éclate à mes yeux, ajoutay-je, soit que je considère la terre, soit que je regarde les cieux, soit que je fasse réflexion sur moy-même. Aussitost

que je reconnois des ouvrages qui n'ont pas pu
être faits que d'une cause supérieure, je suis
obligé d'y reconnoître et d'y adorer un Etre qui
n'a pu être fait et qui les a faits. Et quand je me
considère moy-même, je suis asseuré que comme
je ne puis être sans avoir commencé, il s'ensuit
que pas une personne semblable à moy n'a pu
être sans commencement et, conséquemment, il faut
que je parvienne à un premier Etre qui, n'ayant
point eu de principe, soit l'origine de tous les autres.
Lorsque ma raison m'a conduit à ce premier principe, je conclus sans difficulté qu'il ne peut être
borné parce que les limites supposent de nécessité
une production et une dépendance.

Le vieillard ne souffrit pas que j'étendisse davantage mon discours et, en m'interrompant, il répartit,
avec plusieurs marques de satisfaction, que si ma
nature pouvoit former ce raisonnement, elle n'étoit
pas privée des plus solides connoissances.

« Je l'ay toujours médité comme tu viens de
l'expliquer, ajouta-t-il, et bien que le chemin qu'il
faut faire pour appuyer cette méditation soit extrêmement long, je suis persuadé qu'il est faisable.
J'avouë cependant que les grandes révolutions de
plusieurs milliers de siècles peuvent avoir causé
de grands changements dans ce que nous voyons.
Mais mon esprit ne me permet pas ny d'y concevoir une éternité, ny d'y comprendre une totale
production, sans la conduite d'un souverain Etre
qui en soit le seul grand Architecte et le suprême
Modérateur.

De laisser voguer son imagination parmy des millions de milliasses de révolutions, et de rapporter
tout ce que nous voyons à des cas fortuits qui
n'ayent aucun autre principe qu'un mouvement
local et la rencontre de plusieurs petits corps, c'est
s'embarrasser en des difficultez qu'on ne résoudra
jamais et se mettre en danger de commettre un
blasphème exécrable. C'est donner à la créature ce
qui n'appartient qu'au Créateur, c'est conséquem-

ment payer d'une ingratitude insupportable celuy
à qui nous avons l'obligation de tout ce que nous
sommes, niant qu'il soit le principe de tous les
êtres, et le voulant ignorer bien qu'il soit visible
en tous ses effets. Quand même on pourroit accorder
que l'éternité de ces petits corps est possible, parce
qu'il est certain que l'autre opinion est au moins
autant pour ne pas dire plus probable que celle-là,
c'est s'exposer à un crime volontaire de la laisser
pour favoriser des corps sans sentiment et incapables d'aucune reconnoissance. Je veux dire que
disputant pour détruire l'Etre des Etres, on s'expose
à commettre une fausseté criminelle, on mérite sa
disgrâce, et on ne doit pas échapper à sa juste vengeance. Au contraire, se rangeant de son côté, on
ne peut que s'acquitter de son devoir, on est
incapable de repentir, et on attire les reconnoissances de cet Infini. Enfin cette proposition est très
probable, et on ne peut que bien faire en la
suivant. L'autre est dangereuse, et on ne peut y
acquiescer sans se déclarer coupable. Cette considération nous obligea, il y a environ quarante-cinq
révolutions, de supposer ce premier de tous les Etres,
et de l'enseigner comme le fondement de tous nos
principes sans qu'on souffrît aucune raison contraire. »

J'écoutois les oracles de cet homme avec une
attention toute particulière. La grâce dont il parloit, et le poids qu'il donnoit à ses paroles atti-
roient autant mon cœur que mes oreilles. Cependant, comme je vis qu'il étoit sur le point de me
faire quelque nouvelle question, j'ajoutay que, quand
même on pourroit accorder que l'existence de ces
petits corps seroit éternelle, on ne prouveroit jamais
qu'ils ayent pû distinguer ce monde et le diversi-
fier, comme nous voyons qu'il l'est maintenant, suivant ce principe incontestable que « les choses
étant les mêmes ne peuvent faire que le même ».
Et ainsi ces atomes n'ayant aucune différence entre
eux que celle des nombres et de la pluralité, n'au-

roient pû faire au plus que des masses de même qualité. « Ce qui cause de la difficulté à de certains esprits, reprit-il, c'est la grande abstraction de cet Etre des Etres qui ne se découvre non plus que s'il n'étoit pas. Mais je trouve que cette raison n'a point de force parce que nous en avons plusieurs autres qui nous obligent de croire qu'il est trop au-dessus de nous pour se manifester à nous autrement que par ses effets. Si sa conduite pouvoit être particulière, j'aurois peine à me persuader qu'elle pût être sienne puisqu'un Etre universel ne peut agir qu'universellement et sans particularité. »

Mais s'il est ainsi, répliquay-je, que vous ne révoquiez point en doute ce grand Souverain, d'où vient que vous n'établissez aucune religion pour l'honorer ? Nous qui le reconnoissons, avons nos heures réglées pour l'adorer, nous avons nos prières pour l'invoquer, nos loüanges pour le glorifier, et ses commandemens pour les garder.

« Vous parlez donc librement du Haab, dit-il, — Ouy sans doute, et ce sont nos plus beaux et nos plus justes discours, répondis-je ; nos plus beaux puisque nous ne devons rien avoir de plus agréable que de parler de Celuy duquel nous dépendons pour la vie et pour la mort ; et nos plus justes, puisque cet entretien doit être préféré à tous les autres, pour exciter nos respects et nos reconnoissances. »

« Il n'est rien de mieux, répartit-il, mais vos sentiments sont-ils les mêmes sur cet Incompréhensible ? »

« Il en est peu, dis-je, qui ne le reconnoissent, dans ses souveraines perfections, de même sorte. »

« Parle-moy positivement et clairement, reprit-il avec empressement, êtes-vous les mêmes dans vos raisonnements sur ce premier Principe ? »

J'avouay qu'effectivement les esprits étoient fort partagés dans les conclusions, ce qui causoit plusieurs mépris et plusieurs haines, d'où naissoient des guerres, des meurtres, et d'autres suites très malheureuses.

Ce bon vieillard répliqua avec beaucoup de naïveté que, si j'avois répondu d'une autre manière, il auroit laissé ma conférence et m'auroit méprisé, parce que c'est une suite nécessaire que parlant d'une chose incompréhensible, on en parle avec beaucoup de diversité. Il faut être aveugle pour vouloir ignorer un premier Principe, mais il faut être infiny comme luy pour pouvoir en parler exactement parce que nous supposons qu'il est incompréhensible. D'où suit qu'aussitost qu'on s'expose d'en entamer la matière, comme on n'en peut parler que par conjectures, on satisfait plutôt son esprit qu'on n'approche de la vérité. Et comme on n'est plus qu'aveugle en ces considérations, on est excusable si l'un pense d'une façon et l'autre d'une autre. C'est la raison qui nous oblige de n'en point parler parce que nous sommes persuadez qu'on n'en sauroit parler sans faillir. Les assemblées que nous faisons au Hab sont pour le reconnoître et pour l'adorer. Mais c'est avec cette circonstance inviolablement observée de ne prononcer nulle parole et de laisser un chacun dans la liberté d'en penser ce que son esprit lui en suggère. Cette conduite est cause que nous sommes toujours unis et toujours en respect quand on en profère le nom, ce qui seroit impossible si nous voulions nous donner la liberté d'en discourir, comme celuy qui s'engage dans un précipice s'expose nécessairement à périr.

J'ay remarqué, ajouta-t-il, ce que tu as avancé des dissensions et des suites funestes que causent vos diverses connoissances, et il faut que tu concluës que c'est un procédé inexcusable que celuy-là. La commune doctrine de cette première cause doit être le principe de notre union, comme elle l'est de notre production. Et bien qu'on doive avoüer qu'on n'en sçauroit parler longtemps sans division, il faut conclure que lorsque cette division forme des querelles et des guerres, on abuse du Père commun au point essentiel qui doit nous unir. Mais comment peut-on penser qu'on luy est agréable quand on se détruit

l'un l'autre sous prétexte de luy plaire ? On ne
le peut bien connoître que comme une cause universelle, à qui tout appartient de même façon, qui
donne le branle et la cadence à tous les particuliers
telle qu'il veut, et qui dispose de tout, purement
selon sa volonté. N'est-ce donc pas abuser de sa
bonté que de se déchirer les uns les autres, parce
que les uns s'imaginent qu'ils le connoissent mieux
que les autres ?

*Jacques Sadeur essaie de justifier l'attachement de
    chaque peuple à sa religion.*

Je répondis qu'ils étaient puissamment persuadez
que Dieu s'étoit lui-même découvert à quelques particuliers des leurs, et qu'il avoit commandé qu'on
les écoutât et qu'on leur ajoutât foy comme à sa
personne, ne forçant toutefois aucun, mais attendant
la mort d'un chacun pour récompenser ceux qui
auront bien cru et châtier ceux qui auroient été
incrédules.

« Mais comment croire, dit-il, que le Haab a plutôt
parlé aux uns qu'aux autres ? Et d'où peut provenir
cette acception de personnes, qu'il préfère plutôt
les uns que les autres pour les favoriser de ses
lumières ? »

Je répondis que les merveilles qu'ils avoient faites
en étoient des preuves asseurées, que Dieu étoit
maître de ses volontez pour faire ce qu'il lui plaisoit, et que c'étoit à la créature de les adorer et de
s'y soumettre.

Il me demanda « d'où l'on pouvoit connoître que
ces merveilles avoient été faites, veu que les autres
qui étoient de créance contraire ne les admettoient
pas. »

Je dis qu'on le tenoit de père en fils. « Si cela est,
répartit-il, la religion qu'ils observent n'est fondée, ny
sur la parole de Dieu puisqu'ils disputent entre eux
si elle l'est véritablement ou si elle ne l'est pas, ny

sur aucune merveille qui l'autorise puisque personne
de ceux qui croyent ne se peut vanter d'en avoir
veu, et que les autres, qui ne croyent pas, les rejettent comme supposées, et conséquemment elle n'a
nul autre fondement que la crédulité de ceux qui se
laissent plus facilement persuader. »

Je répondis qu'il en étoit très peu qui ne crussent
les mêmes révélations, mais que la diversité des
religions provenoit des différentes explications qu'on
leur donnoit.

« Passons cette matière, dit-il, tu t'embarrasses et
tu tombes d'erreur en erreur pour te vouloir trop
expliquer. Si tout ce que tu avances pouvoit subsister, tu ferais paroître ta nation comme des personnes qui n'ont des lumières que pour envisager
des précipices inévitables, et pour se rendre nécessairement malheureuses. Ce que tu dis prouve qu'ils
savent entrevoir un premier Etre, mais cette connoissance ne sert qu'à les diviser, les tourmenter
et leur donner mille faux préjugés de ce Souverain,
le faisant partial, prenant ses révélations comme
obscures et qui ont besoin d'explication, le consi-
dérant comme indifférent dans toutes les disputes
qui se font pour sa gloire, et le traitant de cruel
de perdre à la fin ceux qui ont travaillé avec plus
de chaleur pour luy plaire s'il arrive qu'ils n'ayent
pas bien conceu ses volontez. Toutes ces procédures
ne sont que des chicanes indignes d'être proposées
quand il s'agit qu'un Etre suprême qui ne peut agir
qu'avec toute la prudence et toute la sagesse. Quant
à nous, nous connoissons la primauté et la haute
Souveraineté de cette première cause. Nous trouvons
par nos raisonnements que toutes les créatures
étant également siennes, il les regarde de même
œil et de même affection. Enfin nous sommes
persuadés que nous sommes si peu de chose à son
égard que nous ne méritons pas qu'il fasse aucun
état de nous, ny qu'il nous considère en façon quel-
conque.

Sur l'immortalité, le sage Australien n'a que des

doutes. « Nous sommes, *dit-il,* encore à chercher s'il est quelque différence entre un homme mort et un autre animal », *et il avoue :* « Je ne puis former aucun jugement positif de l'excellence de l'homme après sa mort, de ce qu'il excelle pendant sa vie. »

Jacques Sadeur se demande s'il est opportun d'expliquer au philosophe « la foy que nous avons d'un Dieu mort et ressuscité pour notre salut. » *Après avoir hésité, il y renonce.*

Un jour le vieillard lui demande pour quelle raison il se met à genoux, les mains jointes et les yeux levés au ciel. Jacques Sadeur lui explique qu'il prie Dieu. Sur quoi le vieillard manifeste son étonnement.

Il ajouta qu'il ne croyoit pas qu'on le pût prier sans l'offenser, et voici à peu près le raisonnement qu'il forma.

« Pour prier et invoquer le Haab, c'est une nécessité de supposer ou qu'il ignore ce que nous souhaitons, ou que, s'il le connoît, il ne le veut pas, et que nous prétendons le fléchir par notre importunité, ou du moins qu'il est indifférent et que nous espérons le tirer à notre faveur. Penser le premier, c'est blasphémer. Vouloir le second, c'est impiété. Croire le troisième, c'est sacrilège. C'est un blasphème de croire que celuy qui sait tout ignore quelque chose, et on ne peut sans impiété s'imaginer qu'on puisse l'obliger à vouloir ce qu'il ne vouloit pas auparavant, puisque c'est croire qu'on le peut changer, et qu'on peut le porter à vouloir ce qui n'est pas le meilleur.

Quant à nous, nous concevons cet Etre souverain comme incapable de changement et comme voulant toujours ce qui est plus parfait. Nous ne pouvons avoir d'autres pensées sans manquer au premier principe du raisonnement, qui nous enseigne que le Haab ne peut faillir et ne peut vouloir que ce qui est très bon. Cette vérité nous est si claire qu'elle passe pour l'une des premières règles de notre raison. Je dis plus. On ne sauroit rien demander au Haab sans témérité ou sans ignorance. La témérité éclate en ce qu'on s'attribuë de meilleurs sentiments que luy, et en ce qu'on veut réformer le cours ordinaire de sa conduite, l'obligeant à donner ce qu'il n'avoit pas dessein d'accorder. Car ou nous demandons ce que nous croyons le meilleur, ou ce qui, n'étant pas absolument le meilleur, nous est plus convenable. Si nous croyons qu'il est le meilleur, c'est témérité et peine perduë de le demander, puisque cette Cause ne peut faire que le meilleur. Si on sait que ce n'est pas le meilleur, c'est une autre témérité d'oser le demander. Enfin, c'est une ignorance insupportable de demander sans faire réflexion si c'est le meilleur qu'on demande ou si ce n'est pas le meilleur. Ces considérations nous obligent de tout attendre sans rien demander, et de recevoir tout ce qui nous arrive sans aucune répugnance, étant pleinement persuadez que c'est ainsi qu'il doit arriver, bien qu'il nous paroisse contraire et fâcheux.

Je répliquay qu'on croyoit parmy nous qu'il nous commandoit de prier, et qu'au moins, étant sur le point de mourir et de changer de monde, nous devions implorer sa miséricorde. J'avançay expressément cette proposition pour connoître ses sentiments. Aussitôt, selon son activité ordinaire, il me dit que ma réponse contenoit tant de difficultez qu'il ne l'entendoit pas, et il m'obligea de l'éclairer. Je lui fis donc connoître qu'en mourant nous changions de monde, et que nous étions placés selon la volonté de Dieu.

« Changer de monde, répondit-il, suppose deux mondes, et faire changement suppose nécessairement un grand voyage. Tu veux qu'on meure, c'est-à-dire qu'on cesse de pouvoir aller, et à même temps tu veux qu'on fasse ce voyage, c'est-à-dire qu'on aille plus vite que si l'on vivoit. Tu veux deux choses fort opposées... »

*Jacques Sadeur n'a pas de peine à répondre à cette
mauvaise difficulté, et il explique ce qu'il a voulu
dire : Notre âme se libère, à la mort, des liens
qui l'unissoient au corps. Le vieillard alors :*

« Tu crois donc, dit-il, que nous devenons des
Habis, c'est-à-dire des anges en notre mort, et qu'en
cessant d'être nous sommes beaucoup plus parfaits
que nous ne sommes pendant que nous vivons, et tu
t'embarrasses trop pour pouvoir t'expliquer. Notre
vie n'étant qu'une suite de mouvements, il s'ensuit
que la cessation de notre vie n'est qu'une cessation
de mouvement, et ainsi, bien loin de pouvoir agir
plus parfaitement étant morts, nous sommes incapables d'actions puisque nous ne sommes plus sus-
ceptibles de mouvements... »

Je connus que je ne pouvois pousser plus avant
les ouvertures de notre croyance qu'en scandalisant
cet homme et attirant son aversion. Je le priay
d'excuser ma foiblesse et de m'expliquer ses sentiments, ce qu'il fit d'un air si relevé que je ne pus
retenir ce qu'il dit, bien qu'en l'écoutant je com-
prisse en quelque façon toutes ses propositions.

Il entra, autant que je puis me souvenir, dans la
doctrine d'un génie universel qui se communique
par parties à chaque particulier, et qui a la vertu,
lorsqu'un animal meurt, de se conserver jusques à
ce qu'il soit communiqué à un autre, comme je le
dois expliquer plus amplement dans leur philosophie, tellement que ce génie s'éteint en la mort sans
cependant être détruit, puisqu'il n'attend que l'occasion d'une nouvelle disposition pour se rallumer
et qu'il se rallume selon la qualité du feu qui luy
est communiqué.

FONTENELLE

A la fin du siècle, tandis que le libertinage épicurien s'exprime avec une élégance et une délicatesse
admirables chez Saint-Evremond et Chaulieu, le
libertinage critique continue son œuvre. Vers 1670-
1680, le cercle d'Henri Justel joue à Paris, dans le
monde savant, un rôle qui n'est pas inférieur à
celui qu'avait tenu naguère l'Académie putéane. En
Hollande, une presse érudite se crée qui aborde
toutes les sortes de sujets dans un esprit qui n'est
pas celui des vieilles théologies.

Il faudrait citer deux œuvres éminentes, celle de
Fontenelle et celle de Bayle. Mais on serait contraint
de choisir de façon arbitraire parmi des pages trop
nombreuses. Pour terminer cette anthologie, on a
préféré citer un court passage du seul Fontenelle.
Vers 1680 peut-être, vers 1692 plus probablement, il
a écrit un traité De l'Origine des Fables. Il emploie
ici la manière de Naudé, c'est-à-dire que laissant de
côté tout ce qui touche directement le christianisme,
il soumet à sa critique un problème d'ensemble dans
lequel le christianisme se trouve engagé. Son étude
de l'origine des fables fait apparaître l'origine des
dogmes.

Mais depuis Naudé, la pensée critique a fait des
progrès. Malebranche a publié son admirable
Recherche de la Vérité. Fontenelle soumet les
mythes à cette méthode. Ce n'est pas encore la discipline des sociologues. Il ignore le collectif, le
sacré. Mais il analyse les mécanismes de pensée qui
ont joué dans les anciens âges et qu'il retrouve

d'ailleurs dans les temps actuels. L'esprit humain
explique l'inconnu par le connu, il généralise sans
prudence une prétendue vérité qu'il a cru observer,
et il accueille docilement les affirmations héritées
des générations antérieures. Ces lois très simples
rendent compte de la formation, de la diffusion, de
la permanence des fables.

BIBLIOGRAPHIE. — *L'Origine des Fables* fut imprimée pour la première fois en 1724. J.R. Carré a réé-
dité ce traité en 1932 avec d'excellents commentaires
et en a montré avec raison la très grande importance.

Sur la pensée de Fontenelle, voir J.R. Carré, *La
philosophie de Fontenelle*, Paris, 1932, et F. Grégoire,
Fontenelle, Une philosophie désabusée, 1947.

DE L'ORIGINE DES FABLES

Croira-t-on ce que je vais dire ? Il y a eu de la philosophie même dans ces siècles grossiers, et elle a
beaucoup servi à la naissance des fables. Les
hommes qui ont un peu plus de génie que les autres,
sont naturellement portés à rechercher la cause de
ce qu'ils voient. D'où peut venir cette rivière qui
coule toujours ? a dû dire un contemplatif de ces
siècles-là. Etrange sorte de philosophe, mais qui
auroit peut-être été un Descartes dans ce siècle-ci.
Après une longue méditation, il a trouvé fort heureusement qu'il y avoit quelqu'un qui avoit soin
de verser toujours cette eau de dedans une cruche.
Mais qui lui fournissoit toujours cette eau ? Le contemplatif n'alloit pas si loin.

Il faut prendre garde que ces idées, qui peuvent
être appelées les systèmes de ces temps-là, étoient
toujours copiées d'après les choses les plus connues.

On avoit vu souvent verser de l'eau de dedans une cruche : on imaginoit donc fort bien comment un dieu versoit celle d'une rivière ; et par la facilité même qu'on avoit à l'imaginer, on étoit tout à fait porté à le croire. Ainsi, pour rendre raison des tonnerres et des foudres, on se représentoit volontiers un dieu de figure humaine lançant sur nous des flèches de feu : idées manifestement prises sur des objets très familiers.

Cette philosophie des premiers siècles rouloit sur un principe si naturel qu'encore aujourd'hui notre philosophie n'en a point d'autre ; c'est-à-dire que nous expliquons les choses inconnues de la nature par celles que nous avons devant les yeux, et que nous transportons à la physique les idées que l'expérience nous fournit. Nous avons découvert par l'usage, et non pas deviné, ce que peuvent les poids, les ressorts, les leviers ; nous ne faisons agir la nature que par des leviers, des poids et des ressorts. Ces pauvres sauvages, qui ont les premiers habité le monde, ou ne connoissoient point ces choses-là, ou n'y avoient fait aucune attention. Ils n'expliquoient donc les effets de la nature que par des choses plus grossières et plus palpables, qu'ils connoissoient. Qu'avons-nous fait les uns et les autres ? Nous nous sommes toujours représenté l'inconnu sous la figure de ce qui nous étoit connu, mais heureusement il y a tous les sujets du monde de croire que l'inconnu ne peut pas ne point ressembler à ce qui nous est connu présentement.

De cette philosophie grossière, qui régna nécessairement dans les premiers siècles, sont nés les dieux et les déesses. Il est assez curieux de voir comment l'imagination humaine a enfanté les fausses divinités. Les hommes voyoient bien des choses qu'ils n'eussent pas pu faire : lancer les foudres, exciter les vents, agiter les flots de la mer ; tout cela étoit beaucoup au-dessus de leur pouvoir. Ils imaginèrent des êtres plus puissants qu'eux, et capables de produire ces grands effets. Il falloit bien que ces êtres-là

fussent faits comme des hommes. Quelle autre figure
eussent-ils pu avoir ? Du moment qu'ils sont de figure
humaine, l'imagination leur attribue naturellement
tout ce qui est humain ; les voilà hommes en toutes
manières, à cela près qu'ils sont toujours un peu
plus puissants que des hommes.

L'imagination, le goût du merveilleux, une philoso-
phie ignorante ont aidé à former les fables. Mais
il y a d'autres causes.

Outre tous ces principes particuliers de la naissance des fables, il y en a eu deux autres plus géné-
raux qui les ont extrêmement favorisées. Le premier
est le droit que l'on a d'inventer des choses pareilles
à celles qui sont reçues, ou de les pousser plus loin
par des conséquences. Quelque événement extraordinaire aura fait croire qu'un dieu avoit été amoureux
d'une femme ; aussitôt toutes les histoires ne seront
pleines que de dieux amoureux. Vous croyez bien
l'un ; pourquoi ne croirez-vous pas l'autre ? Si les
dieux ont des enfants, ils les aiment, ils emploient
toute leur puissance pour eux dans les occasions ;
et voilà une source inépuisable de prodiges qu'on ne
pourra traiter d'absurdes.

Le second principe, qui sert beaucoup à nos
erreurs, est le respect aveugle de l'antiquité. Nos
pères l'ont cru ; prétendrions-nous être plus sages
qu'eux ? Ces deux principes, joints ensemble, font
des merveilles. L'un, sur le moindre fondement que
la foiblesse de la nature humaine ait donné, étend
une sottise à l'infini ; l'autre, pour peu qu'elle soit
établie, la conserve à jamais. L'un, parce que nous
sommes déjà dans l'erreur, nous engage à y être
encore de plus en plus ; et l'autre nous défend de
nous en tirer parce que nous y avons été quelque
temps.

Voilà, selon toutes les apparences, ce qui a poussé
les fables à ce haut degré d'absurdité où elles sont

arrivées, et ce qui les y a maintenues, car ce que la nature y a mis directement du sien n'étoit, ni tout à fait si ridicule, ni en si grande quantité ; et les hommes ne sont point si fous qu'ils eussent pu tout d'un coup enfanter de telles rêveries, y ajouter foi et être un fort long temps à s'en désabuser, à moins qu'il ne s'y fût mêlé les deux choses que nous venons de dire.

Examinons les erreurs de ce siècle-ci, nous trouverons que les mêmes choses les ont établies, étendues et conservées. Il est vrai que nous ne sommes arrivés à aucune absurdité aussi considérable que les anciennes fables des Grecs ; mais c'est que nous ne sommes pas partis d'abord d'un point si absurde. Nous savons aussi bien qu'eux étendre et conserver nos erreurs ; mais heureusement elles ne sont pas si grandes, parce que nous sommes éclairés des lumières de la vraie religion et, à ce que je crois, de quelques rayons de la vraie philosophie.

On attribue ordinairement l'origine des fables à l'imagination vive des Orientaux. Pour moi, je l'attribue à l'ignorance des premiers hommes. Mettez un peuple nouveau sous le pôle ; ses premières histoires seront des fables ; et en effet les anciennes histoires du Septentrion n'en sont-elles pas toutes pleines ? Ce ne sont que géants et magiciens. Je ne dis pas qu'un soleil vif et ardent ne puisse encore donner aux esprits une dernière coction, qui perfectionne la disposition qu'ils ont à se repaître de fables ; mais tous les hommes ont pour cela des talents indépendants du soleil. Aussi, dans tout ce que je viens de dire, je n'ai supposé dans les hommes que ce qui leur est commun à tous, et ce qui doit avoir son effet sous les zones glaciales comme sous la torride.

TABLE DES MATIÈRES

Préface 7
Le P. Garasse 33
Théophile de Viau 55
Charles Sorel 63
Les chansons de Blot 73
Couplets libertins 82
Les Quatrains du Déiste 88
Les Mémoires de Beurrier 110
La Mothe le Vayer 121
Gabriel Naudé 140
Guy Patin 155
Cyrano de Bergerac 159
Des Barreaux 193
Vauquelin des Yveteaux 198
Sarasin 205
Saint-Evremond 216
Chapelle 245
Madame Deshoulières 252
Dehénault 258
Chaulieu 265
Denis Veiras 280
Gabriel de Foigny 303
Fontenelle 319